LE NEVEU DE RAMEAU

CE VOLUME CONTIENT :

DIDEROT

Le neveu de Rameau
et autres textes

POSTFACE DE JACQUES PROUST

LE LIVRE DE POCHE

Jacques Proust, professeur à l'Université Paul-Valéry de Montpellier, est l'auteur de *Diderot et l'Encyclopédie* (Colin, 1967), *L'Encyclopédie* (Colin, 1965), *L'Encyclopédisme dans le Bas-Languedoc au XVIIIe siècle* (Faculté des Lettres de Montpellier, 1968), et le présentateur de Diderot, *Quatre contes* (Droz, 1964) et *Sur la liberté de la presse* (Éditions sociales, 1964).

LE NEVEU DE RAMEAU

ou

SATIRE SECONDE

NOTICE

LA genèse du Neveu de Rameau s'est étendue sur une période qui va de 1761 à la mort du philosophe, comme le montrent indirectement les références à des événements historiques datés et les rapprochements textuels qu'on peut faire avec d'autres œuvres de Diderot (en particulier sa Correspondance). On s'accorde à lui donner comme point de départ une rencontre réelle entre l'auteur et le véritable neveu de Jean-Philippe Rameau, figure de musicien bohème et excentrique assez connue en son temps. Mais la désinvolture avec laquelle sont traités les faits et leur chronologie doit mettre en défiance à l'égard de toute lecture purement « historienne ».

Apparemment, Le Neveu de Rameau resta inconnu des abonnés de la Correspondance littéraire et même de Naigeon, le premier éditeur des Œuvres de Diderot. Il parut pour la première fois en 1805 à Leipzig dans une traduction allemande de Gœthe.

La première édition française établie sur une copie sûre — elle venait de la fille de Diderot — fut celle de Brière

(1823). La grande édition Assézat-Tourneux de 1875 utilise une copie d'origine inconnue. L'édition Isambert de 1883 et celle de Tourneux (1884) se servent d'une copie conservée à Pétersbourg, dans le lot de manuscrits envoyés à Catherine II. En 1891 enfin Georges Monval en découvrait une autre chez un bouquiniste. C'est une mise au net autographe qui semble correspondre à un travail de revision fait dans les années 1774-1777. Elle a depuis servi de base à toutes les éditions du Neveu de Rameau, *dont celle de Jean Fabre (Droz, 1951). Le manuscrit Monval est actuellement à la Pierpont Morgan Library, à New York.*

Le fonds Vandeul (Bibliothèque Nationale, Paris) contient trois copies du roman qui n'ont pas encore été exploitées systématiquement. La leçon adoptée ici est celle du manuscrit Monval, lu par Roland Desné (Diderot, Satires, *Club des amis du livre progressiste, 1963, pp. 3-153).*

*Vertumnis, quotquot sunt, natus iniquis**
(Horat., Lib. II, Satyr. VII)

QU'IL fasse beau, qu'il fasse laid, c'est mon habitude d'aller sur les cinq heures du soir me promener au Palais-Royal. C'est moi qu'on voit, toujours seul, rêvant sur le banc d'Argenson. Je m'entretiens avec moi-même de politique, d'amour, de goût ou de philosophie. J'abandonne mon esprit à tout son libertinage. Je le laisse maître de suivre la première idée sage ou folle qui se présente, comme on voit dans l'allée de Foy nos jeunes dissolus marcher sur les pas d'une courtisane à l'air éventé, au visage riant, à l'œil vif, au nez retroussé, quitter celle-ci pour une autre, les attaquant toutes et ne s'attachant à aucune. Mes pensées, ce sont mes catins. Si le temps est trop froid, ou trop pluvieux, je me réfugie au café de la Régence; là je m'amuse à voir jouer aux échecs. Paris est l'endroit du monde, et le café de la Régence est l'endroit de Paris où l'on joue le mieux à ce jeu. C'est chez Rey que font assaut Légal le profond, Philidor le subtil, le solide Mayot, qu'on voit les coups les plus surprenants, et qu'on entend les plus mauvais propos; car si l'on peut être homme d'esprit et grand joueur d'échecs, comme Légal; on peut être aussi un grand joueur d'échecs, et un sot, comme Foubert et

* ... né sous l'influence maligne de tous les Vertumnes réunis.

Mayot. Un après-dîner, j'étais là, regardant beaucoup, parlant peu, et écoutant le moins que je pouvais; lorsque je fus abordé par un des plus bizarres personnages de ce pays où Dieu n'en a pas laissé manquer. C'est un composé de hauteur et de bassesse, de bon sens et de déraison. Il faut que les notions de l'honnête et du déshonnête soient bien étrangement brouillées dans sa tête; car il montre ce que la nature lui a donné de bonnes qualités, sans ostentation, et ce qu'il en a reçu de mauvaises, sans pudeur. Au reste il est doué d'une organisation forte, d'une chaleur d'imagination singulière, et d'une vigueur de poumons peu commune. Si vous le rencontrez jamais et que son originalité ne vous arrête pas; ou vous mettrez vos doigts dans vos oreilles, ou vous vous enfuirez. Dieux, quels terribles poumons. Rien ne dissemble plus de lui que lui-même. Quelquefois, il est maigre et hâve, comme un malade au dernier degré de la consomption; on compterait ses dents à travers ses joues. On dirait qu'il a passé plusieurs jours sans manger, ou qu'il sort de la Trappe. Le mois suivant, il est gras et replet, comme s'il n'avait pas quitté la table d'un financier, ou qu'il eût été renfermé dans un couvent de Bernardins. Aujourd'hui, en linge sale, en culotte déchirée, couvert de lambeaux, presque sans souliers, il va la tête basse, il se dérobe, on serait tenté de l'appeler, pour lui donner l'aumône. Demain, poudré, chaussé, frisé, bien vêtu, il marche la tête haute, il se montre et vous le prendriez au peu près pour un honnête homme. Il vit au jour la journée. Triste ou gai, selon les circonstances. Son premier soin, le matin, quand il est levé, est de savoir où il dînera; après dîner, il pense où il ira souper. La nuit amène aussi son inquiétude. Ou il regagne, à pied,

un *petit grenier qu'il habite, à moins que l'hôtesse ennuyée
d'attendre son loyer, ne lui en ait redemandé la clef; ou il se
rabat dans une taverne du faubourg où il attend le jour, entre
un morceau de pain et un pot de bière. Quand il n'a pas six
sols dans sa poche, ce qui lui arrive quelquefois, il a recours
soit à un fiacre de ses amis, soit au cocher d'un grand seigneur
qui lui donne un lit sur de la paille, à côté de ses chevaux. Le
matin, il a encore une partie de son matelas dans ses cheveux.
Si la saison est douce, il arpente toute la nuit, le Cours ou les
Champs-Élysées. Il reparaît avec le jour, à la ville, habillé
de la veille pour le lendemain, et du lendemain quelquefois
pour le reste de la semaine. Je n'estime pas ces originaux-là.
D'autres en font leurs connaissances familières, même leurs
amis. Ils m'arrêtent une fois l'an, quand je les rencontre, parce
que leur caractère tranche avec celui des autres, et qu'ils
rompent cette fastidieuse uniformité que notre éducation, nos
conventions de société, nos bienséances d'usage ont introduite.
S'il en paraît un dans une compagnie; c'est un grain de levain
qui fermente et qui restitue à chacun une portion de son individualité naturelle. Il secoue, il agite; il fait approuver ou
blâmer; il fait sortir la vérité; il fait connaître les gens de
bien; il démasque les coquins; c'est alors que l'homme de bon
sens écoute, et démêle son monde. Je connaissais celui-ci de
longue main. Il fréquentait dans une maison dont son talent
lui avait ouvert la porte. Il y avait une fille unique. Il jurait
au père et à la mère qu'il épouserait leur fille. Ceux-ci haus-
saient les épaules, lui riaient au nez; lui disaient qu'il était fou,
et je vis le moment que la chose était faite. Il m'empruntait
quelques écus que je lui donnais. Il s'était introduit, je ne sais
comment, dans quelques maisons honnêtes, où il avait son cou-*

vert, mais à la condition qu'il ne parlerait pas, sans en avoir obtenu la permission. Il se taisait, et mangeait de rage. Il était excellent à voir dans cette contrainte. S'il lui prenait envie de manquer au traité, et qu'il ouvrît la bouche; au premier mot, tous les convives s'écriaient, ô Rameau! Alors la fureur étincelait dans ses yeux, et il se remettait à manger avec plus de rage. Vous étiez curieux de savoir le nom de l'homme, et vous le savez. C'est le neveu de ce musicien célèbre qui nous a délivrés du plain-chant de Lulli que nous psalmodions depuis plus de cent ans; qui a tant écrit de visions inintelligibles et de vérités apocalyptiques sur la théorie de la musique, où ni lui ni personne n'entendit jamais rien, et de qui nous avons un certain nombre d'opéras où il y a de l'harmonie, des bouts de chants, des idées décousues, du fracas, des vols, des triomphes, des lances, des gloires, des murmures, des victoires à perte d'haleine; des airs de danse qui dureront éternellement, et qui, après avoir enterré le Florentin, sera enterré par les virtuoses italiens, ce qu'il pressentait et le rendait sombre, triste, hargneux; car personne n'a autant d'humeur, pas même une jolie femme qui se lève avec un bouton sur le nez, qu'un auteur menacé de survivre à sa réputation; témoins Marivaux et Crébillon le fils.

Il m'aborde... Ah, ah, vous voilà, monsieur le philosophe; et que faites-vous ici parmi ce tas de fainéants? Est-ce que vous perdez aussi votre temps à pousser le bois? *C'est ainsi qu'on appelle par mépris jouer aux échecs ou aux dames.*

MOI. — Non; mais quand je n'ai rien de mieux à faire, je m'amuse à regarder un instant, ceux qui le poussent bien.

LUI. — En ce cas, vous vous amusez rarement; excepté Légal et Philidor, le reste n'y entend rien.

MOI. — Et monsieur de Bissy donc?

LUI. — Celui-là est en joueur d'échecs, ce que mademoiselle Clairon est en acteur. Ils savent de ces jeux, l'un et l'autre, tout ce qu'on en peut apprendre.

MOI. — Vous êtes difficile, et je vois que vous ne faites grâce qu'aux hommes sublimes.

LUI. — Oui, aux échecs, aux dames, en poésie, en éloquence, en musique, et autres fadaises comme cela. A quoi bon la médiocrité dans ces genres.

MOI. — A peu de chose, j'en conviens. Mais c'est qu'il faut qu'il y ait un grand nombre d'hommes qui s'y appliquent, pour faire sortir l'homme de génie. Il est un dans la multitude. Mais laissons cela. Il y a une éternité que je ne vous ai vu. Je ne pense guère à vous, quand je ne vous vois pas. Mais vous me plaisez toujours à revoir. Qu'avez-vous fait?

LUI. — Ce que vous, moi et tous les autres font; du bien, du mal et rien. Et puis j'ai eu faim, et j'ai mangé, quand l'occasion s'en est présentée; après avoir mangé, j'ai eu soif, et j'ai bu quelquefois. Cependant la barbe me venait; et quand elle a été venue, je l'ai fait raser.

MOI. — Vous avez mal fait. C'est la seule chose qui vous manque, pour être un sage.

LUI. — Oui-da. J'ai le front grand et ridé; l'œil ardent; le nez saillant; les joues larges; le sourcil noir et fourni; la bouche bien fendue; la lèvre rebordée; et la face carrée. Si ce vaste menton était couvert d'une longue barbe; savez-vous que cela figurerait très bien en bronze ou en marbre.

MOI. — A côté d'un César, d'un Marc-Aurèle, d'un Socrate.

LUI. — Non, je serais mieux entre Diogène et Phryné. Je suis effronté comme l'un, et je fréquente volontiers chez les autres.

MOI. — Vous portez-vous toujours bien?

LUI. — Oui, ordinairement; mais pas merveilleusement aujourd'hui.

MOI. — Comment? Vous voilà avec un ventre de Silène; et un visage...

LUI. — Un visage qu'on prendrait pour son antagoniste. C'est que l'humeur qui fait sécher mon cher oncle engraisse apparemment son cher neveu.

MOI. — A propos de cet oncle, le voyez-vous quelquefois?

LUI. — Oui, passer dans la rue.

MOI. — Est-ce qu'il ne vous fait aucun bien?

LUI. — S'il en fait à quelqu'un, c'est sans s'en douter. C'est un philosophe dans son espèce. Il ne pense qu'à lui; le reste de l'univers lui est comme d'un clou à soufflet. Sa fille et sa femme n'ont qu'à mourir, quand elles voudront; pourvu que les cloches de la paroisse, qu'on sonnera pour elles, continuent de résonner la douzième et la dix-septième tout sera bien. Cela est heureux pour lui. Et c'est ce que je prise particulièrement dans les gens de génie. Ils ne sont bons qu'à une chose. Passé cela, rien. Ils ne savent ce que c'est d'être citoyens, pères, mères, frères, parents, amis. Entre nous, il faut leur ressembler de tout point; mais ne pas désirer que la graine en soit commune. Il faut des hommes; mais pour des hommes de génie; point. Non, ma foi, il n'en faut point. Ce sont eux qui changent la face du globe; et dans les plus petites choses, la sottise est si commune et si puissante qu'on ne la réforme pas sans charivari. Il s'établit partie de ce qu'ils ont imaginé. Partie reste, comme il était; de là deux évangiles; un habit d'Arlequin. La sagesse du moine de Rabelais, est la vraie sagesse, pour son repos et pour celui des autres : faire son devoir, tellement quellement; toujours dire du bien de Monsieur le prieur; et laisser aller le monde à sa fantaisie. Il va bien, puisque la multitude en est contente. Si je savais l'histoire, je vous montrerais que le mal est toujours venu ici bas, par quelque homme de génie. Mais je ne sais pas l'histoire, parce que je ne sais rien. Le diable m'emporte, si j'ai jamais rien appris; et si pour n'avoir rien appris, je m'en trouve plus mal. J'étais un jour à la table d'un ministre du roi de France qui a de l'esprit comme quatre; eh bien, il nous démontra clair comme un et un font deux, que rien n'était plus utile aux peuples que le mensonge; rien de plus nuisible que la vérité. Je ne me rappelle pas bien ses preuves; mais il s'ensuivait évidemment que les gens de génie sont détestables, et que si un enfant apportait en naissant, sur son front, la caractéristique de ce dangereux présent de la nature, il faudrait ou l'étouffer, ou le jeter au cagnard.

MOI. — Cependant ces personnages-là, si ennemis du génie, prétendent tous en avoir.

LUI. — Je crois bien qu'ils le pensent au-dedans d'eux-mêmes; mais je ne crois pas qu'ils osassent l'avouer.

MOI. — C'est par modestie. Vous conçûtes donc là, une terrible haine contre le génie.

LUI. — A n'en jamais revenir.

MOI. — Mais j'ai vu un temps que vous vous désespériez de n'être qu'un homme commun. Vous ne serez jamais heureux, si le pour et le contre vous afflige également. Il faudrait prendre son parti, et y demeurer attaché. Tout en convenant avec vous que les hommes de génie sont communément singuliers, ou comme dit le proverbe, qu'il n'y a point de grands esprits sans un grain de folie, on n'en reviendra pas. On méprisera les siècles qui n'en auront pas produit. Ils feront l'honneur des peuples chez lesquels ils auront existé; tôt ou tard, on leur élève des statues, et on les regarde comme les bienfaiteurs du genre humain. N'en déplaise au ministre sublime que vous m'avez cité, je crois que si le mensonge peut servir un moment, il est nécessairement nuisible à la longue; et qu'au contraire, la vérité sert nécessairement à la longue; bien qu'il puisse arriver qu'elle nuise dans le moment. D'où je serais tenté de conclure que l'homme de génie qui décrie une erreur générale, ou qui accrédite une grande vérité, est toujours un être digne de notre vénération. Il peut arriver que cet être soit la victime du préjugé et des lois; mais il y a deux sortes de lois, les unes d'une équité, d'une généralité absolues; d'autres bizarres qui ne doivent leur sanction qu'à l'aveuglement ou la nécessité des circonstances. Celles-ci ne couvrent le coupable qui les enfreint que d'une ignominie passagère; ignominie que le temps reverse sur les juges et sur les nations, pour y rester à jamais. De Socrate, ou du magistrat qui lui fit boire la ciguë, quel est aujourd'hui le déshonoré?

LUI. — Le voilà bien avancé! en a-t-il été moins condamné? en a-t-il moins été mis à mort? en a-t-il moins été un citoyen turbulent? par le mépris d'une mauvaise loi, en a-t-il moins encouragé les fous au mépris des bonnes? en a-t-il moins été un particulier audacieux et bizarre? Vous n'étiez pas éloigné tout à l'heure d'un aveu peu favorable aux hommes de génie.

MOI. — Écoutez-moi, cher homme. Une société ne devrait point avoir de mauvaises lois; et si elle n'en avait que de bonnes, elle ne serait jamais dans le cas de persécuter un homme de génie. Je ne vous ai pas dit que le génie fût indivisiblement attaché à la méchanceté, ni la méchanceté au génie. Un sot sera plus souvent un méchant qu'un homme d'esprit. Quand un homme de génie serait communément d'un commerce dur, difficile, épineux, insupportable, quand même ce serait un méchant, qu'en concluriez-vous?

LUI. — Qu'il est bon à noyer.

MOI. — Doucement; cher homme. Ça, dites-moi; je ne prendrai pas votre oncle pour exemple; c'est un homme dur; c'est un brutal; il est sans humanité; il est avare. Il est mauvais père, mauvais époux; mauvais oncle; mais il n'est pas assez décidé que ce soit un homme de génie; qu'il ait poussé son art fort loin, et qu'il soit question de ses ouvrages dans dix ans. Mais

Racine? Celui-là certes avait du génie, et ne passait pas
pour un trop bon homme. Mais de Voltaire?

LUI. — Ne me pressez pas; car je suis conséquent.

MOI. — Lequel des deux préféreriez-vous? ou qu'il eût
été un bon homme, identifié avec son comptoir, comme
Briasson ou avec son aune, comme Barbier; faisant
régulièrement tous les ans un enfant légitime à sa
femme, bon mari; bon père, bon oncle, bon voisin,
honnête commerçant, mais rien de plus; ou qu'il eût été
fourbe, traître, ambitieux, envieux, méchant; mais
auteur d'*Andromaque,* de *Britannicus,* d'*Iphigénie,* de
Phèdre, d'*Athalie.*

LUI. — Pour lui, ma foi, peut-être que de ces deux
hommes, il eût mieux valu qu'il eût été le premier.

MOI. — Cela est même infiniment plus vrai que vous
ne le sentez.

LUI. — Oh! vous voilà, vous autres! Si nous disons
quelque chose de bien, c'est comme des fous, ou des
inspirés; par hasard. Il n'y a que vous autres qui vous
entendiez. Oui, monsieur le philosophe. Je m'entends;
et je m'entends ainsi que vous vous entendez.

MOI. — Voyons; eh bien, pourquoi pour lui?

LUI. — C'est que toutes ces belles choses-là qu'il a
faites ne lui ont pas rendu vingt mille francs; et que s'il
eût été un bon marchand en soie de la rue Saint-Denis
ou Saint-Honoré, un bon épicier en gros, un apothicaire
bien achalandé, il eût amassé une fortune immense, et
qu'en l'amassant, il n'y aurait eu sorte de plaisirs dont
il n'eût joui; qu'il aurait donné de temps en temps la
pistole à un pauvre diable de bouffon comme moi qui

l'aurait fait rire, qui lui aurait procuré dans l'occasion
une jeune fille qui l'aurait désennuyé de l'éternelle cohabitation avec sa femme; que nous aurions fait d'excellents repas chez lui, joué gros jeu; bu d'excellents vins,
d'excellentes liqueurs, d'excellents cafés, fait des parties
de campagne; et vous voyez que je m'entendais. Vous
riez. Mais laissez-moi dire. Il eût été mieux pour ses
entours.

MOI. — Sans contredit; pourvu qu'il n'eût pas employé d'une façon déshonnête l'opulence qu'il aurait
acquise par un commerce légitime; qu'il eût éloigné de
sa maison tous ces joueurs; tous ces parasites; tous ces
fades complaisants; tous ces fainéants, tous ces pervers
inutiles; et qu'il eût fait assommer à coups de bâtons,
par ses garçons de boutique, l'homme officieux qui
soulage, par la variété, les maris, du dégoût d'une
cohabitation habituelle avec leurs femmes.

LUI. — Assommer! monsieur, assommer! on n'as-
somme personne dans une ville bien policée. C'est un
état honnête. Beaucoup de gens, même titrés, s'en
mêlent. Et à quoi diable, voulez-vous donc qu'on emploie son argent, si ce n'est à avoir bonne table, bonne
compagnie, bons vins, belles femmes, plaisirs de toutes
les couleurs, amusements de toutes les espèces. J'aimerais autant être gueux que de posséder une grande
fortune, sans aucune de ces jouissances. Mais revenons
à Racine. Cet homme n'a été bon que pour des inconnus, et que pour le temps où il n'était plus.

MOI. — D'accord. Mais pesez le mal et le bien. Dans
mille ans d'ici, il fera verser des larmes; il sera l'admi-

ration des hommes. Dans toutes les contrées de la terre
il inspirera l'humanité, la commisération, la tendresse;
on demandera qui il était, de quel pays, et on l'enviera
à la France. Il a fait souffrir quelques êtres qui ne sont
plus; auxquels nous ne prenons presqu'aucun intérêt;
nous n'avons rien à redouter ni de ses vices ni de ses
défauts. Il eût été mieux sans doute qu'il eût reçu de la
nature les vertus d'un homme de bien, avec les talents
d'un grand homme. C'est un arbre qui a fait sécher
quelques arbres plantés dans son voisinage; qui a étouffé
les plantes qui croissaient à ses pieds; mais il a porté
sa cime jusque dans la nue; ses branches se sont étendues au loin; il a prêté son ombre à ceux qui venaient,.
qui viennent et qui viendront se reposer autour de son
tronc majestueux; il a produit des fruits d'un goût
exquis et qui se renouvellent sans cesse. Il serait à
souhaiter que de Voltaire eût encore la douceur de
Duclos, l'ingénuité de l'abbé Trublet, la droiture de
l'abbé d'Olivet; mais puisque cela ne se peut; regardons
la chose du côté vraiment intéressant; oublions pour un
moment le point que nous occupons dans l'espace et
dans la durée; et étendons notre vue sur les siècles à
venir, les régions les plus éloignées, et les peuples à
naître. Songeons au bien de notre espèce. Si nous ne
sommes pas assez généreux; pardonnons au moins à la
nature d'avoir été plus sage que nous. Si vous jetez de
l'eau froide sur la tête de Greuze, vous éteindrez peut-
être son talent avec sa vanité. Si vous rendez de Voltaire
moins sensible à la critique, il ne saura plus descendre
dans l'âme de Mérope. Il ne vous touchera plus.

LUI. — Mais si la nature était aussi puissante que sage; pourquoi ne les a-t-elle pas faits aussi bons qu'elle les a faits grands?

MOI. — Mais ne voyez-vous pas qu'avec un pareil raisonnement vous rênversez l'ordre général, et que si tout ici-bas était excellent, il n'y aurait rien d'excellent.

LUI. — Vous avez raison. Le point important est que vous et moi nous soyons, et que nous soyons vous et moi. Que tout aille d'ailleurs comme il pourra. Le meilleur ordre des choses, à mon avis, est celui où je devais être; et foin du plus parfait des mondes, si je n'en suis pas. J'aime mieux être, et même être impertinent raisonneur que de n'être pas.

MOI. — Il n'y a personne qui ne pense comme vous, et qui ne fasse le procès à l'ordre qui est; sans s'apercevoir qu'il renonce à sa propre existence.

LUI. — Il est vrai.

MOI. — Acceptons donc les choses comme elles sont. Voyons ce qu'elles nous coûtent et ce qu'elles nous rendent; et laissons là le tout que nous ne connaissons pas assez pour le louer ou le blâmer; et qui n'est peut-être ni bien ni mal; s'il est nécessaire, comme beaucoup d'honnêtes gens l'imaginent.

LUI. — Je n'entends pas grand-chose à tout ce que vous me débitez là. C'est apparemment de la philosophie; je vous préviens que je ne m'en mêle pas. Tout ce que je sais, c'est que je voudrais bien être un autre, au hasard d'être un homme de génie, un grand homme. Oui, il faut que j'en convienne, il y a là quelque chose qui me le dit. Je n'en ai jamais entendu louer un seul

que son éloge ne m'ait fait secrètement enrager. Je suis
envieux. Lorsque j'apprends de leur vie privée quelque
trait qui les dégrade, je l'écoute avec plaisir. Cela nous
rapproche : j'en supporte plus aisément ma médiocrité.
Je me dis : certes tu n'aurais jamais fait *Mahomet ;* mais
ni l'éloge du Maupeou. J'ai donc été; je suis donc
fâché d'être médiocre. Oui, oui, je suis médiocre et
fâché. Je n'ai jamais entendu jouer l'ouverture des *Indes
galantes ;* jamais entendu chanter, *Profonds Abîmes du
Ténare, Nuit, éternelle Nuit,* sans me dire avec douleur;
voilà ce que tu ne feras jamais. J'étais donc jaloux de
mon oncle; et s'il y avait eu à sa mort, quelques belles
pièces de clavecin, dans son portefeuille, je n'aurais pas
balancé à rester moi, et à être lui.

MOI. — S'il n'y a que cela qui vous chagrine, cela n'en
vaut pas trop la peine.

LUI. — Ce n'est rien. Ce sont des moments qui
passent.

Puis il se remettait à chanter l'ouverture des Indes galantes,
et l'air Profonds Abîmes; *et il ajoutait :*

Le quelque chose qui est là et qui me parle, me dit :
Rameau, tu voudrais bien avoir fait ces deux morceaux-
là; si tu avais fait ces deux morceaux-là, tu en ferais
bien deux autres; et quand tu en aurais fait un certain
nombre, on te jouerait, on te chanterait partout; quand
tu marcherais, tu aurais la tête droite; la conscience te
rendrait témoignage à toi-même de ton propre mérite;
les autres, te désigneraient du doigt. On dirait, c'est lui
qui a fait les jolies gavottes *et il chantait les gavottes ; puis
avec l'air d'un homme touché, qui nage dans la joie, et qui en a*

les yeux humides, il ajoutait, en se frottant les mains ; tu aurais une bonne maison, *et il en mesurait l'étendue avec ses bras,* un bon lit, *et il s'y étendait nonchalamment,* de bons vins, *qu'il goûtait en faisant claquer sa langue contre son palais,* un bon équipage *et il levait le pied pour y monter,* de jolies femmes *à qui il prenait déjà la gorge et qu'il regardait voluptueusement,* cent faquins me viendraient encenser tous les jours; *et il croyait les voir autour de lui ; il voyait Palissot, Poincinet, les Frérons père et fils, La Porte ; il les entendait, il se rengorgeait, les approuvait, leur souriait, les dédaignait, les méprisait, les chassait, les rappelait ; puis il continuait :* et c'est ainsi que l'on te dirait le matin que tu es un grand homme; tu lirais dans l'histoire des *Trois Siècles* que tu es un grand homme; tu serais convaincu le soir que tu es un grand homme; et le grand homme, Rameau le neveu *s'endormirait au doux murmure de l'éloge qui retentirait dans son oreille; même en dormant, il aurait l'air satisfait; sa poitrine se dilaterait, s'élèverait, s'abaisserait avec aisance; il ronflerait, comme un grand homme; et en parlant ainsi ; il se laissait aller mollement sur une banquette ; il fermait les yeux, et il imitait le sommeil heureux qu'il imaginait. Après avoir goûté quelques instants la douceur de ce repos, il se réveillait, étendait ses bras, bâillait, se frottait les yeux, et cherchait encore autour de lui ses adulateurs insipides.*

MOI. — Vous croyez donc que l'homme heureux a son sommeil?

LUI. — Si je le crois! Moi, pauvre hère, lorsque le soir j'ai regagné mon grenier et que je me suis fourré dans mon grabat, je suis ratatiné sous ma couverture; j'ai la

poitrine étroite et la respiration gênée; c'est une espèce
de plainte faible qu'on entend à peine; au lieu qu'un
financier fait retentir son appartement, et étonne toute
sa rue. Mais ce qui m'afflige aujourd'hui, ce n'est pas de
ronfler et de dormir mesquinement, comme un misérable.

MOI. — Cela est pourtant triste.

LUI. — Ce qui m'est arrivé l'est bien davantage.

MOI. — Qu'est-ce donc?

LUI. — Vous avez toujours pris quelqu'intérêt à moi,
parce que je suis un bon diable que vous méprisez dans
le fond, mais qui vous amuse.

MOI. — C'est la vérité.

LUI. — Et je vais vous le dire.

*Avant que de commencer, il pousse un profond soupir et
porte ses deux mains à son front. Ensuite, il reprend un air
tranquille, et me dit :*

Vous savez que je suis un ignorant, un sot, un fou,
un impertinent, un paresseux, ce que nos Bourguignons
appellent un fieffé truand, un escroc, un gourmand...

MOI. — Quel panégyrique!

LUI. — Il est vrai de tout point. Il n'y en a pas un mot
à rabattre. Point de contestation là-dessus, s'il vous
plaît. Personne ne me connaît mieux que moi; et je ne
dis pas tout.

MOI. — Je ne veux point vous fâcher; et je conviendrai
de tout.

LUI. — Eh bien, je vivais avec des gens qui m'avaient
pris en gré, précisément parce que j'étais doué, à un rare
degré, de toutes ces qualités.

MOI. — Cela est singulier. Jusqu'à présent j'avais cru ou qu'on se les cachait à soi-même, ou qu'on se les pardonnait, et qu'on les méprisait dans les autres.

LUI. — Se les cacher, est-ce qu'on le peut? Soyez sûr que, quand Palissot est seul et qu'il revient sur lui-même, il se dit bien d'autres choses. Soyez sûr qu'en tête à tête avec son collègue, ils s'avouent franchement qu'ils ne sont que deux insignes maroufles. Les mépriser dans les autres! mes gens étaient plus équitables, et leur caractère me réussissait merveilleusement auprès d'eux. J'étais comme un coq en pâte. On me fêtait. On ne me perdait pas un moment, sans me regretter. J'étais leur petit Rameau, leur joli Rameau, leur Rameau le fou, l'impertinent, l'ignorant, le paresseux, le gourmand, le bouffon, la grosse bête. Il n'y avait pas une de ces épithètes familières qui ne me valût un sourire, une caresse, un petit coup sur l'épaule, un soufflet, un coup de pied, à table un bon morceau qu'on me jetait sur mon assiette, hors de table une liberté que je prenais sans conséquence; car moi, je suis sans conséquence. On fait de moi, avec moi, devant moi, tout ce qu'on veut, sans que je m'en formalise; et les petits présents qui me pleuvaient? Le grand chien que je suis; j'ai tout perdu! J'ai tout perdu pour avoir eu le sens commun, une fois, une seule fois en ma vie; ah, si cela m'arrive jamais!

MOI. — De quoi s'agissait-il donc?

LUI. — C'est une sottise incomparable, incompréhensible, irrémissible.

MOI. — Quelle sottise encore?

LUI. — Rameau, Rameau, vous avait-on pris pour

cela! La sottise d'avoir eu un peu de goût, un peu d'esprit, un peu de raison. Rameau, mon ami, cela vous apprendra à rester ce que Dieu vous fit et ce que vos protecteurs vous voulaient. Aussi l'on vous a pris par les épaules; on vous a conduit à la porte; on vous a dit, « faquin, tirez; ne reparaissez plus. Cela veut avoir du sens, de la raison, je crois! Tirez. Nous avons de ces qualités-là, de reste ». Vous vous en êtes allé en vous mordant les doigts; c'est votre langue maudite qu'il fallait mordre auparavant. Pour ne vous en être pas avisé, vous voilà sur le pavé, sans le sol, et ne sachant où donner de la tête. Vous étiez nourri à bouche que veux-tu, et vous retournerez au regrat; bien logé, et vous serez trop heureux si l'on vous rend votre grenier; bien couché, et la paille vous attend entre le cocher de Monsieur de Soubise et l'ami Robbé. Au lieu d'un sommeil doux et tranquille, comme vous l'aviez, vous entendrez d'une oreille le hennissement et le piétinement des chevaux, de l'autre, le bruit mille fois plus insupportable des vers secs, durs et barbares. Malheureux, malavisé, possédé d'un million de diables!

MOI. — Mais n'y aurait-il pas moyen de se rapatrier? La faute que vous avez commise est-elle si impardonnable? A votre place, j'irais retrouver mes gens. Vous leur êtes plus nécessaire que vous ne croyez.

LUI. — Oh, je suis sûr qu'à présent qu'ils ne m'ont pas, pour les faire rire, ils s'ennuient comme des chiens.

MOI. — J'irais donc les retrouver. Je ne leur laisserais pas le temps de se passer de moi; de se tourner vers quelqu'amusement honnête : car qui sait ce qui peut arriver?

LUI. — Ce n'est pas là ce que je crains. Cela n'arrivera pas.

MOI. — Quelque sublime que vous soyez, un autre peut vous remplacer.

LUI. — Difficilement.

MOI. — D'accord. Cependant j'irais avec ce visage défait, ces yeux égarés, ce col débraillé, ces cheveux ébouriffés, dans l'état vraiment tragique où vous voilà. Je me jetterais aux pieds de la divinité. Je me collerais la face contre terre; et sans me relever, je lui dirais d'une voix basse et sanglotante : « Pardon, madame! pardon! je suis un indigne, un infâme. Ce fut un malheureux instant; car vous savez que je ne suis pas sujet à avoir du sens commun, et je vous promets de n'en avoir de ma vie ».

Ce qu'il y a de plaisant, c'est que, tandis que je lui tenais ce discours, il en exécutait la pantomime. Il s'était prosterné; il avait collé son visage contre terre; il paraissait tenir entre ses deux mains le bout d'une pantoufle; il pleurait; il sanglotait; il disait, « oui, ma petite reine; oui, je le promets; je n'en aurai de ma vie, de ma vie ». Puis se relevant brusquement, il ajouta d'un ton sérieux et réfléchi :

LUI. — Oui : vous avez raison. Je crois que c'est le mieux. Elle est bonne. Monsieur Viellard dit qu'elle est si bonne. Moi, je sais un peu qu'elle l'est. Mais cependant aller s'humilier devant une guenon! Crier miséricorde aux pieds d'une misérable petite histrionne que les sifflets du parterre ne cessent de poursuivre! Moi, Rameau! fils de Monsieur Rameau, apothicaire de Dijon, qui est un homme de bien et qui n'a jamais fléchi le

genou devant qui que ce soit! Moi, Rameau, le neveu
de celui qu'on appelle le grand Rameau, qu'on voit se
promener droit et les bras en l'air, au Palais-Royal,
depuis que monsieur Carmontelle l'a dessiné courbé,
et les mains sous les basques de son habit! Moi qui ai
composé des pièces de clavecin que personne ne joue,
mais qui seront peut-être les seules qui passeront à la
postérité qui les jouera; moi! moi enfin! J'irais!... Tenez,
Monsieur, cela ne se peut. *Et mettant sa main droite sur sa
poitrine, il ajoutait :* Je me sens là quelque chose qui
s'élève et qui me dit, « Rameau, tu n'en feras rien ».
Il faut qu'il y ait une certaine dignité attachée à la nature
de l'homme, que rien ne peut étouffer. Cela se réveille à
propos de bottes. Oui, à propos de bottes; car il y a
d'autres jours où il ne m'en coûterait rien pour être vil
tant qu'on voudrait; ces jours-là, pour un liard, je
baiserais le cul à la petite Hus.

MOI. — Hé, mais, l'ami; elle est blanche, jolie, jeune,
douce, potelée; et c'est un acte d'humilité auquel un
plus délicat que vous pourrait quelquefois s'abaisser.

LUI. — Entendons-nous; c'est qu'il y a baiser le cul
au simple, et baiser le cul au figuré. Demandez au gros
Bergier qui baise le cul de madame de La Marck au
simple et au figuré; et ma foi, le simple et le figuré me
déplairaient également là.

MOI. — Si l'expédient que je vous suggère ne vous
convient pas; ayez donc le courage d'être gueux.

LUI. — Il est dur d'être gueux, tandis qu'il y a tant
de sots opulents aux dépens desquels on peut vivre. Et
puis le mépris de soi; il est insupportable.

MOI. — Est-ce que vous connaissez ce sentiment-là?

LUI. — Si je le connais; combien de fois, je me suis dit : Comment, Rameau, il y a dix mille bonnes tables à Paris, à quinze ou vingt couverts chacune; et de ces couverts-là, il n'y en a pas un pour toi! Il y a des bourses pleines d'or qui se versent de droite et de gauche, et il n'en tombe pas une pièce sur toi! Mille petits beaux esprits, sans talent, sans mérite; mille petites créatures, sans charmes; mille plats intrigants, sont bien vêtus, et tu irais tout nu? Et tu serais imbécile à ce point? est-ce que tu ne saurais pas mentir, jurer, parjurer, promettre, tenir ou manquer comme un autre? est-ce que tu ne saurais pas te mettre à quatre pattes, comme un autre? est-ce que tu ne saurais pas favoriser l'intrigue de Madame, et porter le billet doux de Monsieur, comme un autre? est-ce que tu ne saurais pas encourager ce jeune homme à parler à Mademoiselle, et persuader à Mademoiselle de l'écouter, comme un autre? est-ce que tu ne saurais pas faire entendre à la fille d'un de nos bourgeois, qu'elle est mal mise; que de belles boucles d'oreilles, un peu de rouge, des dentelles, une robe à la polonaise, lui siéraient à ravir? que ces petits pieds-là ne sont pas faits pour marcher dans la rue? qu'il y a un beau monsieur, jeune et riche, qui a un habit galonné d'or, un superbe équipage, six grands laquais, qui l'a vue en passant, qui la trouve charmante; et que depuis ce jour-là il en a perdu le boire et le manger; qu'il n'en dort plus, et qu'il en mourra? « Mais mon papa. — Bon, bon; votre papa! il s'en fâchera d'abord un peu. — Et maman qui me recommande tant

d'être honnête fille? qui me dit qu'il n'y a rien dans
ce monde que l'honneur? — Vieux propos qui ne signi-
fient rien. — Et mon confesseur? — Vous ne le verrez plus;
ou si vous persistez dans la fantaisie d'aller lui faire
l'histoire de vos amusements; il vous en coûtera quelques
livres de sucre et de café. — C'est un homme sévère qui
m'a déjà refusé l'absolution, pour la chanson, *Viens dans
ma cellule*. — C'est que vous n'aviez rien à lui donner...
Mais quand vous lui apparaîtrez en dentelles. — J'aurai
donc des dentelles? — Sans doute et de toutes les sortes...
en belles boucles de diamants. — J'aurai donc de belles
boucles de diamants? — Oui. — Comme celles de cette
marquise qui vient quelquefois prendre des gants, dans
notre boutique? — Précisément. Dans un bel équipage,
avec des chevaux gris pommelés; deux grands laquais,
un petit nègre, et le coureur en avant, du rouge, des
mouches, la queue portée. — Au bal? — Au bal... à
l'Opéra, à la Comédie... » Déjà le cœur lui tressaillit de
joie. Tu joues avec un papier entre tes doigts. « Qu'est
cela? — Ce n'est rien. — Il me semble que si. — C'est un
billet. — Et pour qui? — Pour vous, si vous étiez un
peu curieuse. — Curieuse, je le suis beaucoup. Voyons. »
Elle lit. « Une entrevue, cela ne se peut. — En allant à la
messe. — Maman m'accompagne toujours; mais s'il
venait ici, un peu matin; je me lève la première; et je
suis au comptoir, avant qu'on soit levé. » Il vient : il
plaît; un beau jour, à la brune, la petite disparaît, et
l'on me compte mes deux mille écus... Et quoi tu pos-
sèdes ce talent-là; et tu manques de pain! N'as-tu pas
de honte, malheureux? Je me rappelais un tas de

coquins, qui ne m'allaient pas à la cheville et qui regorgeaient de richesses. J'étais en surtout de baracan, et ils étaient couverts de velours; ils s'appuyaient sur la canne à pomme d'or et en bec de corbin; et ils avaient l'Aristote ou le Platon au doigt. Qu'étaient-ce pourtant? la plupart de misérables croque-notes; aujourd'hui ce sont des espèces de seigneurs. Alors je me sentais du courage; l'âme élevée; l'esprit subtil, et capable de tout. Mais ces heureuses dispositions apparemment ne duraient pas; car jusqu'à présent, je n'ai pu faire un certain chemin. Quoi qu'il en soit, voilà le texte de mes fréquents soliloques que vous pouvez paraphraser à votre fantaisie; pourvu que vous en concluiez que je connais le mépris de soi-même, ou ce tourment de la conscience qui naît de l'inutilité des dons que le Ciel nous a départis; c'est le plus cruel de tous. Il vaudrait presque autant que l'homme ne fût pas né.

Je l'écoutais; et à mesure qu'il faisait la scène du proxénète et de la jeune fille qu'il séduisait; l'âme agitée de deux mouvements opposés, je ne savais si je m'abandonnerais à l'envie de rire, ou au transport de l'indignation. Je souffrais. Vingt fois un éclat de rire empêcha ma colère d'éclater; vingt fois la colère qui s'élevait au fond de mon cœur se termina par un éclat de rire. J'étais confondu de tant de sagacité, et de tant de bassesse; d'idées si justes et alternativement si fausses; d'une perversité si générale de sentiments, d'une turpitude si complète, et d'une franchise si peu commune. Il s'aperçut du conflit qui se passait en moi.

Qu'avez-vous? *me dit-il.*

MOI. — Rien.

LUI. — Vous me paraissez troublé.

MOI. — Je le suis aussi.

LUI. — Mais enfin que me conseillez-vous?

MOI. — De changer de propos. Ah, malheureux, dans quel état d'abjection, vous êtes né ou tombé.

LUI. — J'en conviens. Mais cependant que mon état ne vous touche pas trop. Mon projet, en m'ouvrant à vous, n'était point de vous affliger. Je me suis fait chez ces gens quelqu'épargne. Songez que je n'avais besoin de rien, mais de rien absolument; et que l'on m'accordait tant pour mes menus plaisirs.

Alors il recommença à se frapper le front, avec un de ses poings, à se mordre la lèvre, et rouler au plafond ses yeux égarés; ajoutant, mais c'est une affaire faite. J'ai mis quelque chose de côté. Le temps s'est écoulé; et c'est toujours autant d'amassé.

MOI. — Vous voulez dire de perdu.

LUI. — Non, non, d'amassé. On s'enrichit à chaque instant. Un jour de moins à vivre, ou un écu de plus; c'est tout un. Le point important est d'aller aisément, librement, agréablement, copieusement, tous les soirs à la garde-robe. *O stercus pretiosum*!* Voilà le grand résultat de la vie dans tous les états. Au dernier moment, tous sont également riches; et Samuel Bernard qui à force de vols, de pillages, de banqueroutes laisse vingt-sept millions en or, et Rameau qui ne laissera rien; Rameau à qui la charité fournira la serpillière dont on l'enveloppera. Le mort n'entend pas sonner les cloches. C'est

---

* O fumier précieux!

en vain que cent prêtres s'égosillent pour lui : qu'il est précédé et suivi d'une longue file de torches ardentes; son âme ne marche pas à côté du maître des cérémonies. Pourrir sous du marbre, pourrir sous de la terre, c'est toujours pourrir. Avoir autour de son cercueil les Enfants rouges, et les Enfants bleus, ou n'avoir personne, qu'est-ce que cela fait. Et puis vous voyez bien ce poignet; il était raide comme un diable. Ces dix doigts, c'étaient autant de bâtons fichés dans un métacarpe de bois; et ces tendons, c'étaient de vieilles cordes à boyau plus sèches, plus raides, plus inflexibles que celles qui ont servi à la roue d'un tourneur. Mais je vous les ai tant tourmentées, tant brisées, tant rompues. Tu ne veux pas aller; et moi, mordieu, je dis que tu iras; et cela sera.

Et tout en disant cela, de la main droite, il s'était saisi les doigts et le poignet de la main gauche; et il les renversait en dessus; en dessous; l'extrémité des doigts touchait au bras; les jointures en craquaient; je craignais que les os n'en demeurassent disloqués.

MOI. — Prenez garde, lui dis-je; vous allez vous estropier.

LUI. — Ne craignez rien. Ils y sont faits; depuis dix ans, je leur en ai bien donné d'une autre façon. Malgré qu'ils en eussent, il a bien fallu que les bougres s'y accoutumassent, et qu'ils apprissent à se placer sur les touches et à voltiger sur les cordes. Aussi à présent cela va. Oui, cela va.

En même temps, il se met dans l'attitude d'un joueur de violon; il fredonne de la voix un allegro de Locatelli; son bras droit imite le mouvement de l'archet; sa main gauche et ses doigts semblent se promener sur la longueur du manche; s'il fait un ton faux; il s'arrête; il remonte ou baisse la corde; il la pince de l'ongle, pour s'assurer qu'elle est juste; il reprend le morceau où il l'a laissé; il bat la mesure du pied; il se démène de la tête, des pieds, des mains, des bras, du corps. Comme vous avez vu quelquefois au Concert spirituel, Ferrari ou Chiabran, ou quelqu'autre virtuose, dans les mêmes convulsions, m'offrant l'image du même supplice, et me causant à peu près la même peine; car n'est-ce pas une chose pénible à voir que le tourment, dans celui qui s'occupe à me peindre le plaisir; tirez entre cet homme et moi, un rideau qui me le cache, s'il faut qu'il me montre un patient appliqué à la question. Au milieu de ses agitations et de ses cris, s'il se présentait une tenue, un de ces endroits harmonieux où l'archet se meut lentement sur plusieurs cordes à la fois, son visage prenait l'air de l'extase; sa voix s'adoucissait, il s'écoutait avec ravissement. Il est sûr que les accords résonnaient dans ses oreilles et dans les miennes. Puis, remettant son instrument sous son bras gauche, de la même main dont il le tenait, et laissant tomber sa main droite, avec son archet, Eh bien, me disait-il, qu'en pensez-vous?

MOI. — A merveille.

LUI. — Cela va, ce me semble; cela résonne à peu près, comme les autres.

Et aussitôt, il s'accroupit, comme un musicien qui se met au clavecin. Je vous demande grâce, pour vous et pour moi, lui dis-je.

LUI. — Non, non; puisque je vous tiens, vous m'entendrez. Je ne veux point d'un suffrage qu'on m'accorde sans savoir pourquoi. Vous me louerez d'un ton plus assuré, et cela me vaudra quelqu'écolier.

MOI. — Je suis si peu répandu, et vous allez vous fatiguer en pure perte.

LUI. — Je ne me fatigue jamais.

Comme je vis que je voudrais inutilement avoir pitié de mon homme, car la sonate sur le violon l'avait mis tout en eau, je pris le parti de le laisser faire. Le voilà donc assis au clavecin; les jambes fléchies, la tête élevée vers le plafond où l'on eût dit qu'il voyait une partition notée, chantant; préludant, exécutant une pièce d'Alberti, ou de Galuppi, je ne sais lequel des deux. Sa voix allait comme le vent, et ses doigts voltigeaient sur les touches; tantôt laissant le dessus, pour prendre la basse; tantôt quittant la partie d'accompagnement, pour revenir au-dessus. Les passions se succédaient sur son visage. On y distinguait la tendresse, la colère, le plaisir, la douleur. On sentait les piano, les forte. Et je suis sûr qu'un plus habile que moi, aurait reconnu le morceau, au mouvement, au caractère, à ses mines et à quelques traits de chant qui lui échappaient par intervalle. Mais ce qu'il y avait de bizarre; c'est que de temps en temps, il tâtonnait; se reprenait; comme s'il eût manqué et se dépitait de n'avoir plus la pièce dans les doigts. Enfin, vous voyez, dit-il, en se redressant et en essuyant les gouttes de sueur qui descendaient le long de ses joues, que nous savons aussi placer un triton, une quinte superflue, et que l'enchaînement des dominantes nous est familier. Ces passages enharmoniques dont le cher oncle a fait tant de train, ce n'est pas la mer à boire, nous nous en tirons.

MOI. — Vous vous êtes donné bien de la peine, pour me montrer que vous étiez fort habile; j'étais homme à vous croire sur votre parole.

LUI. — Fort habile? oh non! pour mon métier, je le

sais à peu près, et c'est plus qu'il ne faut. Car dans ce pays-ci est-ce qu'on est obligé de savoir ce qu'on montre?

MOI. — Pas plus que de savoir ce qu'on apprend.

LUI. — Cela est juste, morbleu, et très juste. Là, Monsieur le philosophe : la main sur la conscience, parlez net. Il y eut un temps où vous n'étiez pas cossu comme aujourd'hui.

MOI. — Je ne le suis pas encore trop.

LUI. — Mais vous n'iriez plus au Luxembourg en été, vous vous en souvenez...

MOI. — Laissons cela; oui, je m'en souviens.

LUI. — En redingote de peluche grise.

MOI. — Oui, oui.

LUI. — Éreintée par un des côtés; avec la manchette déchirée, et les bas de laine, noirs et recousus par derrière avec du fil blanc.

MOI. — Et oui, oui, tout comme il vous plaira.

LUI. — Que faisiez-vous alors dans l'allée des Soupirs?

MOI. — Une assez triste figure.

LUI. — Au sortir de là, vous trottiez sur le pavé.

MOI. — D'accord.

LUI. — Vous donniez des leçons de mathématiques.

MOI. — Sans en savoir un mot. N'est-ce pas là que vous en vouliez venir?

LUI. — Justement.

MOI. — J'apprenais en montrant aux autres, et j'ai fait quelques bons écoliers.

LUI. — Cela se peut, mais il n'en est pas de la musique

comme de l'algèbre ou de la géométrie. Aujourd'hui que vous êtes un gros monsieur...

MOI. — Pas si gros.

LUI. — Que vous avez du foin dans vos bottes...

MOI. — Très peu.

LUI. — Vous donnez des maîtres à votre fille.

MOI. — Pas encore. C'est sa mère qui se mêle de son éducation; car il faut avoir la paix chez soi.

LUI. — La paix chez soi? morbleu, on ne l'a que quand on est le serviteur ou le maître; et c'est le maître qu'il faut être. J'ai eu une femme. Dieu veuille avoir son âme; mais quand il lui arrivait quelquefois de se rebéquer, je m'élevais sur mes ergots; je déployais mon tonnerre; je disais, comme Dieu, que la lumière se fasse et la lumière était faite. Aussi en quatre années de temps, nous n'avons pas eu dix fois un mot, l'un plus haut que l'autre. Quel âge a votre enfant?

MOI. — Cela ne fait rien à l'affaire.

LUI. — Quel âge a votre enfant?

MOI. — Et que diable, laissons là mon enfant et son âge; et revenons aux maîtres qu'elle aura.

LUI. — Pardieu, je ne sache rien de si têtu qu'un philosophe. En vous suppliant très humblement, ne pourrait-on savoir de Monseigneur le philosophe, quel âge à peu près peut avoir Mademoiselle sa fille.

MOI. — Supposez-lui huit ans.

LUI. — Huit ans! il y a quatre ans que cela devrait avoir les doigts sur les touches.

MOI. — Mais peut-être ne me soucié-je pas trop de faire entrer dans le plan de son éducation, une étude qui occupe si longtemps et qui sert si peu.

LUI. — Et que lui apprendrez-vous donc, s'il vous plaît?

MOI. — A raisonner juste, si je puis; chose si peu commune parmi les hommes, et plus rare encore parmi les femmes.

LUI. — Et laissez-la déraisonner, tant qu'elle voudra. Pourvu qu'elle soit jolie, amusante et coquette.

MOI. — Puisque la nature a été assez ingrate envers elle pour lui donner une organisation délicate, avec une âme sensible, et l'exposer aux mêmes peines de la vie que si elle avait une organisation forte, et un cœur de bronze, je lui apprendrai, si je puis, à les supporter avec courage.

LUI. — Et laissez-la pleurer, souffrir, minauder, avoir des nerfs agacés, comme les autres; pourvu qu'elle soit jolie, amusante et coquette. Quoi, point de danse?

MOI. — Pas plus qu'il n'en faut pour faire une révérence, avoir un maintien décent, se bien présenter, et savoir marcher.

LUI. — Point de chant?

MOI. — Pas plus qu'il n'en faut, pour bien prononcer.

LUI. — Point de musique?

MOI. — S'il y avait un bon maître d'harmonie, je la lui confierais volontiers, deux heures par jour, pendant un ou deux ans; pas davantage.

LUI. — Et à la place des choses essentielles que vous supprimez...

MOI. — Je mets de la grammaire, de la fable, de l'histoire, de la géographie, un peu de dessin, et beaucoup de morale.

LUI. — Combien il me serait facile de vous prouver l'inutilité de toutes ces connaissances-là, dans un monde tel que le nôtre; que dis-je, l'inutilité, peut-être le danger. Mais je m'en tiendrai pour ce moment à une question; ne lui faudrait-il pas un ou deux maîtres?

MOI. — Sans doute.

LUI. — Ah, nous y revoilà. Et ces maîtres, vous espérez qu'ils sauront la grammaire, la fable, l'histoire, la géographie, la morale dont ils lui donneront des leçons? Chansons, mon cher maître, chansons. S'ils possédaient ces choses assez pour les montrer, ils ne les montreraient pas.

MOI. — Et pourquoi.

LUI. — C'est qu'ils auraient passé leur vie à les étudier. Il faut être profond dans l'art ou dans la science, pour en bien posséder les éléments. Les ouvrages classiques ne peuvent être bien faits, que par ceux qui ont blanchi sous le harnais. C'est le milieu et la fin qui éclaircissent les ténèbres du commencement. Demandez à votre ami, monsieur d'Alembert, le coryphée de la science mathématique, s'il serait trop bon pour en faire des éléments. Ce n'est qu'après trente à quarante ans d'exercice que mon oncle a entrevu les premières lueurs de la théorie musicale.

MOI. — Ô fou, archifou, *m'écriai-je*, comment se fait-il que dans ta mauvaise tête, il se trouve des idées si justes, pêle-mêle, avec tant d'extravagances.

LUI. — Qui diable sait cela? C'est le hasard qui vous les jette, et elles demeurent. Tant y a, que, quand on ne sait pas tout, on ne sait rien de bien. On ignore où une chose va; d'où une autre vient; où celle-ci ou celle-la veulent être placées; laquelle doit passer la première, où sera mieux la seconde. Montre-t-on bien sans la méthode? Et la méthode, d'où nait-elle? Tenez, mon philosophe, j'ai dans la tête que la physique sera toujours une pauvre science; une goutte d'eau prise avec la pointe d'une aiguille dans le vaste océan; un grain détaché de la chaîne des Alpes; et les raisons des phénomènes? en vérité, il vaudrait autant ignorer que de savoir si peu et si mal; et c'était précisément où j'en étais, lorsque je me fis maître d'accompagnement et de composition. A quoi rêvez-vous?

MOI. — Je rêve que tout ce que vous venez de dire, est plus spécieux que solide. Mais laissons cela. Vous avez montré, dites-vous, l'accompagnement et la composition?

LUI. — Oui.

MOI. — Et vous n'en saviez rien du tout?

LUI. — Non, ma foi; et c'est pour cela qu'il y en avait de pires que moi : ceux qui croyaient savoir quelque chose. Au moins je ne gâtais ni le jugement ni les mains des enfants. En passant de moi, à un bon maître, comme ils n'avaient rien appris, du moins ils n'avaient rien à désapprendre; et c'était toujours autant d'argent et de temps épargnés.

MOI. — Comment faisiez-vous?

LUI. — Comme ils font tous. J'arrivais. Je me jetais dans une chaise : « Que le temps est mauvais! que le pavé est fatigant! ». Je bavardais quelques nouvelles : « Mademoiselle Lemierre devait faire un rôle de vestale dans l'opéra nouveau. Mais elle est grosse pour la seconde fois. On ne sait qui la doublera. Mademoiselle Arnould vient de quitter son petit comte. On dit qu'elle est en négociation avec Bertin. Le petit comte a pourtant trouvé la porcelaine de monsieur de Montamy. Il y avait au dernier Concert des amateurs, une Italienne qui a chanté comme un ange. C'est un rare corps que ce Préville. Il faut le voir dans le *Mercure galant;* l'endroit de l'énigme est impayable. Cette pauvre Dumesnil ne sait plus ni ce qu'elle dit ni ce qu'elle fait. Allons, Mademoiselle; prenez votre livre ». Tandis que Mademoiselle, qui ne se presse pas, cherche son livre qu'elle a égaré, qu'on appelle une femme de chambre, qu'on gronde, je continue, « La Clairon est vraiment incompréhensible. On parle d'un mariage fort saugrenu. C'est celui de mademoiselle, comment l'appelez-vous? une petite créature qu'il entretenait, à qui il a fait deux ou trois enfants, qui avait été entretenue par tant d'autres. — Allons, Rameau; cela ne se peut, vous radotez. — Je ne radote point. On dit même que la chose est faite. Le bruit court que de Voltaire est mort. Tant mieux. — Et pourquoi tant mieux? — C'est qu'il va nous donner quelque bonne folie. C'est son usage que de mourir une quinzaine auparavant ». Que vous dirai-je encore? Je disais quelques polissonneries, que je rapportais des maisons où j'avais été; car nous sommes tous, grands colporteurs. Je faisais le fou. On m'écoutait. On riait. On s'écriait, « il est toujours charmant ». Cependant le livre de Mademoiselle s'était enfin retrouvé sous un fauteuil où il avait été traîné, mâchonné, déchiré, par un jeune doguin ou par un petit chat. Elle se mettait à son clavecin. D'abord elle y faisait du bruit, toute seule. Ensuite, je m'approchais, après avoir fait à la mère un signe d'approbation. La mère : « Cela ne va pas mal; on n'aurait qu'à vouloir; mais on ne veut pas. On aime mieux perdre son temps à jaser, à chiffonner, à courir, à je ne sais quoi. Vous n'êtes pas sitôt parti que le livre est fermé, pour ne le rouvrir qu'à votre retour. Aussi vous ne la grondez jamais... ».

Cependant comme il fallait faire quelque chose, je lui prenais les mains que je lui plaçais autrement. Je me dépitais. Je criais « *Sol, sol, sol;* Mademoiselle, c'est un sol ». La mère : « Mademoiselle, est-ce que vous n'avez point d'oreille? Moi qui ne suis pas au clavecin, et qui ne vois pas sur votre livre, je sens qu'il faut un *sol*. Vous donnez une peine infinie à Monsieur. Je ne conçois pas sa patience. Vous ne retenez rien de ce qu'il vous dit. Vous n'avancez point... ». Alors je rabattais un peu les coups, et hochant de la tête, je disais, « Pardonnez-moi, Madame, pardonnez-moi. Cela pourrait aller mieux, si Mademoiselle voulait; si elle étudiait un peu; mais cela ne va pas mal ». La mère : « A votre place, je la tiendrais un an sur la même pièce. — Oh pour cela, elle n'en sortira pas qu'elle ne soit au-dessus de toutes les difficultés; et cela ne sera pas si long que Madame le croit. » La mère : « Monsieur Rameau, vous la flattez; vous êtes trop bon. Voilà de sa leçon la seule chose qu'elle retiendra et qu'elle saura bien me répéter dans l'occasion ». — L'heure se passait. Mon écolière me présentait le petit cachet, avec la grâce du bras et la révérence qu'elle avait apprise du maître à danser. Je le mettais dans ma poche, pendant que la mère disait : « Fort bien, Mademoiselle. Si Javillier était là, il vous applaudirait ». Je bavardais encore un moment par bienséance; je disparaissais ensuite, et voilà ce qu'on appelait alors une leçon d'accompagnement.

MOI. — Et aujourd'hui, c'est donc autre chose.

LUI. — Vertudieu, je le crois. J'arrive. Je suis grave. Je me hâte d'ôter mon manchon. J'ouvre le clavecin. J'essaie les touches. Je suis toujours pressé : si l'on me fait attendre un moment, je crie comme si l'on me volait un écu. Dans une heure d'ici, il faut que je sois là; dans deux heures, chez madame la duchesse une telle. Je suis attendu à dîner chez une belle marquise; et au sortir de là, c'est un concert chez monsieur le baron de Bacq, rue Neuve-des-Petits-Champs.

MOI. — Et cependant vous n'êtes attendu nulle part?

LUI. — Il est vrai.

MOI. — Et pourquoi employer toutes ces petites viles ruses-là?

LUI. — Viles? et pourquoi, s'il vous plaît? Elles sont d'usage dans mon état. Je ne m'avilis point en faisant comme tout le monde. Ce n'est pas moi qui les ai inventées. Et je serais bizarre et maladroit de ne pas m'y conformer. Vraiment, je sais bien que si vous allez appliquer à cela certains principes généraux de je ne sais quelle morale qu'ils ont tous à la bouche, et qu'aucun d'eux ne pratique, il se trouvera que ce qui est blanc sera noir, et que ce qui est noir sera blanc. Mais, monsieur le philosophe, il y a une conscience générale.

Comme il y a une grammaire générale ; et puis des exceptions dans chaque langue que vous appelez, je crois,
vous autres savants, des... aidez-moi donc... des...

MOI. — Idiotismes.

LUI. — Tout juste. Eh bien, chaque état a ses exceptions à la conscience générale auxquelles je donnerais
volontiers le nom d'idiotismes de métier.

MOI. — J'entends. Fontenelle parle bien, écrit bien,
quoique son style fourmille d'idiotismes français.

LUI. — Et le souverain, le ministre, le financier, le
magistrat, le militaire, l'homme de lettres, l'avocat, le
procureur, le commerçant, le banquier, l'artisan, le
maître à chanter, le maître à danser, sont de fort honnêtes gens, quoique leur conduite s'écarte en plusieurs
points de la conscience générale, et soit remplie d'idiotismes moraux. Plus l'institution des choses est ancienne,
plus il y a d'idiotismes ; plus les temps sont malheureux, plus les idiotismes se multiplient. Tant vaut
l'homme, tant vaut le métier ; et réciproquement, à la
fin, tant vaut le métier, tant vaut l'homme. On fait donc
valoir le métier tant qu'on peut.

MOI. — Ce que je conçois clairement à tout cet entor-
tillage, c'est qu'il y a peu de métiers honnêtement
exercés, ou peu d'honnêtes gens dans leurs métiers.

LUI. — Bon, il n'y en a point ; mais en revanche, il y a
peu de fripons hors de leur boutique ; et tout irait assez
bien, sans un certain nombre de gens qu'on appelle
assidus, exacts, remplissant rigoureusement leurs devoirs,
stricts, ou ce qui revient au même toujours dans leurs
boutiques, et faisant leur métier depuis le matin jus-

qu'au soir, et ne faisant que cela. Aussi sont-ils les seuls qui deviennent opulents et qui soient estimés.

MOI. — A force d'idiotismes.

LUI. — C'est cela. Je vois que vous m'avez compris. Or donc un idiotisme de presque tous les états, car il y en a de communs à tous les pays, à tous les temps, comme il y a des sottises communes; un idiotisme commun est de se procurer le plus de pratiques que l'on peut; une sottise commune est de croire que le plus habile est celui qui en a le plus. Voilà deux exceptions à la conscience générale auxquelles il faut se plier. C'est une espèce de crédit. Ce n'est rien en soi; mais cela vaut par l'opinion. On a dit que *bonne renommée valait mieux que ceinture dorée*. Cependant qui a bonne renommée n'a pas ceinture dorée; et je vois qu'aujourd'hui qui a ceinture dorée ne manque guère de renommée. Il faut, autant qu'il est possible, avoir le renom et la ceinture. Et c'est mon objet, lorsque je me fais valoir par ce que vous qualifiez d'adresses viles, d'indignes petites ruses. Je donne ma leçon, et je la donne bien; voilà la règle générale. Je fais croire que j'en ai plus à donner que la journée n'a d'heures, voilà l'idiotisme.

MOI. — Et la leçon, vous la donnez bien.

LUI. — Oui, pas mal, passablement. La basse fondamentale du cher oncle a bien simplifié tout cela. Autrefois je volais l'argent de mon écolier; oui, je le volais; cela est sûr. Aujourd'hui, je le gagne, du moins comme les autres.

MOI. — Et le voliez-vous, sans remords?

LUI. — Oh, sans remords. On dit que *si un voleur vole*

l'autre, le diable s'en rit. Les parents regorgeaient d'une fortune acquise, Dieu sait comment; c'étaient des gens de cour, des financiers, de gros commerçants, des banquiers, des gens d'affaires. Je les aidais à restituer, moi, et une foule d'autres qu'ils employaient comme moi. Dans la nature, toutes les espèces se dévorent; toutes les conditions se dévorent dans la société. Nous faisons justice les uns des autres, sans que la loi s'en mêle. La Deschamps, autrefois, aujourd'hui la Guimard venge le prince du financier; et c'est la marchande de modes, le bijoutier, le tapissier, la lingère, l'escroc, la femme de chambre, le cuisinier, le bourrelier, qui vengent le financier de la Deschamps. Au milieu de tout cela, il n'y a que l'imbécile ou l'oisif qui soit lésé, sans avoir vexé personne; et c'est fort bien fait. D'où vous voyez que ces exceptions à la conscience générale, ou ces idiotismes moraux dont on fait tant de bruit, sous la dénomination de *tours du bâton,* ne sont rien; et qu'à tout, il n'y a que le coup d'œil qu'il faut avoir juste.

MOI. — J'admire le vôtre.

LUI. — Et puis la misère. La voix de la conscience et de l'honneur, est bien faible, lorsque les boyaux crient. Suffit que si je deviens jamais riche, il faudra bien que je restitue, et que je suis bien résolu à restituer de toutes les manières possibles, par la table, par le jeu, par le vin, par les femmes.

MOI. — Mais j'ai peur que vous ne deveniez jamais riche.

LUI. — Moi, j'en ai le soupçon.

MOI. — Mais s'il en arrivait autrement, que feriez-vous?

LUI. — Je ferais comme tous les gueux revêtus; je serais
le plus insolent maroufle qu'on eût encore vu. C'est
alors que je me rappellerais tout ce qu'ils m'ont fait
souffrir; et je leur rendrais bien les avanies qu'ils
m'ont faites. J'aime à commander, et je commanderai.
J'aime qu'on me loue et l'on me louera. J'aurai à mes
gages toute la troupe villemorienne, et je leur dirai,
comme on me l'a dit, « Allons, faquins, qu'on m'amuse »,
et l'on m'amusera; « qu'on me déchire les honnêtes
gens », et on les déchirera, si l'on en trouve encore; et
puis nous aurons des filles, nous nous tutoierons, quand
nous serons ivres, nous nous enivrerons; nous ferons
des contes; nous aurons toutes sortes de travers et de
vices. Cela sera délicieux. Nous prouverons que de Voltaire est sans génie; que Buffon toujours guindé sur des
échasses, n'est qu'un déclamateur ampoulé; que Montesquieu n'est qu'un bel esprit; nous relèguerons d'Alembert dans ses mathématiques, nous en donnerons sur
dos et ventre à tous ces petits Catons, comme vous, qui
nous méprisent par envie; dont la modestie est le manteau de l'orgueil, et dont la sobriété est la loi du
besoin. Et de la musique? C'est alors que nous en
ferons.

MOI. — Au digne emploi que vous feriez de la richesse,
je vois combien c'est grand dommage que vous soyez
gueux. Vous vivriez là d'une manière bien honorable
pour l'espèce humaine, bien utile à vos concitoyens;
bien glorieuse pour vous.

LUI. — Mais je crois que vous vous moquez de moi;
monsieur le philosophe, vous ne savez pas à qui vous

vous jouez; vous ne vous doutez pas que dans ce moment je représente la partie la plus importante de la
ville et de la cour. Nos opulents dans tous les états ou se
sont dit à eux-mêmes ou ne se sont pas dit les mêmes
choses que je vous ai confiées; mais le fait est que la vie
que je mènerais à leur place est exactement la leur.
Voilà où vous en êtes, vous autres. Vous croyez que le
même bonheur est fait pour tous. Quelle étrange vision!
Le vôtre suppose un certain tour d'esprit romanesque
que nous n'avons pas; une âme singulière, un goût
particulier. Vous décorez cette bizarrerie du nom de
vertu; vous l'appelez philosophie. Mais la vertu, la philosophie sont-elles faites pour tout le monde. En a qui
peut. En conserve qui peut. Imaginez l'univers sage
et philosophe; convenez qu'il serait diablement triste.
Tenez, vive la philosophie; vive la sagesse de Salomon :
Boire de bon vin, se gorger de mets délicats, se rouler
sur de jolies femmes; se reposer dans des lits bien mol-
lets. Excepté cela, le reste n'est que vanité.

MOI. — Quoi, défendre sa patrie?

LUI. — Vanité. Il n'y a plus de patrie. Je ne vois d'un
pôle à l'autre que des tyrans et des esclaves.

MOI. — Servir ses amis?

LUI. — Vanité. Est-ce qu'on a des amis? Quand on en
aurait, faudrait-il en faire des ingrats? Regardez-y bien,
et vous verrez que c'est presque toujours là ce qu'on
recueille des services rendus. La reconnaissance est un
fardeau; et tout fardeau est fait pour être secoué.

MOI. — Avoir un état dans la société et en remplir les
devoirs?

LUI. — Vanité. Qu'importe qu'on ait un état, ou non; pourvu qu'on soit riche; puisqu'on ne prend un état que pour le devenir. Remplir ses devoirs, à quoi cela mène-t-il? A la jalousie, au trouble, à la persécution. Est-ce ainsi qu'on s'avance? Faire sa cour, morbleu; faire sa cour; voir les grands; étudier leurs goûts; se prêter à leurs fantaisies; servir leurs vices; approuver leurs injustices. Voilà le secret.

MOI. — Veiller à l'éducation de ses enfants?

LUI. — Vanité. C'est l'affaire d'un précepteur.

MOI. — Mais si ce précepteur, pénétré de vos principes, néglige ses devoirs; qui est-ce qui en sera châtié?

LUI. — Ma foi, ce ne sera pas moi; mais peut-être un jour, le mari de ma fille, ou la femme de mon fils.

MOI. — Mais si l'un et l'autre se précipitent dans la débauche et les vices.

LUI. — Cela est de leur état.

MOI. — S'ils se déshonorent.

LUI. — Quoi qu'on fasse, on ne peut se déshonorer, quand on est riche.

MOI. — S'ils se ruinent.

LUI. — Tant pis pour eux.

MOI. — Je vois que, si vous vous dispensez de veiller à la conduite de votre femme, de vos enfants, de vos domestiques, vous pourriez aisément négliger vos affaires.

LUI. — Pardonnez-moi; il est quelquefois difficile de trouver de l'argent; et il est prudent de s'y prendre de loin.

MOI. — Vous donnerez peu de soins à votre femme.

LUI. — Aucun, s'il vous plaît. Le meilleur procédé, je crois, qu'on puisse avoir avec sa chère moitié, c'est de faire ce qui lui convient. A votre avis, la société ne serait-elle pas fort amusante, si chacun y était à sa chose?

MOI. — Pourquoi pas? La soirée n'est jamais plus belle pour moi que quand je suis content de ma matinée.

LUI. — Et pour moi aussi.

MOI. — Ce qui rend les gens du monde si délicats sur leurs amusements, c'est leur profonde oisiveté.

LUI. — Ne croyez pas cela. Ils s'agitent beaucoup.

MOI. — Comme ils ne se lassent jamais, ils ne se délassent jamais.

LUI. — Ne croyez pas cela. Ils sont sans cesse excédés.

MOI. — Le plaisir est toujours une affaire pour eux, et jamais un besoin.

LUI. — Tant mieux, le besoin est toujours une peine.

MOI. — Ils usent tout. Leur âme s'hébète. L'ennui s'en empare. Celui qui leur ôterait la vie, au milieu de leur abondance accablante, les servirait. C'est qu'ils ne connaissent du bonheur que la partie qui s'émousse le plus vite. Je ne méprise pas les plaisirs des sens. J'ai un palais aussi, et il est flatté d'un mets délicat, ou d'un vin délicieux. J'ai un cœur et des yeux; et j'aime à voir une jolie femme. J'aime à sentir sous ma main la fermeté et la rondeur de sa gorge; à presser ses lèvres des miennes; à puiser la volupté dans ses regards, et à en expirer entre ses bras. Quelquefois avec mes amis, une partie de débauche, même un peu tumultueuse, ne me déplaît pas. Mais je ne vous dissimulerai pas, il m'est infiniment plus doux encore d'avoir secouru le malheu-

reux, d'avoir terminé une affaire épineuse, donné un
conseil salutaire, fait une lecture agréable; une promenade avec un homme ou une femme chère à mon
cœur; passé quelques heures instructives avec mes
enfants, écrit une bonne page, rempli les devoirs de
mon état; dit à celle que j'aime quelques choses tendres
et douces qui amènent ses bras autour de mon col. Je
connais telle action que je voudrais avoir faite pour
tout ce que je possède. C'est un sublime ouvrage que
Mahomet; j'aimerais mieux avoir réhabilité la mémoire
des Calas. Un homme de ma connaissance s'était réfu-
gié à Carthagène. C'était un cadet de famille, dans un
pays où la coutume transfère tout le bien aux aînés.
Là il apprend que son aîné, enfant gâté, après avoir
dépouillé son père et sa mère, trop faciles, de tout ce
qu'ils possédaient, les avait expulsés de leur château,
et que les bons vieillards languissaient indigents, dans
une petite ville de la province. Que fait alors ce cadet
qui, traité durement par ses parents, était allé tenter la
fortune au loin; il leur envoie des secours, il se hâte
d'arranger ses affaires. Il revient opulent. Il ramène
son père et sa mère dans leur domicile. Il marie ses
sœurs. Ah, mon cher Rameau; cet homme regardait cet
intervalle, comme le plus heureux de sa vie. C'est les
larmes aux yeux qu'il m'en parlait : et moi, je sens en
vous faisant ce récit, mon cœur se troubler de joie, et le
plaisir me couper la parole.

LUI. — Vous êtes des êtres bien singuliers!

MOI. — Vous êtes des êtres bien à plaindre, si vous
n'imaginez pas qu'on s'est élevé au-dessus du sort, et

qu'il est impossible d'être malheureux, à l'abri de deux belles actions, telles que celle-ci.

LUI. — Voilà une espèce de félicité avec laquelle j'aurai de la peine à me familiariser, car on la rencontre rarement. Mais à votre compte, il faudrait donc être d'honnêtes gens?

MOI. — Pour être heureux? Assurément.

LUI. — Cependant, je vois une infinité d'honnêtes gens qui ne sont pas heureux; et une infinité de gens qui sont heureux sans être honnêtes.

MOI. — Il vous semble.

LUI. — Et n'est-ce pas pour avoir eu du sens commun et de la franchise un moment, que je ne sais où aller souper ce soir?

MOI. — Hé non, c'est pour n'en avoir pas toujours eu. C'est pour n'avoir pas senti de bonne heure qu'il fallait d'abord se faire une ressource indépendante de la servitude.

LUI. — Indépendante ou non, celle que je me suis faite est au moins la plus aisée.

MOI. — Et la moins sûre, et la moins honnête.

LUI. — Mais la plus conforme à mon caractère de fainéant, de sot, de vaurien.

MOI. — D'accord.

LUI. — Et que puisque je puis faire mon bonheur par des vices qui me sont naturels, que j'ai acquis sans travail, que je conserve sans effort, qui cadrent avec les mœurs de ma nation; qui sont du goût de ceux qui me protègent, et plus analogues à leurs petits besoins particuliers que des vertus qui les gêneraient, en les accusant

depuis le matin jusqu'au soir; il serait bien singulier que
j'allasse me tourmenter comme une âme damnée, pour
me bistourner et me faire autre que je ne suis; pour me
donner un caractère étranger au mien; des qualités
très estimables, j'y consens, pour ne pas disputer; mais
qui me coûteraient beaucoup à acquérir, à pratiquer,
ne me mèneraient à rien, peut-être à pis que rien, par
la satire continuelle des riches auprès desquels les gueux
comme moi ont à chercher leur vie. On loue la vertu;
mais on la hait; mais on la fuit; mais elle gèle de froid;
et dans ce monde, il faut avoir les pieds chauds. Et puis
cela me donnerait de l'humeur, infailliblement; car
pourquoi voyons-nous si fréquemment les dévots si
durs, si fâcheux, si insociables? C'est qu'ils se sont
imposés une tâche qui ne leur est pas naturelle. Ils
souffrent, et quand on souffre, on fait souffrir les autres.
Ce n'est pas là mon compte, ni celui de mes protecteurs;
il faut que je sois gai, souple, plaisant, bouffon, drôle.
La vertu se fait respecter; et le respect est incommode.
La vertu se fait admirer, et l'admiration n'est pas amusante. J'ai affaire à des gens qui s'ennuient et il faut que
je les fasse rire. Or c'est le ridicule et la folie qui font
rire, il faut donc que je sois ridicule et fou; et quand la
nature ne m'aurait pas fait tel, le plus court serait de
le paraître. Heureusement, je n'ai pas besoin d'être
hypocrite; il y en a déjà tant de toutes les couleurs, sans
compter ceux qui le sont avec eux-mêmes. Ce chevalier
de La Morlière qui retape son chapeau sur son oreille,
qui porte la tête au vent, qui vous regarde le passant
par-dessus l'épaule, qui fait battre une longue épée sur

sa cuisse, qui a l'insulte toute prête pour celui qui n'en
porte point, et qui semble adresser un défi à tout venant,
que fait-il? Tout ce qu'il peut pour se persuader qu'il
est homme de cœur; mais il est lâche. Offrez-lui une
croquignole sur le bout du nez, et il la recevra en douceur. Voulez-vous lui faire baisser le ton, élevez-le. Mon-
trez-lui votre canne, ou appliquez votre pied entre ses
fesses; tout étonné de se trouver un lâche, il vous
demandera qui est-ce qui vous l'a appris? d'où vous
le savez? Lui-même l'ignorait le moment précédent;
une longue et habituelle singerie de bravoure lui en
avait imposé. Il avait tant fait les mines, qu'il se croyait
la chose. Et cette femme qui se mortifie, qui visite les
prisons, qui assiste à toutes les assemblées de charité,
qui marche les yeux baissés, qui n'oserait regarder un
homme en face, sans cesse en garde contre la séduction
de ses sens; tout cela empêche-t-il que son cœur ne
brûle, que des soupirs ne lui échappent; que son tempérament ne s'allume; que les désirs ne l'obsèdent,
et que son imagination ne lui retrace la nuit et le jour,
les scènes du *Portier des Chartreux,* les *Postures de l'Arétin?*
Alors que devient-elle? Qu'en pense sa femme de
chambre, lorsqu'elle se lève en chemise, et qu'elle vole
au secours de sa maîtresse qui se meurt? Justine, allez
vous recoucher. Ce n'est pas vous que votre maîtresse
appelle dans son délire. Et l'ami Rameau, s'il se mettait
un jour à marquer du mépris pour la fortune, les
femmes, la bonne chère, l'oisiveté, à catoniser, que
serait-il? un hypocrite. Il faut que Rameau soit ce qu'il
est : un brigand heureux avec des brigands opulents;

et non un fanfaron de vertu, ou même un homme vertueux, rongeant sa croûte de pain, seul, ou à côté des
gueux. Et pour le trancher net, je ne m'accommode
point de votre félicité, ni du bonheur de quelques
visionnaires, comme vous.

MOI. — Je vois, mon cher, que vous ignorez ce que
c'est, et que vous n'êtes pas même fait pour l'apprendre.

LUI. — Tant mieux, mordieu! tant mieux. Cela me
ferait crever de faim, d'ennui, et de remords peut-être.

MOI. — D'après cela, le seul conseil que j'ai à vous
donner, c'est de rentrer bien vite dans la maison d'où
vous vous êtes imprudemment fait chasser.

LUI. — Et de faire ce que vous ne désapprouvez pas au
simple, et ce qui me répugne un peu au figuré?

MOI. — C'est mon avis.

LUI. — Indépendamment de cette métaphore qui me
déplaît dans ce moment, et qui ne me déplaira pas
dans un autre.

MOI. — Quelle singularité!

LUI. — Il n'y a rien de singulier à cela. Je veux bien
être abject, mais je veux que ce soit sans contrainte. Je
veux bien descendre de ma dignité... Vous riez?

MOI. — Oui, votre dignité me fait rire.

LUI. — Chacun a la sienne; je veux bien oublier la
mienne, mais à ma discrétion, et non à l'ordre d'autrui.
Faut-il qu'on puisse me dire : rampe, et que je sois
obligé de ramper? C'est l'allure du ver; c'est mon
allure; nous la suivons l'un et l'autre, quand on nous
laisse aller; mais nous nous redressons, quand on nous

marche sur la queue. On m'a marché sur la queue, et
je me redresserai. Et puis vous n'avez pas d'idée de la
pétaudière dont il s'agit. Imaginez un mélancolique
et maussade personnage, dévoré de vapeurs, enveloppé
dans deux ou trois tours de robe de chambre; qui se
déplaît à lui-même, à qui tout déplaît; qu'on fait à
peine sourire, en se disloquant le corps et l'esprit, en
cent manières diverses; qui considère froidement les grimaces plaisantes de mon visage, et celles de mon jugement qui sont plus plaisantes encore; car entre nous,
ce père Noël, ce vilain bénédictin si renommé pour les
grimaces; malgré ses succès à la Cour, n'est, sans me
vanter ni lui non plus, à comparaison de moi, qu'un
polichinelle de bois. J'ai beau me tourmenter pour
atteindre au sublime des Petites-Maisons, rien n'y fait.
Rira-t-il? ne rira-t-il pas? Voilà ce que je suis forcé de
me dire au milieu de mes contorsions; et vous pouvez
juger combien cette incertitude nuit au talent. Mon
hypocondre, la tête renfoncée dans un bonnet de nuit
qui lui couvre les yeux, a l'air d'une pagode immobile
à laquelle on aurait attaché un fil au menton, d'où il
descendrait jusque sous son fauteuil. On attend que le fil
se tire; et il ne se tire point; ou s'il arrive que la mâchoire s'entrouvre, c'est pour articuler un mot désolant,
un mot qui vous apprend que vous n'avez point été
aperçu, et que toutes vos singeries sont perdues; ce mot
est la réponse à une question que vous lui aurez faite
il y a quatre jours; ce mot dit, le ressort mastoïde se
détend et la mâchoire se referme...

Puis il se mit à contrefaire son homme; il s'était placé dans une chaise, la tête fixe, le chapeau jusque sur ses paupières, les yeux à demi clos, les bras pendants, remuant sa mâchoire, comme un automate, et disant :

« Oui, vous avez raison, Mademoiselle. Il faut mettre de la finesse là ». C'est que cela décide; que cela décide toujours, et sans appel; le soir, le matin, à la toilette, à dîner, au café; au jeu, au théâtre, à souper, au lit, et Dieu me le pardonne, je crois entre les bras de sa maîtresse. Je ne suis pas à portée d'entendre ces dernières décisions-ci; mais je suis diablement las des autres. Triste, obscur, et tranché, comme le destin; tel est notre patron.

Vis-à-vis, c'est une bégueule qui joue l'importance; à qui l'on se résoudrait à dire qu'elle est jolie, parce qu'elle l'est encore; quoiqu'elle ait sur le visage quelques gales, par-ci par-là, et qu'elle courre après le volume de Madame Bouvillon. J'aime les chairs, quand elles sont belles; mais aussi trop est trop; et le mouvement est si essentiel à la matière! *Item,* elle est plus méchante, plus fière et plus bête qu'une oie. *Item,* elle veut avoir de l'esprit. *Item,* il faut lui persuader qu'on lui en croit comme à personne. *Item,* cela ne sait rien, et cela décide aussi. *Item,* il faut applaudir à ces décisions, des pieds et des mains, sauter d'aise, se transir d'admiration : que cela est beau, délicat, bien dit, finement vu, singulièrement senti. Où les femmes prennent-elles cela? Sans étude, par la seule force de l'instinct, par la seule lumière naturelle : cela tient du prodige. Et puis qu'on vienne nous dire que l'expérience, l'étude, la réflexion, l'éducation y font quelque chose, et autres

pareilles sottises; et pleurer de joie. Dix fois dans la journée, se courber, un genou fléchi en devant, l'autre jambe
tirée en arrière. Les bras étendus vers la déesse, chercher
son désir dans ses yeux, rester suspendu à sa lèvre, attendre
son ordre et partir comme un éclair. Qui est-ce qui peut
s'assujettir à un rôle pareil, si ce n'est le misérable qui
trouve là, deux ou trois fois la semaine, de quoi calmer
la tribulation de ses intestins? Que penser des autres,
tels que le Palissot, le Fréron, les Poinsinets, le Baculard
qui ont quelque chose, et dont les bassesses ne peuvent
s'excuser par le borborygme d'un estomac qui souffre?

MOI. — Je ne vous aurais jamais cru si difficile.

LUI. — Je ne le suis pas. Au commencement je voyais
faire les autres, et je faisais comme eux, même un peu
mieux; parce que je suis plus franchement impudent,
meilleur comédien, plus affamé, fourni de meilleurs poumons. Je descends apparemment en droite ligne du
fameux Stentor.

Et pour me donner une juste idée de la force de ce viscère,
il se mit à tousser d'une violence à ébranler les vitres du café,
et à suspendre l'attention des joueurs d'échecs.

MOI. — Mais à quoi bon ce talent?

LUI. — Vous ne le devinez pas?

MOI. — Non. Je suis un peu borné.

LUI. — Supposez la dispute engagée et la victoire
incertaine : je me lève, et déployant mon tonnerre, je
dis : « Cela est, comme Mademoiselle l'assure. C'est là
ce qui s'appelle juger. Je le donne en cent à tous nos
beaux esprits. L'expression est de génie ». Mais il ne
faut pas toujours approuver de la même manière. On

serait monotone. On aurait l'air faux. On deviendrait insipide. On ne se sauve de là que par du jugement, de la fécondité : il faut savoir préparer et placer ces tons majeurs et péremptoires, saisir l'occasion et le moment; lors par exemple, qu'il y a partage entre les sentiments; que la dispute s'est élevée à son dernier degré de violence; qu'on ne s'entend plus; que tous parlent à la fois; il faut être placé à l'écart, dans l'angle de l'appartement le plus éloigné du champ de bataille, avoir préparé son explosion par un long silence, et tomber subitement comme une comminge, au milieu des contendants. Personne n'a eu cet art comme moi. Mais où je suis surprenant, c'est dans l'opposé; j'ai des petits tons que j'accompagne d'un sourire; une variété infinie de mines approbatives : là, le nez, la bouche, le front, les yeux entrent en jeu; j'ai une souplesse de reins; une manière de contourner l'épine du dos, de hausser ou de baisser les épaules, d'étendre les doigts, d'incliner la tête, de fermer les yeux, et d'être stupéfait, comme si j'avais entendu descendre du ciel une voix angélique et divine. C'est là ce qui flatte. Je ne sais si vous saisissez bien toute l'énergie de cette dernière attitude-là. Je ne l'ai point inventée, mais personne ne m'a surpassé dans l'exécution. Voyez. Voyez.

MOI. — Il est vrai que cela est unique.

LUI. — Croyez-vous qu'il y ait cervelle de femme un peu vaine qui tienne à cela?

MOI. — Non. Il faut convenir que vous avez porté le talent de faire des fous, et de s'avilir aussi loin qu'il est possible.

LUI. — Ils auront beau faire, tous tant qu'ils sont; ils
n'en viendront jamais là. Le meilleur d'entr'eux, Palissot, par exemple, ne sera jamais qu'un bon écolier. Mais
si ce rôle amuse d'abord, et si l'on goûte quelque
plaisir à se moquer en dedans, de la bêtise de ceux
qu'on enivre; à la longue cela ne pique plus; et puis
après un certain nombre de découvertes, on est forcé de
se répéter. L'esprit et l'art ont leurs limites. Il n'y a
que Dieu ou quelques génies rares pour qui la carrière
s'étend, à mesure qu'ils y avancent. Bouret en est un
peut-être. Il y a de celui-ci des traits qui m'en donnent,
à moi, oui à moi-même, la plus sublime idée. Le petit
chien, le Livre de la Félicité, les flambeaux sur la route
de Versailles sont de ces choses qui me confondent
et m'humilient. Ce serait capable de dégoûter du métier.

MOI. — Que voulez-vous dire avec votre petit chien?

LUI. — D'où venez-vous donc? Quoi, sérieusement,
vous ignorez comment cet homme rare s'y prit pour
détacher de lui et attacher au garde des sceaux un petit
chien qui plaisait à celui-ci?

MOI. — Je l'ignore, je le confesse.

LUI. — Tant mieux. C'est une des plus belles choses
qu'on ait imaginées; toute l'Europe en a été émer-
veillée, et il n'y a pas un courtisan dont elle n'ait excité
l'envie. Vous qui ne manquez pas de sagacité, voyons
comment vous vous y seriez pris à sa place. Songez que
Bourret était aimé de son chien. Songez que le vêtement
bizarre du ministre effrayait le petit animal. Songez
qu'il n'avait que huit jours pour vaincre les difficultés.
Il faut connaître toutes les conditions du problème,

pour bien sentir le mérite de la solution. Eh bien?

MOI. — Eh bien, il faut que je vous avoue que dans ce genre, les choses les plus faciles m'embarrasseraient.

LUI. — Écoutez, *me dit-il, en me frappant un petit coup sur l'épaule, car il est familier;* écoutez et admirez. Il se fait faire un masque qui ressemble au garde des sceaux; il emprunte d'un valet de chambre la volumineuse simarre. Il se couvre le visage du masque. Il endosse la simarre. Il appelle son chien; il le caresse. Il lui donne la gimblette. Puis tout à coup, changeant de décoration, ce n'est plus le garde des sceaux; c'est Bouret qui appelle son chien et qui le fouette. En moins de deux ou trois jours de cet exercice continué du matin au soir, le chien sait fuir Bouret le fermier général, et courir à Bouret le garde des sceaux. Mais je suis trop bon. Vous êtes un profane qui ne méritez pas d'être instruit des miracles qui s'opèrent à côté de vous.

MOI. — Malgré cela, je vous prie, le livre, les flambeaux?

LUI. — Non, non. Adressez-vous aux pavés qui vous diront ces choses-là; et profitez de la circonstance qui nous a rapprochés, pour apprendre des choses que personne ne sait que moi.

MOI. — Vous avez raison.

LUI. — Emprunter la robe et la perruque, j'avais oublié la perruque, du garde des sceaux! Se faire un masque qui lui ressemble! Le masque surtout me tourne la tête. Aussi cet homme jouit-il de la plus haute considération. Aussi possède-t-il des millions. Il y a des croix de Saint-Louis qui n'ont pas de pain; aussi pourquoi courir après la croix, au hasard de se faire échiner, et ne pas se tourner vers un état sans péril qui ne manque jamais sa récompense? Voilà ce qui s'appelle aller au grand. Ces modèles-là sont décourageants. On a pitié de soi; et l'on s'ennuie. Le masque! le masque! Je donnerais un de mes doigts, pour avoir trouvé le masque.

MOI. — Mais avec cet enthousiame pour les belles choses, et cette fertilité de génie que vous possédez, est-ce que vous n'avez rien inventé?

LUI. — Pardonnez-moi; par exemple, l'attitude admirative du dos dont je vous ai parlé; je la regarde comme mienne, quoiqu'elle puisse peut-être m'être contestée par des envieux. Je crois bien qu'on l'a employée auparavant; mais qui est-ce qui a senti combien elle était commode pour rire en dessous de l'impertinent qu'on admirait? J'ai plus de cent façons d'entamer la séduction d'une jeune fille, à côté de sa mère, sans que celle-ci s'en aperçoive, et même de la rendre complice. A peine entrais-je dans la carrière que je dédaignai toutes les manières vulgaires de glisser un billet doux. J'ai dix moyens de me le faire arracher, et parmi ces moyens, j'ose me flatter qu'il y en a de nouveaux. Je possède surtout le talent d'encourager un jeune homme timide; j'en ai fait réussir qui n'avaient ni esprit ni figure. Si cela était écrit, je crois qu'on m'accorderait quelque génie.

MOI. — Vous ferait un honneur singulier?

LUI. — Je n'en doute pas.

MOI. — A votre place, je jetterais ces choses-là sur le papier. Ce serait dommage qu'elles se perdissent.

LUI. — Il est vrai; mais vous ne soupçonnez pas combien je fais peu de cas de la méthode et des préceptes. Celui qui a besoin d'un protocole n'ira jamais loin. Les génies lisent peu, pratiquent beaucoup, et se font d'eux-mêmes. Voyez César, Turenne, Vauban, la marquise de Tencin, son frère le cardinal, et le secrétaire de celui-ci, l'abbé Trublet. Et Bouret? qui est-ce qui a donné des leçons à Bouret? personne. C'est la nature qui forme ces hommes rares-là. Croyez-vous que l'histoire du chien et du masque soit écrite quelque part?

MOI. — Mais à vos heures perdues; lorsque l'angoisse de votre estomac vide ou la fatigue de votre estomac surchargé éloigne le sommeil...

LUI. — J'y penserai; il vaut mieux écrire de grandes choses que d'en exécuter de petites. Alors l'âme s'élève; l'imagination s'échauffe, s'enflamme et s'étend; au lieu qu'elle se rétrécit à s'étonner auprès de la petite Hus des applaudissements que ce sot public s'obstine à prodiguer à cette minaudière de Dangeville, qui joue si platement, qui marche presque courbée en deux sur la scène, qui a l'affectation de regarder sans cesse dans les yeux de celui à qui elle parle, et de jouer en dessous, et qui prend elle-même ses grimaces pour de la finesse, son petit trotter pour de la grâce; à cette emphatique Clairon qui est plus maigre, plus apprêtée, plus étudiée, plus empesée qu'on ne saurait dire. Cet imbécile parterre les claque à tout rompre, et ne s'aperçoit pas que nous sommes un peloton d'agréments; il est vrai que le peloton grossit un peu; mais qu'importe? que nous avons la plus belle peau; les plus beaux yeux, le plus

joli bec; peu d'entrailles à la vérité; une démarche qui
n'est pas légère, mais qui n'est pas non plus aussi gauche
qu'on le dit. Pour le sentiment, en revanche, il n'y en a
aucune à qui nous ne damions le pion.

MOI. — Comment dites-vous tout cela? Est-ce ironie,
ou vérité?

LUI. — Le mal est que ce diable de sentiment est tout
en dedans, et qu'il n'en transpire pas une lueur au
dehors. Mais moi qui vous parle, je sais et je sais bien
qu'elle en a. Si ce n'est pas cela précisément, c'est
quelque chose comme cela. Il faut voir, quand l'humeur
nous prend, comme nous traitons les valets, comme les
femmes de chambre sont souffletées, comme nous
menons à grands coups de pied les Parties Casuelles,
pour peu qu'elles s'écartent du respect qui nous est dû.
C'est un petit diable, vous dis-je, tout plein de sentiment et de dignité... Ho, çà; vous ne savez où vous en
êtes, n'est-ce pas?

MOI. — J'avoue que je ne saurais démêler si c'est de
bonne foi ou méchamment que vous parlez. Je suis un
bon homme; ayez la bonté d'en user avec moi plus
rondement; et de laisser là votre art.

LUI. — Cela, c'est ce que nous débitons à la petite
Hus, de la Dangeville et de la Clairon, mêlé par-ci par-là
de quelques mots qui vous donnassent l'éveil. Je consens
que vous me preniez pour un vaurien; mais non pour
un sot; et il n'y aurait qu'un sot ou un homme
perdu d'amour qui pût dire sérieusement tant d'impertinences.

MOI. — Mais comment se résout-on à les dire?

LUI. — Cela ne se fait pas tout d'un coup; mais petit à petit, on y vient. *Ingenii largitor venter*.

MOI. — Il faut être pressé d'une cruelle faim.

LUI. — Cela se peut. Cependant, quelque fortes qu'elles vous paraissent, croyez que ceux à qui elles s'adressent sont plutôt accoutumés à les entendre que nous à les hasarder.

MOI. — Est-ce qu'il y a là quelqu'un qui ait le courage d'être de votre avis?

LUI. — Qu'appelez-vous quelqu'un? C'est le sentiment et le langage de toute la société.

MOI. — Ceux d'entre vous qui ne sont pas de grands vauriens, doivent être de grands sots.

LUI. — Des sots là? Je vous jure qu'il n'y en a qu'un; c'est celui qui nous fête, pour lui en imposer.

MOI. — Mais comment s'en laisse-t-on si grossièrement imposer? car enfin la supériorité des talents de la Dangeville et de la Clairon est décidée.

LUI. — On avale à pleine gorgée le mensonge qui nous flatte; et l'on boit goutte à goutte une vérité qui nous est amère. Et puis nous avons l'air si pénétré, si vrai!

MOI. — Il faut cependant que vous ayez péché une fois contre les principes de l'art et qu'il vous soit échappé par mégarde quelques-unes de ces vérités amères qui blessent; car en dépit du rôle misérable, abject, vil, abominable que vous faites, je crois qu'au fond, vous avez l'âme délicate.

LUI. — Moi, point du tout. Que le diable m'emporte si je sais au fond ce que je suis. En général, j'ai l'esprit rond comme une boule, et le caractère franc comme l'osier; jamais faux, pour peu que j'aie intérêt d'être vrai; jamais vrai pour peu que j'aie intérêt d'être faux. Je dis les choses comme elles me viennent, sensées, tant mieux; impertinentes, on n'y prend pas garde. J'use en plein de mon franc-parler. Je n'ai pensé de ma vie ni avant que de dire, ni en disant, ni après avoir dit. Aussi je n'offense personne.

MOI. — Cela vous est pourtant arrivé avec les honnêtes gens chez qui vous viviez, et qui avaient pour vous tant de bontés.

LUI. — Que voulez-vous? C'est un malheur; un mauvais moment, comme il y en a dans la vie. Point de félicité continue; j'étais trop bien. Cela ne pouvait durer. Nous avons, comme vous savez, la compagnie la plus nombreuse et la mieux choisie. C'est une école d'humanité, le renouvellement de l'antique hospitalité. Tous les poètes qui tombent, nous les ramassons. Nous eûmes Palissot après sa *Zara;* Bret, après le *Faux généreux;* tous les musiciens décriés; tous les auteurs qu'on ne lit point; toutes les actrices sifflées; tous les acteurs hués; un tas de pauvres honteux, plats parasites à la tête desquels j'ai l'honneur d'être, brave chef d'une troupe timide. C'est moi qui les exhorte à manger la première fois qu'ils viennent; c'est moi qui demande à boire pour eux. Ils tiennent si peu de place! quelques jeunes gens déguenillés qui ne savent où donner de la tête, mais qui ont de la figure, d'autres scélérats qui cajolent le patron et qui l'endorment, afin de glaner après lui sur la patronne. Nous paraissons gais; mais au fond nous avons tous de l'humeur et grand appétit.

Des loups ne sont pas plus affamés; des tigres ne sont pas plus cruels. Nous dévorons comme des loups, lorsque la terre a été longtemps couverte de neige; nous déchirons comme des tigres, tout ce qui réussit. Quelquefois, les cohues Bertin, Montsauge et Villemorien se réunissent; c'est alors qu'il se fait un beau bruit dans la ménagerie. Jamais on ne vit ensemble tant de bêtes tristes, acariâtres, malfaisantes et courroucées. On n'entend que les noms de Buffon, de Duclos, de Montesquieu, de Rousseau, de Voltaire, de d'Alembert, de Diderot, et Dieu sait de quelles épithètes ils sont accompagnés. Nul n'aura de l'esprit, s'il n'est aussi sot que nous. C'est là que le plan de la comédie des *Philosophes* a été conçu; la scène du colporteur, c'est moi qui l'ai fournie, d'après la *Théologie en Quenouille*. Vous n'êtes pas épargné là plus qu'un autre.

MOI. — Tant mieux. Peut-être me fait-on plus d'honneur que je n'en mérite. Je serais humilié, si ceux qui disent du mal de tant d'habiles et honnêtes gens, s'avisaient de dire du bien de moi.

LUI. — Nous sommes beaucoup, et il faut que chacun paye son écot. Après le sacrifice des grands animaux, nous immolons les autres.

MOI. — Insulter la science et la vertu pour vivre, voilà du pain bien cher.

LUI. — Je vous l'ai déjà dit, nous sommes sans conséquence. Nous injurions tout le monde, et nous n'affligeons personne. Nous avons quelquefois le pesant abbé d'Olivet, le gros abbé Le Blanc, l'hypocrite Batteux. Le gros abbé n'est méchant qu'avant dîner. Son café pris, il se jette dans un fauteuil, les pieds appuyés contre la tablette de la cheminée, et s'endort comme un vieux perroquet sur son bâton. Si le vacarme devient violent, il bâille; il étend ses bras; il frotte ses yeux, et dit : Eh bien, qu'est-ce? Qu'est-ce? — il s'agit de savoir si Piron a plus d'esprit que de Voltaire. — Entendons-nous. C'est de l'esprit que vous dites? il ne s'agit pas de goût; car du goût, votre Piron ne s'en doute pas. — Ne s'en doute pas? — Non. — Et puis nous voilà embarqués dans une dissertation sur le goût. Alors le patron fait signe de la main qu'on l'écoute; car c'est surtout de goût qu'il se pique. « Le goût, dit-il... le goût est une chose... » ma foi, je ne sais quelle chose il disait que c'était; ni lui, non plus.

Nous avons quelquefois l'ami Robbé. Il nous régale de ses contes cyniques, des miracles des convulsionnaires dont il a été le témoin oculaire; et de quelques chants de son poème sur un sujet qu'il connaît à fond. Je hais ses vers; mais j'aime à l'entendre réciter. Il a l'air d'un énergumène. Tous s'écrient autour de lui : « voilà ce qu'on appelle un poète ». Entre nous, cette poésie-là n'est qu'un charivari de toutes sortes de bruits confus; le ramage barbare des habitants de la tour de Babel.

Il nous vient aussi un certain niais qui a l'air plat et bête, mais qui a de l'esprit comme un démon et qui est plus malin qu'un vieux singe; c'est une de ces figures qui appellent la plaisanterie et les nasardes, et que Dieu fit pour la correction des gens qui jugent à la mine, et à qui leur miroir aurait dû apprendre qu'il est aussi aisé d'être un homme d'esprit et d'avoir l'air d'un sot

que de cacher un sot sous une physionomie spirituelle.
C'est une lâcheté bien commune que celle d'immoler un
bon homme à l'amusement des autres. On ne manque
jamais de s'adresser à celui-ci. C'est un piège que nous
tendons aux nouveaux venus, et je n'en ai presque pas
vu un seul qui n'y donnât.

J'étais quelquefois surpris de la justesse des observations de
ce fou, sur les hommes et sur les caractères; et je le lui témoi-
gnai.

C'est, *me répondit-il,* qu'on tire parti de la mauvaise
compagnie, comme du libertinage. On est dédommagé
de la perte de son innocence, par celle de ses préjugés.
Dans la société des méchants, où le vice se montre à
masque levé, on apprend à les connaître. Et puis j'ai
un peu lu.

MOI. — Qu'avez-vous lu?

LUI. — J'ai lu et je lis et relis sans cesse Théophraste,
La Bruyère et Molière.

MOI. — Ce sont d'excellents livres.

LUI. — Ils sont bien meilleurs qu'on ne pense; mais
qui est-ce qui sait les lire?

MOI. — Tout le monde, selon la mesure de son esprit.

LUI. — Presque personne. Pourriez-vous me dire ce
qu'on y cherche?

MOI. — L'amusement et l'instruction.

LUI. — Mais quelle instruction; car c'est là le point?

MOI. — La connaissance de ses devoirs; l'amour de la
vertu; la haine du vice.

LUI. — Moi, j'y recueille tout ce qu'il faut faire, et
tout ce qu'il ne faut pas dire. Ainsi quand je lis l'*Avare;*

je me dis : sois avare, si tu veux; mais garde-toi de parler comme l'avare. Quand je lis le *Tartuffe,* je me dis :
sois hypocrite, si tu veux; mais ne parle pas comme
l'hypocrite. Garde des vices qui te sont utiles; mais n'en
aie ni le ton ni les apparences qui te rendraient ridicule.
Pour se garantir de ce ton, de ces apparences, il faut
les connaître. Or, ces auteurs en ont fait des peintures
excellentes. Je suis moi et je reste ce que je suis; mais
j'agis et je parle comme il convient. Je ne suis pas de
ces gens qui méprisent les moralistes. Il y a beaucoup à
profiter, surtout en ceux qui ont mis la morale en action. Le vice ne blesse les hommes que par intervalle.
Les caractères apparents du vice les blessent du matin
au soir. Peut-être vaudrait-il mieux être un insolent que
d'en avoir la physionomie; l'insolent de caractère n'insulte que de temps en temps; l'insolent de physionomie
insulte toujours. Au reste, n'allez pas imaginer que je
sois le seul lecteur de mon espèce. Je n'ai d'autre mérite
ici, que d'avoir fait par système, par justesse d'esprit,
par une vue raisonnable et vraie, ce que la plupart des
autres font par instinct. De là vient que leurs lectures
ne les rendent pas meilleurs que moi; mais qu'ils restent
ridicules, en dépit d'eux; au lieu que je ne le suis que
quand je veux, et que je les laisse alors loin derrière
moi; car le même art qui m'apprend à me sauver du
ridicule en certaines occasions, m'apprend aussi dans
d'autres à l'attraper supérieurement. Je me rappelle
alors tout ce que les autres ont dit, tout ce que j'ai lu,
et j'y ajoute tout ce qui sort de mon fonds qui est en ce
genre d'une fécondité surprenante.

MOI. — Vous avez bien fait de me révéler ces mystères; sans quoi, je vous aurais cru en contradiction.

LUI. — Je n'y suis point; car pour une fois où il faut éviter le ridicule; heureusement, il y en a cent où il faut s'en donner. Il n'y a point de meilleur rôle auprès des grands que celui de fou. Longtemps il y a eu le fou du roi en titre; en aucun, il n'y a eu en titre le sage du roi. Moi je suis le fou de Bertin et de beaucoup d'autres, le vôtre peut-être dans ce moment; ou peut-être vous, le mien. Celui qui serait sage n'aurait point de fou. Celui donc qui a un fou n'est pas sage; s'il n'est pas sage, il est fou; et peut-être, fût-il roi, le fou de son fou. Au reste, souvenez-vous que dans un sujet aussi variable que les mœurs, il n'y a d'absolument, d'essentiellement, de généralement vrai ou faux, sinon qu'il faut être ce que l'intérêt veut qu'on soit; bon ou mauvais; sage ou fou; décent ou ridicule; honnête ou vicieux. Si par hasard la vertu avait conduit à la fortune; ou j'aurais été vertueux, ou j'aurais simulé la vertu comme un autre. On m'a voulu ridicule, et je me le suis fait; pour vicieux, nature seule en avait fait les frais. Quand je dis vicieux, c'est pour parler votre langue; car si nous venions à nous expliquer, il pourrait arriver que vous appelassiez vice ce que j'appelle vertu, et vertu ce que j'appelle vice.

Nous avons aussi les auteurs de l'Opéra-Comique, leurs acteurs, et leurs actrices; et plus souvent leurs entrepreneurs Corby, Moette... tous gens de ressource et d'un mérite supérieur!

Et j'oubliais les grands critiques de la littérature.

L'Avant-Coureur, Les petites Affiches, L'Année littéraire,
L'Observateur littéraire, Le Censeur hebdomadaire, toute la
clique des feuillistes.

MOI. — *L'Année littéraire; l'Observateur littéraire.* Cela ne
se peut. Ils se détestent.

LUI. — Il est vrai. Mais tous les gueux se réconcilient
à la gamelle. Ce maudit *Observateur littéraire.* Que le
diable l'eût emporté, lui et ses feuilles. C'est ce chien
de petit prêtre avare, puant et usurier qui est la cause
de mon désastre. Il parut sur notre horizon, hier, pour
la première fois. Il arriva à l'heure qui nous chasse tous
de nos repaires, l'heure du dîner. Quand il fait mauvais
temps, heureux celui d'entre nous qui a la pièce de
vingt-quatre sols dans sa poche. Tel s'est moqué de son
confrère qui était arrivé le matin crotté jusqu'à l'échine
et mouillé jusqu'aux os, qui le soir rentre chez lui dans
le même état. Il y en eut un, je ne sais plus lequel, qui
eut, il y a quelques mois, un démêlé violent avec le
Savoyard qui s'est établi à notre porte. Ils étaient en
compte courant; le créancier voulait que son débiteur
se liquidât, et celui-ci n'était pas en fonds. On sert; on
fait les honneurs de la table à l'abbé, on le place au
haut bout. J'entre, je l'aperçois. « Comment, l'abbé, lui
dis-je, vous présidez? voilà qui est fort bien pour aujourd'hui; mais demain, vous descendrez, s'il vous plaît,
d'une assiette; après-demain, d'une autre assiette; et
ainsi d'assiette en assiette, soit à droite, soit à gauche,
jusqu'à ce que de la place que j'ai occupée une fois
avant vous, Fréron une fois après moi, Dorat une fois
après Fréron, Palissot une fois après Dorat, vous deve-

niez stationnaire à côté de moi, pauvre plat bougre comme vous, *qui siedo sempre come un maestoso cazzo fra duoi coglioni* ». L'abbé, qui est bon diable et qui prend tout bien, se mit à rire. Mademoiselle, pénétrée de la vérité de mon observation et de la justesse de ma comparaison, se mit à rire; tous ceux qui siégeaient à droite et à gauche de l'abbé et qu'il avait reculés d'un cran, se mirent à rire; tout le monde rit, excepté monsieur qui se fâche et me tient des propos qui n'auraient rien signifié, si nous avions été seuls : « Rameau vous êtes un impertinent. — Je le sais bien; et c'est à cette condition que vous m'avez reçu. — Un faquin. — Comme un autre. — Un gueux. — Est-ce que je serais ici, sans cela? — Je vous ferai chasser. — Après dîner, je m'en irai de moi-même. — Je vous le conseille ». — On dîna; je n'en perdis pas un coup de dent. Après avoir bien mangé, bu largement; car après tout il n'en aurait été ni plus ni moins, messer Gaster est un personnage contre lequel je n'ai jamais boudé; je pris mon parti et je me disposais à m'en aller. J'avais engagé ma parole en présence de tant de monde qu'il fallait bien la tenir. Je fus un temps considérable à rôder dans l'appartement, cherchant ma canne et mon chapeau où ils n'étaient pas, et comptant toujours que le patron se répandrait dans un nouveau torrent d'injures; que quelqu'un s'interposerait, et que nous finirions par nous raccommoder, à force de nous fâcher. Je tournais, je tournais; car moi je n'avais rien sur le cœur; mais le patron, lui, plus sombre et plus noir que l'Apollon d'Homère, lorsqu'il décoche ses traits sur l'armée des Grecs, son bonnet une fois plus

renfoncé que de coutume, se promenait en long et en
large, le poing sous le menton. Mademoiselle s'approche de moi. — « Mais Mademoiselle, qu'est-ce qu'il
y a donc d'extraordinaire? Ai-je été différent aujour-
d'hui de moi-même. — Je veux qu'il sorte. — Je sortirai,
je ne lui ai pas manqué. — Pardonnez-moi; on invite
monsieur l'abbé, et... — C'est lui qui s'est manqué à
lui-même en invitant l'abbé, en me recevant et avec
moi tant d'autres bélîtres tels que moi. — Allons, mon
petit Rameau; il faut demander pardon à monsieur
l'abbé. — Je n'ai que faire de son pardon... — Allons;
allons, tout cela s'apaisera... ». On me prend par la
main, on m'entraîne vers le fauteuil de l'abbé; j'étends
les bras, je contemple l'abbé avec une espèce d'admiration, car qui est-ce qui a jamais demandé pardon à
l'abbé? « L'abbé, lui dis-je; l'abbé tout ceci est bien
ridicule, n'est-il pas vrai? ». Et puis je me mets à rire,
et l'abbé aussi. Me voilà donc excusé de ce côté-là;
mais il fallait aborder l'autre, et ce que j'avais à lui dire
était une autre paire de manches. Je ne sais plus trop
comment je tournai mon excuse... « Monsieur, voilà ce
fou. — Il y a trop longtemps qu'il me fait souffrir; je
n'en veux plus entendre parler. — Il est fâché. — Oui
je suis très fâché. — Cela ne lui arrivera plus. — Qu'au
premier faquin. » Je ne sais s'il était dans un de ces
jours d'humeur où Mademoiselle craint d'en approcher
et n'ose le toucher qu'avec ses mitaines de velours, ou
s'il entendit mal ce que je disais, ou si je dis mal; ce
fut pis qu'auparavant. Que diable, est-ce qu'il ne me
connaît pas? Est-ce qu'il ne sait pas que je suis comme

les enfants, et qu'il y a des circonstances où je laisse tout aller sous moi? Et puis, je crois, Dieu me pardonne, que je n'aurais pas un moment de relâche. On userait un pantin d'acier à tirer la ficelle du matin au soir et du soir au matin. Il faut que je les désennuie; c'est la condition; mais il faut que je m'amuse quelquefois. Au milieu de cet imbroglio, il me passa par la tête une pensée funeste, une pensée qui me donna de la morgue, une pensée qui m'inspira de la fierté et de l'insolence : c'est qu'on ne pouvait se passer de moi, que j'étais un homme essentiel.

MOI. — Oui, je crois que vous leur êtes très utile, mais qu'ils vous le sont encore davantage. Vous ne retrouverez pas, quand vous voudrez, une aussi bonne maison; mais eux, pour un fou qui leur manque, ils en retrouveront cent.

LUI. — Cent fous comme moi! Monsieur le philosophe, ils ne sont pas si communs. Oui des plats fous. On est plus difficile en sottise qu'en talent ou en vertu. Je suis rare dans mon espèce, oui, très rare. A présent qu'ils ne m'ont plus, que font-ils? Ils s'ennuient comme des chiens. Je suis un sac inépuisable d'impertinences. J'avais à chaque instant une boutade qui les faisait rire aux larmes, j'étais pour eux les Petites-Maisons tout entières.

MOI. — Aussi vous aviez la table, le lit, l'habit, veste et culotte, les souliers, et la pistole par mois.

LUI. — Voilà le beau côté. Voilà le bénéfice; mais les charges, vous n'en dites mot. D'abord, s'il était bruit d'une pièce nouvelle, quelque temps qu'il fît, il fallait fureter dans tous les greniers de Paris jusqu'à ce que j'en eusse trouvé l'auteur; que je me procurasse la lecture de l'ouvrage, et que j'insinuasse adroitement qu'il y avait un rôle qui serait supérieurement rendu par quelqu'un de ma connaissance. « Et par qui, s'il vous plaît? — Par qui? belle question! Ce sont les grâces, la gentillesse, la finesse. — Vous voulez dire, mademoiselle Dangeville? Par hasard la connaîtriez-vous? — Oui, un peu; mais ce n'est pas elle. — Et qui donc? » Je nommais tout bas. « Elle! — Oui, elle », répétais-je un peu honteux; car j'ai quelquefois de la pudeur; et à ce nom répété, il fallait voir comme la physionomie du poète s'allongeait, et d'autres fois comme on m'éclatait au nez. Cependant, bon gré, mal gré qu'il en eût, il fallait que j'amenasse mon homme à dîner; et lui qui craignait de s'engager, rechignait, remerciait. Il fallait voir comme j'étais traité, quand je ne réussissais pas dans ma négociation : j'étais un butor, un sot, un balourd, je n'étais bon à rien; je ne valais pas le verre d'eau qu'on me donnait à boire. C'était bien pis lorsqu'on jouait, et qu'il fallait aller intrépidement, au milieu des huées d'un public qui juge bien, quoi qu'on en dise, faire entendre mes claquements de mains isolés; attacher les regards sur moi; quelquefois dérober les sifflets à l'actrice; et ouïr chuchoter à côté de soi : « C'est un des valets déguisés de celui qui couche; ce maraud-là se taira-t-il? ». On ignore ce qui peut déterminer à cela, on croit que c'est ineptie, tandis que c'est un motif qui excuse tout.

MOI. — Jusqu'à l'infraction des lois civiles.

LUI. — A la fin cependant j'étais connu, et l'on disait :
« Oh! c'est Rameau ». Ma ressource était de jeter
quelques mots ironiques qui sauvassent du ridicule mon
applaudissement solitaire, qu'on interprétait à contre-
sens. Convenez qu'il faut un puissant intérêt pour bra-
ver ainsi le public assemblé, et que chacune de ces cor-
vées valait mieux qu'un petit écu.

MOI. — Que ne vous faisiez-vous prêter main-forte?

LUI. — Cela m'arrivait aussi, et je glanais un peu là-
dessus. Avant que de se rendre au lieu du supplice, il
fallait se charger la mémoire des endroits brillants, où
il importait de donner le ton. S'il m'arrivait de les oublier et de me méprendre, j'en avais le tremblement à
mon retour; c'était un vacarme dont vous n'avez pas
d'idée. Et puis à la maison une meute de chiens à soi-
gner; il est vrai que je m'étais sottement imposé cette
tâche; des chats dont j'avais la surintendance; j'étais
trop heureux si *Micou* me favorisait d'un coup de griffe
qui déchirât ma manchette ou ma main. *Criquette* est
sujette à la colique; c'est moi qui lui frotte le ventre.
Autrefois, Mademoiselle avait des vapeurs; ce sont
aujourd'hui des nerfs. Je ne parle point d'autres indispositions légères dont on ne se gêne pas devant moi.
Pour ceci, passe; je n'ai jamais prétendu contraindre.
J'ai lu, je ne sais où, qu'un prince surnommé le grand
restait quelquefois appuyé sur le dossier de la chaise
percée de sa maîtresse. On en use à son aise avec ses
familiers, et j'en étais ces jours là, plus que personne.
Je suis l'apôtre de la familiarité et de l'aisance. Je les
prêchais là d'exemple, sans qu'on s'en formalisât; il n'y

avait qu'à me laisser aller. Je vous ai ébauché le patron.
Mademoiselle commence à devenir pesante; il faut entendre les bons contes qu'ils en font.

MOI. — Vous n'êtes pas de ces gens-là?

LUI. — Pourquoi non?

MOI. — C'est qu'il est au moins indécent de donner
des ridicules à ses bienfaiteurs.

LUI. — Mais n'est-ce pas pis encore de s'autoriser de
ses bienfaits pour avilir son protégé?

MOI. — Mais si le protégé n'était pas vil par lui-même,
rien ne donnerait au protecteur cette autorité.

LUI. — Mais si les personnages n'étaient pas ridicules
par eux-mêmes, on n'en ferait pas de bons contes. Et
puis est-ce ma faute s'ils s'encaillent? Est-ce ma faute
lorsqu'ils se sont encaillés, si on les trahit, si on les
bafoue? Quand on se résout à vivre avec des gens
comme nous, et qu'on a le sens commun, il y a je ne
sais combien de noirceurs auxquelles il faut s'attendre.
Quand on nous prend, ne nous connaît-on pas pour ce
que nous sommes, pour des âmes intéressées, viles et
perfides? Si l'on nous connaît, tout est bien. Il y a un
pacte tacite qu'on nous fera du bien, et que tôt ou tard,
nous rendrons le mal pour le bien qu'on nous aura fait.
Ce pacte ne subsiste-t-il pas entre l'homme et son singe
ou son perroquet? Brun jette les hauts cris que Palissot,
son convive et son ami, ait fait des couplets contre lui.
Palissot a dû faire les couplets et c'est Brun qui a tort.
Poinsinet jette les hauts cris que Palissot ait mis sur son
compte les couplets qu'il avait faits contre Brun. Palissot
a dû mettre sur le compte de Poinsinet les couplets

qu'il avait faits contre Brun; et c'est Poinsinet qui a
tort. Le petit abbé Rey jette les hauts cris de ce que son
ami Palissot lui a soufflé sa maîtresse auprès de laquelle
il l'avait introduit. C'est qu'il ne fallait point introduire
un Palissot chez sa maîtresse, ou se résoudre à la perdre.
Palissot a fait son devoir; et c'est l'abbé Rey qui a tort.
Le libraire David jette les hauts cris de ce que son associé
Palissot a couché ou voulu coucher avec sa femme; la
femme du libraire David jette les hauts cris de ce que
Palissot a laissé croire à qui l'a voulu qu'il avait couché
avec elle; que Palissot ait couché ou non avec la femme
du libraire, ce qui est difficile à décider, car la femme
a dû nier ce qui était, et Palissot a pu laisser croire ce
qui n'était pas. Quoi qu'il en soit, Palissot a fait son
rôle et c'est David et sa femme qui ont tort. Qu'Helvétius jette les hauts cris que Palissot le traduise sur la
scène comme un malhonnête homme, lui à qui il doit
encore l'argent qu'il lui prêta pour se faire traiter de
la mauvaise santé, se nourrir et se vêtir. A-t-il dû se
promettre un autre procédé, de la part d'un homme
souillé de toutes sortes d'infamies, qui par passe-temps
fait abjurer la religion à son ami, qui s'empare du bien
de ses associés; qui n'a ni foi, ni loi, ni sentiment; qui
court à la fortune, *per fas et nefas;* qui compte ses jours
par ses scélératesses; et qui s'est traduit lui-même sur la
scène comme un des plus dangereux coquins, impudence
dont je ne crois pas qu'il y ait eu dans le passé un premier exemple, ni qu'il y en ait un second dans l'avenir.
Non. Ce n'est donc pas Palissot, mais c'est Helvétius
qui a tort. Si l'on mène un jeune provincial à la Ména-

gerie de Versailles, et qu'il s'avise par sottise, de passer
la main à travers les barreaux de la loge du tigre ou de
la panthère; si le jeune homme laisse son bras dans la
gueule de l'animal féroce; qui est-ce qui a tort? Tout
cela est écrit dans le pacte tacite. Tant pis pour celui
qui l'ignore ou l'oublie. Combien je justifierais par ce
pacte universel et sacré, de gens qu'on accuse de méchanceté; tandis que c'est soi qu'on devrait accuser de
sottise. Oui, grosse comtesse; c'est vous qui avez tort,
lorsque vous rassemblez autour de vous, ce qu'on appelle parmi les gens de votre sorte, des espèces, et que
ces espèces vous font des vilenies, vous en font faire, et
vous exposent au ressentiment des honnêtes gens. Les
honnêtes gens font ce qu'ils doivent; les espèces aussi;
et c'est vous qui avez tort de les accueillir. Si Bertinhus
vivait doucement, paisiblement avec sa maîtresse; si par
l'honnêteté de leurs caractères, ils s'étaient fait des
connaissances honnêtes; s'ils avaient appelé autour d'eux
des hommes à talents, des gens connus dans la société
par leur vertu; s'ils avaient réservé pour une petite
compagnie éclairée et choisie, les heures de distraction
qu'ils auraient dérobées à la douceur d'être ensemble,
de s'aimer, de se le dire, dans le silence de la retraite;
croyez-vous qu'on en eût fait ni bons ni mauvais contes.
Que leur est-il donc arrivé? ce qu'ils méritaient. Ils ont
été punis de leur imprudence; et c'est nous que la Providence avait destinés de toute éternité à faire justice
des Bertins du jour, et ce sont nos pareils d'entre nos
neveux qu'elle a destinés à faire justice des Montsauges
et des Bertins à venir. Mais tandis que nous exécutons

ses justes décrets sur la sottise, vous qui nous peignez tels que nous sommes, vous exécutez ses justes décrets sur nous. Que penseriez-vous de nous, si nous prétendions avec des mœurs honteuses, jouir de la considération publique; que nous sommes des insensés. Et ceux qui s'attendent à des procédés honnêtes, de la part de gens nés vicieux, de caractères vils et bas, sont-ils sages? Tout a son vrai loyer dans ce monde. Il y a deux procureurs généraux, l'un à votre porte qui châtie les délits contre la société. La nature est l'autre. Celle-ci connaît de tous les vices qui échappent aux lois. Vous vous livrez à la débauche des femmes; vous serez hydropique. Vous êtes crapuleux; vous serez poumonique. Vous ouvrez votre porte à des marauds, et vous vivez avec eux; vous serez trahis, persiflés, méprisés. Le plus court est de se résigner à l'équité de ces jugements; et de se dire à soi-même, c'est bien fait, de secouer ses oreilles, et de s'amender ou de rester ce qu'on est, mais aux conditions susdites.

MOI. — Vous avez raison.

LUI. — Au demeurant, de ces mauvais contes, moi, je n'en invente aucun; je m'en tiens au rôle de colporteur. Ils disent qu'il y a quelques jours, sur les cinq heures du matin, on entendit un vacarme enragé; toutes les sonnettes étaient en branle; c'étaient les cris interrompus et sourds d'un homme qui étouffe : « A moi, moi, je suffoque; je meurs ». Ces cris partaient de l'appartement du patron. On arrive, on le secourt. Notre grosse créature dont la tête était égarée, qui n'y était plus, qui ne voyait plus, comme il arrive dans ce moment, continuait de presser son mouvement, s'élevait sur ses deux mains, et du plus haut qu'elle pouvait laissait retomber sur les parties casuelles un poids de deux à trois cents livres, animé de toute la vitesse que donne la fureur du plaisir. On eut beaucoup de peine à le dégager de là. Que diable de fantaisie a un petit marteau de se placer sous une lourde enclume.

MOI. — Vous êtes un polisson. Parlons d'autre chose. Depuis que nous causons, j'ai une question sur la lèvre.

LUI. — Pourquoi l'avoir arrêtée là si longtemps?

MOI. — C'est que j'ai craint qu'elle ne fût indiscrète.

LUI. — Après ce que je viens de vous révéler, j'ignore quel secret je puis avoir pour vous.

MOI. — Vous ne doutez pas du jugement que je porte de votre caractère.

LUI. — Nullement. Je suis à vos yeux un être très abject, très méprisable, et je le suis aussi quelquefois aux miens; mais rarement. Je me félicite plus souvent de mes vices que je ne m'en blâme. Vous êtes plus constant dans votre mépris.

MOI. — Il est vrai; mais pourquoi me montrer toute votre turpitude.

LUI. — D'abord, c'est que vous en connaissiez une bonne partie, et que je voyais plus à gagner qu'à perdre, à vous avouer le reste.

MOI. — Comment cela, s'il vous plaît.

LUI. — S'il importe d'être sublime en quelque genre, c'est surtout en mal. On crache sur un petit filou; mais on ne peut refuser une sorte de considération à un grand criminel. Son courage vous étonne. Son atrocité vous fait frémir. On prise en tout l'unité de caractère.

MOI. — Mais cette estimable unité de caractère, vous ne l'avez pas encore. Je vous trouve de temps en temps vacillant dans vos principes. Il est incertain, si vous tenez votre méchanceté de la nature, ou de l'étude; et si l'étude vous a porté aussi loin qu'il est possible.

LUI. — J'en conviens; mais j'y ai fait de mon mieux. N'ai-je pas eu la modestie de reconnaître des êtres plus parfaits que moi? Ne vous ai-je pas parlé de Bouret avec l'admiration la plus profonde? Bouret est le premier homme du monde dans mon esprit.

MOI. — Mais immédiatement après Bouret; c'est vous.

LUI. — Non.

MOI. — C'est donc Palissot?

LUI. — C'est Palissot, mais ce n'est pas Palissot seul.

MOI. — Et qui peut être digne de partager le second rang avec lui?

LUI. — Le renégat d'Avignon.

MOI. — Je n'ai jamais entendu parler de ce renégat d'Avignon; mais ce doit être un homme bien étonnant.

LUI. — Aussi l'est-il.

MOI. — L'histoire des grands personnages m'a toujours intéressé.

LUI. — Je le crois bien. Celui-ci vivait chez un bon et honnête de ces descendants d'Abraham, promis au père des Croyants, en nombre égal à celui des étoiles.

MOI. — Chez un Juif?

LUI. — Chez un Juif. Il en avait surpris d'abord la commisération, ensuite la bienveillance, enfin la confiance la plus entière. Car voilà comme il en arrive toujours.

Nous comptons tellement sur nos bienfaits, qu'il est rare que nous cachions notre secret, à celui que nous avons comblé de nos bontés. Le moyen qu'il n'y ait pas des ingrats; quand nous exposons l'homme, à la tentation de l'être impunément. C'est une réflexion juste que notre Juif ne fit pas. Il confia donc au renégat qu'il ne pouvait en conscience manger du cochon. Vous allez voir tout le parti qu'un esprit fécond sut tirer de cet aveu. Quelques mois se passèrent pendant lesquels notre renégat redoubla d'attachement. Quand il crut son Juif bien touché, bien captivé, bien convaincu par ses soins, qu'il n'avait pas un meilleur ami dans toutes les tribus d'Israël... Admirez la circonspection de cet homme. Il ne se hâte pas. Il laisse mûrir la poire, avant que de secouer la branche. Trop d'ardeur pouvait faire échouer son projet. C'est qu'ordinairement la grandeur de caractère résulte de la balance naturelle de plusieurs qualités opposées.

MOI. — Eh laissez là vos réflexions, et continuez votre histoire.

LUI. — Cela ne se peut. Il y a des jours où il faut que je réfléchisse. C'est une maladie qu'il faut abandonner à son cours. Où en étais-je?

MOI. — A l'intimité bien établie, entre le Juif et le renégat.

LUI. — Alors la poire était mûre... Mais vous ne m'écoutez pas. A quoi rêvez-vous?

MOI. — Je rêve à l'inégalité de votre ton; tantôt haut, tantôt bas.

LUI. — Est-ce que le ton de l'homme vicieux peut être

un? — Il arrive un soir chez son bon ami, l'air effaré,
la voix entrecoupée, le visage pâle comme la mort, tremblant de tous ses membres. « Qu'avez-vous? — Nous
sommes perdus. — Perdus, et comment? — Perdus, vous
dis-je; perdus sans ressource. — Expliquez-vous. — Un
moment, que je me remette de mon effroi. — Allons,
remettez-vous », lui dit le Juif; au lieu de lui dire, tu es
un fieffé fripon; je ne sais ce que tu as à m'apprendre,
mais tu es un fieffé fripon; tu joues la terreur.

MOI. — Et pourquoi devait-il lui parler ainsi?

LUI. — C'est qu'il était faux, et qu'il avait passé la
mesure. Cela est clair pour moi, et ne m'interrompez
pas davantage. — « Nous sommes perdus, perdus sans
ressource ». Est-ce que vous ne sentez pas l'affectation
de ces *perdus* répétés. « Un traître nous a déférés à la
sainte Inquisition, vous comme Juif, moi comme renégat, comme un infâme renégat ». Voyez comme le traître
ne rougit pas de se servir des expressions les plus
odieuses. Il faut plus de courage qu'on ne pense pour
s'appeler de son nom. Vous ne savez pas ce qu'il en
coûte pour en venir là.

MOI. — Non certes. Mais cet infâme renégat...

LUI. — Est faux; mais c'est une fausseté bien adroite.
Le Juif s'effraye, il s'arrache la barbe, il se roule à terre.
Il voit les sbires à sa porte; il se voit affublé du san
bénito; il voit son autodafé préparé. « Mon ami, mon
tendre ami, mon unique ami, quel parti prendre... —
Quel parti? de se montrer, d'affecter la plus grande
sécurité, de se conduire comme à l'ordinaire. La procédure de ce tribunal est secrète, mais lente. Il faut user

de ses délais pour tout vendre. J'irai louer ou je ferais louer un bâtiment par un tiers; oui, par un tiers, ce sera le mieux. Nous y déposerons votre fortune; car c'est à votre fortune principalement qu'ils en veulent; et nous irons, vous et moi, chercher, sous un autre ciel, la liberté de servir notre Dieu et de suivre en sûreté la loi d'Abraham et de notre conscience. Le point important dans la circonstance périlleuse où nous nous trouvons, est de ne point faire d'imprudence ». Fait et dit. Le bâtiment est loué et pourvu de vivres et de matelots. La fortune du Juif est à bord. Demain, à la pointe du jour, ils mettent à la voile. Ils peuvent souper gaiement et dormir en sûreté. Demain, ils échappent à leurs persécuteurs. Pendant la nuit, le renégat se lève, dépouille le Juif de son portefeuille, de sa bourse et de ses bijoux; se rend à bord, et le voilà parti. Et vous croyez que c'est là tout? Bon, vous n'y êtes pas. Lorsqu'on me raconta cette histoire; moi, je devinai ce que je vous ai tu, pour essayer votre sagacité. Vous avez bien fait d'être un honnête homme; vous n'auriez été qu'un friponneau. Jusqu'ici le renégat n'est que cela. C'est un coquin méprisable à qui personne ne voudrait ressembler. Le sublime de sa méchanceté, c'est d'avoir été lui-même le délateur de son bon ami l'israélite, dont la sainte Inquisition s'empara à son réveil, et dont, quelques jours après, on fit un beau feu de joie. Et ce fut ainsi que le renégat devint tranquille possesseur de la fortune de ce descendant maudit de ceux qui ont crucifié Notre Seigneur.

moi. — Je ne sais lequel des deux me fait le plus d'hor-

reur, ou de la scélératesse de votre renégat, ou du ton
dont vous en parlez.

LUI. — Et voilà ce que je vous disais. L'atrocité de
l'action vous porte au-delà du mépris; et c'est la raison
de ma sincérité. J'ai voulu que vous connussiez jusqu'où
j'excellais dans mon art; vous arracher l'aveu que j'étais
au moins original dans mon avilissement, me placer
dans votre tête sur la ligne des grands vauriens, et
m'écrier ensuite, « *Vivat Mascarillus, fourbum imperator!*
Allons, gai, Monsieur le philosophe; chorus. *Vivat Mascarillus, fourbum imperator!* ».

*Et là-dessus, il se mit à faire un chant en fugue, tout à fait
singulier. Tantôt la mélodie était grave et pleine de majesté;
tantôt légère et folâtre; dans un instant il imitait la basse; dans
un autre, une des parties du dessus; il m'indiquait de son bras
et de son col allongés, les endroits des tenues; et s'exécutait,
se composait à lui-même, un chant de triomphe, où l'on voyait
qu'il s'entendait mieux en bonne musique qu'en bonnes mœurs.*

*Je ne savais, moi, si je devais rester ou fuir, rire ou m'indigner. Je restai, dans le dessein de tourner la conversation sur
quelque sujet qui chassât de mon âme l'horreur dont elle était
remplie. Je commençais à supporter avec peine la présence d'un
homme qui discutait une action horrible, un exécrable forfait,
comme un connaisseur en peinture ou en poésie, examine les
beautés d'un ouvrage de goût; ou comme un moraliste ou un
historien relève et fait éclater les circonstances d'une action
héroïque. Je devins sombre, malgré moi. Il s'en aperçut et me
dit :*

LUI. — Qu'avez-vous? est-ce que vous vous trouvez
mal?

MOI. — Un peu; mais cela passera.

LUI. — Vous avez l'air soucieux d'un homme tracassé de quelqu'idée fâcheuse.

MOI. — C'est cela.

Après un moment de silence de sa part et de la mienne, pendant lequel il se promenait en sifflant et en chantant; pour le ramener à son talent, je lui dis : Que faites-vous à présent?

LUI. — Rien.

MOI. — Cela est très fatigant.

LUI. — J'étais déjà suffisamment bête. J'ai été entendre cette musique de Duni, et de nos autres jeunes faiseurs; qui m'a achevé.

MOI. — Vous approuvez donc ce genre.

LUI. — Sans doute.

MOI. — Et vous trouvez de la beauté dans ces nouveaux chants?

LUI. — Si j'y en trouve; pardieu, je vous en réponds. Comme cela est déclamé! quelle vérité! quelle expression.

MOI. — Tout art d'imitation a son modèle dans la nature. Quel est le modèle du musicien, quand il fait un chant?

LUI. — Pourquoi ne pas prendre la chose de plus haut? Qu'est-ce qu'un chant?

MOI. — Je vous avouerai que cette question est au-dessus de mes forces. Voilà comme nous sommes tous. Nous n'avons dans la mémoire que des mots que nous croyons entendre, par l'usage fréquent et l'application même juste que nous en faisons; dans l'esprit, que des notions vagues. Quand je prononce le mot chant, je n'ai pas des notions plus nettes que vous, et la plupart de vos semblables, quand ils disent, réputation, blâme, honneur, vice, vertu, pudeur, décence, honte, ridicule.

LUI. — Le chant est une imitation, par les sons d'une échelle inventée par l'art ou inspirée par la nature, comme il vous plaira, ou par la voix ou par l'instrument, des bruits physiques ou des accents de la passion; et vous voyez qu'en changeant là dedans, les choses à changer, la définition conviendrait exactement à la peinture, à l'éloquence, à la sculpture, et à la poésie. Maintenant, pour en venir à votre question. Quel est le modèle du musicien ou du chant? c'est la déclamation, si le modèle est vivant et pensant; c'est le bruit, si le modèle est inanimé. Il faut considérer la déclamation comme une ligne, et le chant comme une autre ligne qui serpenterait sur la première. Plus cette déclamation, type du chant, sera forte et vraie; plus le chant qui s'y conforme la coupera en un plus grand nombre de points; plus le chant sera vrai; et plus il sera beau. Et c'est ce qu'ont très bien senti nos jeunes musiciens. Quand on entend, *Je suis un pauvre diable,* on croit reconnaître la plainte d'un avare; s'il ne chantait pas, c'est sur les mêmes tons qu'il parlerait à la terre, quand il lui confie son or et qu'il lui dit, *O terre, reçois mon trésor.* Et cette petite fille qui sent palpiter son cœur, qui rougit, qui se trouble et qui supplie monseigneur de la laisser partir, s'exprimerait-elle autrement. Il y a dans ces ouvrages, toutes sortes de caractères; une variété infinie de déclamations. Cela est sublime; c'est moi qui

vous le dis. Allez, allez entendre le morceau où le jeune
homme qui se sent mourir, s'écrie : *Mon cœur s'en va.*
Écoutez le chant; écoutez la symphonie, et vous me
direz après quelle différence il y a, entre les vraies voies
d'un moribond et le tour de ce chant. Vous verrez si la
ligne de la mélodie ne coïncide pas toute entière avec
la ligne de la déclamation. Je ne vous parle pas de la
mesure qui est encore une des conditions du chant; je
m'en tiens à l'expression; et il n'y a rien de plus évident
que le passage suivant que j'ai lu quelque part, *musices
seminarium accentus*. L'accent est la pépinière de la mélodie. Jugez de là de quelle difficulté et de quelle importance il est de savoir bien faire le récitatif. Il n'y a point
de bel air, dont on ne puisse faire un beau récitatif, et
point de beau récitatif, dont un habile homme ne puisse
tirer un bel air. Je ne voudrais pas assurer que celui qui
récite bien, chantera bien; mais je serais surpris que
celui qui chante bien, ne sût pas bien réciter. Et croyez
tout ce que je vous dis là; car c'est le vrai.

MOI. — Je ne demanderais pas mieux que de vous en
croire, si je n'étais arrêté par un petit inconvénient.

LUI. — Et cet inconvénient?

MOI. — C'est que, si cette musique est sublime, il faut
que celle du divin Lulli, de Campra, de Destouches, de
Mouret, et même soit dit entre nous, celle du cher oncle
soit un peu plate.

LUI, *s'approchant de mon oreille, me répondit :* — Je ne
voudrais pas être entendu; car il y a ici beaucoup de
gens qui me connaissent; c'est qu'elle l'est aussi. Ce
n'est pas que je me soucie du cher oncle, puisque cher

il y a. C'est une pierre. Il me verrait tirer la langue d'un
pied, qu'il ne me donnerait pas un verre d'eau; mais il
a beau faire à l'octave, à la septième, hon, hon; hin,
hin; tu, tu, tu; turelututu, avec un charivari du diable;
ceux qui commencent à s'y connaître, et qui ne prennent
plus du tintamarre pour de la musique, ne s'accommo-
deront jamais de cela. On devait défendre par une or-
donnance de police, à quelque personne, de quelque
qualité ou condition qu'elle fût, de faire chanter le *Stabat*
du Pergolèse. Ce *Stabat,* il fallait le faire brûler par la
main du bourreau. Ma foi, ces maudits bouffons, avec
leur *Servante Maîtresse,* leur *Tracollo,* nous en ont donné
rudement dans le cul. Autrefois, un *Tancrède,* un *Issé,*
une *Europe galante,* les *Indes,* et *Castor,* les *Talents lyriques,*
allaient à quatre, cinq, six mois. On ne voyait point la
fin des représentations d'une *Armide.* A présent tout
cela vous tombe les uns sur les autres, comme des capu-
cins de cartes. Aussi Rebel et Francœur jettent-ils feu et
flamme. Ils disent que tout est perdu, qu'ils sont ruinés;
et que si l'on tolère plus longtemps cette canaille chan-
tante de la Foire, la musique nationale est au diable;
et que l'Académie royale du cul-de-sac n'a qu'à fermer
boutique. Il y a bien quelque chose de vrai, là dedans.
Les vieilles perruques qui viennent là depuis trente à
quarante ans tous les vendredis, au lieu de s'amuser
comme ils ont fait par le passé, s'ennuient et bâillent,
sans trop savoir pourquoi. Ils se le demandent et ne
sauraient se répondre. Que ne s'adressent-ils à moi? La
prédiction de Duni s'accomplira; et du train que cela
prend, je veux mourir si, dans quatre à cinq ans à dater

du *Peintre amoureux de son Modèle,* il y a un chat à fesser
dans le célèbre Impasse. Les bonnes gens, ils ont renoncé
à leurs symphonies, pour jouer des symphonies ita-
liennes. Ils ont cru qu'ils feraient leurs oreilles à celles-ci,
sans conséquence pour leur musique vocale, comme
si la symphonie n'était pas au chant, à un peu de libertinage près inspiré par l'étendue de l'instrument et la
mobilité des doigts, ce que le chant est à la déclamation
réelle. Comme si le violon n'était pas le singe du chan-
teur, qui deviendra un jour, lorsque le difficile prendra
la place du beau, le singe du violon. Le premier qui
joua Locatelli, fut l'apôtre de la nouvelle musique. A
d'autres, à d'autres. On nous accoutumera à l'imitation
des accents de la passion ou des phénomènes de la
nature, par le chant et la voix, par l'instrument, car
voilà toute l'étendue de l'objet de la musique, et nous
conserverons notre goût pour les vols, les lances, les
gloires, les triomphes, les victoires? *Va-t-en voir s'ils
viennent, Jean.* Ils ont imaginé qu'ils pleureraient ou
riraient à des scènes de tragédie ou de comédie, musi-
quées; qu'on porterait à leurs oreilles, les accents de la
fureur, de la haine, de la jalousie, les vraies plaintes
de l'amour, les ironies, les plaisanteries du théâtre italien ou français; et qu'ils resteraient admirateurs de
Ragonde et de *Platée.* Je t'en réponds : tarare, pon pon;
qu'ils éprouveraient sans cesse, avec quelle facilité,
quelle flexibilité, quelle mollesse, l'harmonie, la prosodie, les ellipses, les inversions de la langue italienne se
prêtaient à l'art, au mouvement, à l'expression, aux
tours du chant, et à la valeur mesurée des sons, et qu'ils

continueraient d'ignorer combien la leur est raide, sourde, lourde, pesante, pédantesque et monotone. Eh oui, oui. Ils se sont persuadé qu'après avoir mêlé leurs larmes aux pleurs d'une mère qui se désole sur la mort de son fils; après avoir frémi de l'ordre d'un tyran qui ordonne un meurtre; ils ne s'ennuieraient pas de leur féerie, de leur insipide mythologie, de leurs petits madrigaux doucereux qui ne marquent pas moins le mauvais goût du poète, que la misère de l'art qui s'en accommode. Les bonnes gens! cela n'est pas et ne peut être. Le vrai, le bon, le beau ont leurs droits. On les conteste, mais on finit par admirer. Ce qui n'est pas marqué à ce coin, on l'admire un temps; mais on finit par bâiller. Bâillez donc, messieurs; bâillez à votre aise. Ne vous gênez pas. L'empire de la nature, et de ma trinité, contre laquelle les portes de l'enfer ne prévaudront jamais; le vrai qui est le père, et qui engendre le bon qui est le fils; d'où procède le beau qui est le Saint-Esprit, s'établit tout doucement. Le dieu étranger se place humblement sur l'autel à côté de l'idole du pays; peu à peu, il s'y affermit; un beau jour, il pousse du coude son camarade; et patatras, voilà l'idole en bas. C'est comme cela qu'on dit que les Jésuites ont planté le christianisme à la Chine et aux Indes. Et ces Jansénistes ont beau dire, cette méthode politique qui marche à son but, sans bruit, sans effusion de sang, sans martyr, sans un toupet de cheveux arraché, me semble la meilleure.

MOI. — Il y a de la raison, à peu près, dans tout ce que vous venez de dire.

LUI. — De la raison! tant mieux. Je veux que le diable

m'emporte, si j'y tâche. Cela va, comme je te pousse.
Je suis comme les musiciens de l'Impasse, quand mon
oncle parut; si j'adresse à la bonne heure, c'est qu'un
garçon charbonnier parlera toujours mieux de son
métier que toute une académie, et que tous les Duhamel
du monde.

*Et puis le voilà qui se met à se promener, en murmurant dans
son gosier, quelques-uns des airs de l'*Ile des Fous, *du* Peintre
amoureux de son Modèle, *du* Maréchal ferrant, *de la*
Plaideuse, *et de temps en temps, il s'écriait, en levant les
mains et les yeux au ciel :* Si cela est beau, mordieu! Si
cela est beau! Comment peut-on porter à sa tête une
paire d'oreilles et faire une pareille question. *Il commençait à entrer en passion, et à chanter tout bas. Il élevait le ton,
à mesure qu'il se passionnait davantage; vinrent ensuite, les
gestes, les grimaces du visage et les contorsions du corps; et je
dis, bon; voilà la tête qui se perd, et quelque scène nouvelle qui
se prépare; en effet, il part d'un éclat de voix,* « Je suis un
pauvre misérable... Monseigneur, Monseigneur, laissez-
moi partir... O terre, reçois mon or; conserve bien mon
trésor... Mon âme, mon âme, ma vie, O terre!... Le
voilà le petit ami, le voilà le petit ami! Aspettare e non
venire... A Zerbina penserete... Sempre in contrasti con
te si sta... » *Il entassait et brouillait ensemble trente airs italiens, français, tragiques, comiques, de toutes sortes de caractères. Tantôt avec une voix de basse-taille, il descendait jusqu'aux enfers; tantôt s'égosillant et contrefaisant le fausset, il
déchirait le haut des airs, imitant de la démarche, du maintien,
du geste, les différents personnages chantants; successivement
furieux, radouci, impérieux, ricaneur. Ici, c'est une jeune fille*

*qui pleure, et il en rend toute la minauderie; là il est prêtre,
il est roi, il est tyran, il menace, il commande, il s'emporte, il
est esclave, il obéit. Il s'apaise, il se désole, il se plaint, il rit;
jamais hors de ton, de mesure, du sens des paroles et du caractère de l'air. Tous les pousse-bois avaient quitté leurs échiquiers
et s'étaient rassemblés autour de lui. Les fenêtres du café étaient
occupées, en dehors, par les passants qui s'étaient arrêtés au
bruit. On faisait des éclats de rire à entr'ouvrir le plafond. Lui
n'apercevait rien; il continuait, saisi d'une aliénation d'esprit,
d'un enthousiasme si voisin de la folie qu'il est incertain qu'il
en revienne, s'il ne faudra pas le jeter dans un fiacre et le mener
droit aux Petites-Maisons. En chantant un lambeau des* Lamen-
tations *de Jomelli, il répétait avec une précision, une vérité et
une chaleur incroyable les plus beaux endroits de chaque morceau;
ce beau récitatif obligé où le prophète peint la désolation de
Jérusalem, il l'arrosa d'un torrent de larmes qui en arrachèrent
de tous les yeux. Tout y était, et la délicatesse du chant, et la
force de l'expression, et la douleur. Il insistait sur les endroits
où le musicien s'était particulièrement montré un grand maître.
S'il quittait la partie du chant, c'était pour prendre celle des
instruments qu'il laissait subitement pour revenir à la voix,
entrelaçant l'une à l'autre de manière à conserver les liaisons et
l'unité du tout; s'emparant de nos âmes et les tenant suspendues
dans la situation la plus singulière que j'aie jamais éprouvée...
Admirais-je? Oui, j'admirais! Étais-je touché de pitié? J'étais
touché de pitié; mais une teinte de ridicule était fondue dans
ces sentiments et les dénaturait.*

*Mais vous vous seriez échappé en éclats de rire à la manière
dont il contrefaisait les différents instruments. Avec des joues
renflées et bouffies, et un son rauque et sombre, il rendait les*

cors et les bassons; il prenait un son éclatant et nasillard pour
les hautbois; précipitant sa voix avec une rapidité incroyable
pour les instruments à corde dont il cherchait les sons les plus
approchés; il sifflait les petites flûtes, il roucoulait les traver-
sières, criant, chantant, se démenant comme un forcené; faisant
lui seul, les danseurs, les danseuses, les chanteurs, les chan-
teuses, tout un orchestre, tout un théâtre lyrique, et se divisant
en vingt rôles divers, courant, s'arrêtant, avec l'air d'un énergumène, étincelant des yeux, écumant de la bouche. Il faisait
une chaleur à périr; et la sueur qui suivait les plis de son
front et la longueur de ses joues, se mêlait à la poudre de ses
cheveux, ruisselait, et sillonnait le haut de son habit. Que ne
lui vis-je pas faire? Il pleurait, il riait, il soupirait; il regardait,
ou attendri, ou tranquille, ou furieux; c'était une femme qui se
pâme de douleur; c'était un malheureux livré à tout son désespoir; un temple qui s'élève; des oiseaux qui se taisent au soleil
couchant; des eaux ou qui murmurent dans un lieu solitaire et
frais, ou qui descendent en torrent du haut des montagnes; un
orage; une tempête, la plainte de ceux qui vont périr, mêlée
au sifflement des vents, au fracas du tonnerre; c'était la nuit,
avec ses ténèbres; c'était l'ombre et le silence; car le silence
même se peint par des sons. Sa tête était tout à fait perdue.
Épuisée de fatigue, tel qu'un homme qui sort d'un profond
sommeil ou d'une longue distraction; il resta immobile, stupide,
étonné. Il tournait ses regards autour de lui, comme un homme
égaré qui cherche à reconnaître le lieu où il se trouve. Il attendait le retour de ses forces et de ses esprits; il essuyait machina-
lement son visage. Semblable à celui qui verrait à son réveil,
son lit environné d'un grand nombre de personnes; dans un
entier oubli ou dans une profonde ignorance de ce qu'il a fait,

il s'écria dans le premier moment : Eh bien, Messieurs,
qu'est-ce qu'il y a? D'où viennent vos ris et votre surprise? Qu'est-ce qu'il y a? *Ensuite il ajouta,* voilà ce
qu'on doit appeler de la musique et un musicien.
Cependant, Messieurs, il ne faut pas mépriser certains
morceaux de Lulli. Qu'on fasse mieux la scène, *« Ah!
j'attendrai »* sans changer les paroles; j'en défie. Il ne faut
pas mépriser quelques endroits de Campra, les airs de
violon de mon oncle, ses gavottes; ses entrées de soldats, de prêtres, de sacrificateurs... *« Pâles flambeaux, nuit
plus affreuse que les ténèbres... Dieux du Tartare, Dieu de
l'oubli »*. *Là, il enflait sa voix; il soutenait ses sons; les voisins
se mettaient aux fenêtres; nous mettions nos doigts dans nos
oreilles. Il ajoutait,* c'est ici qu'il faut des poumons; un
grand organe; un volume d'air. Mais avant peu, serviteur à l'Assomption; le Carême et les Rois sont passés.
Ils ne savent pas encore ce qu'il faut mettre en musique,
ni par conséquent ce qui convient au musicien. La poésie
lyrique est encore à naître. Mais ils y viendront; à force
d'entendre le Pergolèse, le Saxon, Terradoglias, Traetta,
et les autres; à force de lire le Métastase, il faudra bien
qu'ils y viennent.

MOI. — Quoi donc, est-ce que Quinault, La Motte,
Fontenelle n'y ont rien entendu.

LUI. — Non pour le nouveau style. Il n'y a pas six
vers de suite dans tous leurs charmants poèmes qu'on
puisse musiquer. Ce sont des sentences ingénieuses; des
madrigaux légers, tendres et délicats; mais pour savoir
combien cela est vide de ressource pour notre art, le
plus violent de tous, sans en excepter celui de Démos-

thène, faites-vous réciter ces morceaux, combien ils vous
paraîtront, froids, languissants, monotones. C'est qu'il
n'y a rien là qui puisse servir de modèle au chant. J'aimerais autant avoir à musiquer les *Maximes de La Roche-
foucauld,* ou les *Pensées de Pascal.* C'est au cri animal de
la passion, à dicter la ligne qui nous convient. Il faut
que ces expressions soient pressées les unes sur les autres ;
il faut que la phrase soit courte ; que le sens en soit
coupé, suspendu ; que le musicien puisse disposer du
tout et de chacune de ses parties ; en omettre un mot,
ou le répéter ; y en ajouter un qui lui manque ; la tourner
et retourner, comme un polype, sans la détruire ; ce qui
rend la poésie lyrique française beaucoup plus difficile
que dans les langues à inversions qui présentent d'elles-
mêmes tous ces avantages...

« *Barbare, cruel, plonge ton poignard dans mon sein. Me
voilà prête à recevoir le coup fatal. Frappe. Ose... Ah, je
languis, je meurs... Un feu secret s'allume dans mes sens...
Cruel amour, que veux-tu de moi... Laisse-moi la douce paix
dont j'ai joui... Rends-moi la raison...* ». Il faut que les passions soient fortes ; la tendresse du musicien et du poète
lyrique doit être extrême. L'air est presque toujours la
péroraison de la scène. Il nous faut des exclamations,
des interjections, des suspensions, des interruptions, des
affirmations, des négations ; nous appelons, nous invo-
quons, nous crions, nous gémissons, nous pleurons,
nous rions franchement. Point d'esprit, point d'épi-
grammes ; point de ces jolies pensées. Cela est trop loin
de la simple nature. Or n'allez pas croire que le jeu
des acteurs de théâtre et leur déclamation puissent nous

servir de modèles. Fi donc. Il nous le faut plus énergique, moins maniéré, plus vrai. Les discours simples,
les voix communes de la passion, nous sont d'autant
plus nécessaires que la langue sera plus monotone, aura
moins d'accent. Le cri animal ou de l'homme passionné
leur en donne.

*Tandis qu'il me parlait ainsi, la foule qui nous environnait,
ou n'entendant rien ou prenant peu d'intérêt à ce qu'il disait,
parce qu'en général l'enfant comme l'homme, et l'homme comme
l'enfant aime mieux s'amuser que s'instruire, s'était retirée;
chacun était à son jeu; et nous étions restés seuls dans notre
coin. Assis sur une banquette, la tête appuyée contre le mur,
les bras pendants, les yeux à demi fermés, il me dit :* Je ne
sais ce que j'ai; quand je suis venu ici, j'étais frais et
dispos; et me voilà roué, brisé, comme si j'avais fait
dix lieues. Cela m'a pris subitement.

MOI. — Voulez-vous vous rafraîchir?

LUI. — Volontiers. Je me sens enroué. Les forces me
manquent; et je souffre un peu de la poitrine. Cela
m'arrive presque tous les jours, comme cela; sans que
je sache pourquoi.

MOI — Que voulez-vous?

LUI. — Ce qui vous plaira. Je ne suis pas difficile.
L'indigence m'a appris à m'accommoder de tout.

*On nous sert de la bière, de la limonade. Il en remplit
un grand verre qu'il vide deux ou trois fois de suite. Puis
comme un homme ranimé; il tousse fortement, il se démène, il
reprend :*

Mais à votre avis, Seigneur philosophe, n'est-ce pas
une bizarrerie bien étrange, qu'un étranger, un Italien,

un Duni vienne nous apprendre à donner de l'accent à
notre musique, à assujettir notre chant à tous les mouvements, à toutes les mesures, à tous les intervalles, à
toutes les déclamations, sans blesser la prosodie. Ce
n'était pourtant pas la mer à boire. Quiconque avait
écouté un gueux lui demander l'aumône dans la rue,
un homme dans le transport de la colère, une femme
jalouse et furieuse, un amant désespéré, un flatteur, oui
un flatteur radoucissant son ton, traînant ses syllabes,
d'une voix mielleuse; en un mot une passion, n'importe
laquelle, pourvu que par son énergie, elle méritât de
servir de modèle au musicien, aurait dû s'apercevoir de
deux choses : l'une que les syllabes, longues ou brèves,
n'ont aucune durée fixe, pas même de rapport déterminé entre leurs durées; que la passion dispose de la
prosodie, presque comme il lui plaît; qu'elle exécute les
plus grands intervalles, et que celui qui s'écrie dans le
fort de sa douleur : « Ah, malheureux que je suis »,
monte la syllabe d'exclamation au ton le plus élevé et
le plus aigu, et descend les autres aux tons les plus
graves et les plus bas, faisant l'octave ou même un plus
grand intervalle, et donnant à chaque son la quantité qui
convient au tour de la mélodie; sans que l'oreille soit
offensée, sans que ni la syllabe longue, ni la syllabe
brève aient conservé la longueur ou la brièveté du discours tranquille. Quel chemin nous avons fait depuis
le temps où nous citions la parenthèse d'*Armide, Le vain-
queur de Renaud, si quelqu'un le peut être,* l'*Obéissons sans
balancer,* des *Indes galantes,* comme des prodiges de
déclamation musicale! A présent, ces prodiges-là me

font hausser les épaules de pitié. Du train dont l'art s'avance, je ne sais où il aboutira. En attendant, buvons un coup.

Il en boit deux, trois, sans savoir ce qu'il faisait. Il allait se noyer, comme s'il s'était épuisé, sans s'en apercevoir, si je n'avais déplacé la bouteille qu'il cherchait de distraction. Alors je lui dis :

MOI. — Comment se fait-il qu'avec un tact aussi fin, une si grande sensibilité pour les beautés de l'art musical; vous soyez aussi aveugle sur les belles choses en morale, aussi insensible aux charmes de la vertu?

LUI. — C'est apparemment qu'il y a pour les unes un sens que je n'ai pas; une fibre qui ne m'a point été donnée, une fibre lâche qu'on a beau pincer et qui ne vibre pas; ou peut-être c'est que j'ai toujours vécu avec de bons musiciens et de méchantes gens; d'où il est arrivé que mon oreille est devenue très fine, et que mon cœur est devenu sourd. Et puis c'est qu'il y avait quelque chose de race. Le sang de mon père et le sang de mon oncle est le même sang. Mon sang est le même que celui de mon père. La molécule paternelle était dure et obtuse; et cette maudite molécule première s'est assimilé tout le reste.

MOI. — Aimez-vous votre enfant?

LUI. — Si je l'aime, le petit sauvage. J'en suis fou.

MOI. — Est-ce que vous ne vous occuperez pas sérieusement d'arrêter en lui l'effet de la maudite molécule paternelle.

LUI. — J'y travaillerais, je crois, bien inutilement. S'il est destiné à devenir un homme de bien, je n'y nuirai pas. Mais si la molécule voulait qu'il fût un vaurien comme son père, les peines que j'aurais prises pour en faire un homme honnête lui seraient très nuisibles; l'éducation croisant sans cesse la pente de la molécule, il serait tiré comme par deux forces contraires, et marcherait tout de guingois, dans le chemin de la vie, comme j'en vois une infinité, également gauches dans le bien et dans le mal; c'est ce que nous appelons des espèces, de toutes les épithètes la plus redoutable, parce qu'elle marque la médiocrité, et le dernier degré du mépris. Un grand vaurien est un grand vaurien, mais n'est point une espèce. Avant que la molécule paternelle n'eût repris le dessus et ne l'eût amené à la parfaite abjection où j'en suis, il lui faudrait un temps infini : il perdrait ses plus belles années. Je n'y fais rien à présent. Je le laisse venir. Je l'examine. Il est déjà gourmand, patelin, filou, paresseux, menteur. Je crains bien qu'il ne chasse de race.

MOI. — Et vous en ferez un musicien, afin qu'il ne manque rien à la ressemblance?

LUI. — Un musicien! un musicien! quelquefois je le regarde, en grinçant les dents; et je dis, si tu devais jamais savoir une note, je crois que je te tordrais le col.

MOI. — Et pourquoi cela, s'il vous plaît?

LUI. — Cela ne mène à rien.

MOI. — Cela mène à tout.

LUI. — Oui, quand on excelle; mais qui est-ce qui peut se promettre de son enfant qu'il excellera? Il y a dix mille à parier contre un qu'il ne serait qu'un misérable racleur de cordes, comme moi. Savez-vous qu'il serait peut-être plus aisé de trouver un enfant propre à gouverner un royaume, à faire un grand roi qu'un grand violon.

MOI. — Il me semble que les talents agréables, même médiocres, chez un peuple sans mœurs, perdu de débauche et de luxe, avancent rapidement un homme dans le chemin de la fortune. Moi qui vous parle, j'ai entendu la conversation qui suit, entre une espèce de protecteur et une espèce de protégé. Celui-ci avait été adressé au premier, comme à un homme obligeant qui pourrait le servir. — Monsieur, que savez-vous? — Je sais passablement les mathématiques. — Hé bien, montrez les mathématiques; après vous être crotté dix à douze ans sur le pavé de Paris, vous aurez droit à quatre cents livres de rente. — J'ai étudié les lois, et je suis versé dans le droit. — Si Puffendorf et Grotius revenaient au monde, ils mourraient de faim, contre une borne. — Je sais très bien l'histoire et la géographie. — S'il y avait des parents qui eussent à cœur la bonne éducation de leurs enfants, votre fortune serait faite; mais il n'y en a point. — Je suis assez bon musicien. — Et que ne disiez-vous cela d'abord! Et pour vous faire voir le parti qu'on peut tirer de ce dernier talent, j'ai une fille. Venez tous les jours depuis sept heures et demie du soir, jusqu'à neuf; vous lui donnerez leçon, et je vous donnerai vingt-cinq louis par an. Vous déjeunerez, dînerez, goûterez, souperez avec nous. Le reste de votre journée vous appartiendra. Vous en disposerez à votre profit.

LUI. — Et cet homme qu'est-il devenu.

MOI. — S'il eût été sage, il eût fait fortune, la seule chose qu'il paraît que vous ayez en vue.

LUI. — Sans doute. De l'or, de l'or. L'or est tout; et le reste, sans or, n'est rien. Aussi au lieu de lui farcir la tête de belles maximes qu'il faudrait qu'il oubliât, sous peine de n'être qu'un gueux; lorsque je possède un louis, ce qui ne m'arrive pas souvent, je me plante devant lui. Je tire le louis de ma poche. Je le lui montre avec admiration. J'élève les yeux au ciel. Je baise le louis devant lui. Et pour lui faire entendre mieux encore l'importance de la pièce sacrée, je lui bégaye de la voix; je lui désigne du doigt tout ce qu'on en peut acquérir, un beau fourreau, un beau toquet, un bon biscuit. Ensuite je mets le louis dans ma poche. Je me promène avec fierté; je relève la basque de ma veste; je frappe de la main sur mon gousset; et c'est ainsi que je lui fais concevoir que c'est du louis qui est là, que naît l'assurance qu'il me voit.

MOI. — On ne peut rien de mieux. Mais s'il arrivait que, profondément pénétré de la valeur du louis, un jour...

LUI. — Je vous entends. Il faut fermer les yeux là-dessus. Il n'y a point de principe de morale qui n'ait son inconvénient. Au pis aller, c'est un mauvais quart d'heure, et tout est fini.

MOI. — Même d'après des vues si courageuses et si sages, je persiste à croire qu'il serait bon d'en faire un musicien. Je ne connais pas de moyen d'approcher plus rapidement des grands, de servir leurs vices, et de mettre à profit les siens.

LUI. — Il est vrai; mais j'ai des projets d'un succès plus prompt et plus sûr. Ah! si c'était aussi bien une fille! Mais comme on ne fait pas ce qu'on veut, il faut prendre ce qui vient; en tirer le meilleur parti; et pour cela, ne pas donner bêtement, comme la plupart des pères qui ne feraient rien de pis, quand ils auraient médité le malheur de leurs enfants, l'éducation de Lacédémone, à un enfant destiné à vivre à Paris. Si elle est mauvaise, c'est la faute des mœurs de ma nation, et non la mienne. En répondra qui pourra. Je veux que mon fils soit heureux; ou ce qui revient au même honoré, riche et puissant. Je connais un peu les voies les plus faciles d'arriver à ce but; et je les lui enseignerai de bonne heure. Si vous me blâmez, vous autres sages, la multitude et le succès m'absoudront. Il aura de l'or; c'est moi qui vous le dis. S'il en a beaucoup, rien ne lui manquera, pas même votre estime et votre respect.

MOI. — Vous pourriez vous tromper.

LUI. — Ou il s'en passera, comme bien d'autres.

Il y avait dans tout cela beaucoup de ces choses qu'on pense, d'après lesquelles on se conduit; mais qu'on ne dit pas. Voilà, en vérité, la différence la plus marquée entre mon homme et la plupart de nos entours. Il avouait les vices qu'il avait, que les autres ont; mais il n'était pas hypocrite. Il n'était ni plus ni moins abominable qu'eux; il était seulement plus franc, et plus conséquent; et quelquefois profond dans sa dépravation. Je tremblais de ce que son enfant deviendrait sous un pareil maître. Il est certain que d'après des idées d'institution aussi strictement calquées sur nos mœurs, il devait aller loin, à moins qu'il ne fût prématurément arrêté en chemin.

LUI. — Ho ne craignez rien, *me dit-il*. Le point important; le point difficile auquel un bon père doit surtout
s'attacher; ce n'est pas de donner à son enfant des vices
qui l'enrichissent, des ridicules qui le rendent précieux
aux grands; tout le monde le fait, sinon de système
comme moi, mais au moins d'exemple et de leçon; mais
de lui marquer la juste mesure, l'art d'esquiver à la
honte, au déshonneur et aux lois; ce sont des disso-
nances dans l'harmonie sociale qu'il faut savoir placer,
préparer et sauver. Rien de si plat qu'une suite d'accords
parfaits. Il faut quelque chose qui pique, qui sépare le
faisceau, et qui en éparpille les rayons.

MOI. — Fort bien. Par cette comparaison, vous me
ramenez des mœurs, à la musique dont je m'étais écarté
malgré moi; et je vous en remercie; car, à ne vous rien
celer, je vous aime mieux musicien que moraliste.

LUI. — Je suis pourtant bien subalterne en musique,
et bien supérieur en morale.

MOI. — J'en doute; mais quand cela serait, je suis un
bon homme, et vos principes ne sont pas les miens.

LUI. — Tant pis pour vous. Ah si j'avais vos talents.

MOI. — Laissons mes talents; et revenons aux
vôtres.

LUI. — Si je savais m'énoncer comme vous. Mais j'ai
un diable de ramage saugrenu, moitié des gens du
monde et des lettres, moitié de la Halle.

MOI. — Je parle mal. Je ne sais que dire la vérité; et
cela ne prend pas toujours, comme vous savez.

LUI. — Mais ce n'est pas pour dire la vérité; au
contraire, c'est pour bien dire le mensonge que j'ambi-

tionne votre talent. Si je savais écrire; fagoter un livre,
tourner une épître dédicatoire, bien enivrer un sot de son
mérite; m'insinuer auprès des femmes.

MOI. — Et tout cela, vous le savez mille fois mieux
que moï. Je ne serais pas même digne d'être votre écolier.

LUI. — Combien de grandes qualités perdues, et dont
vous ignorez le prix!

MOI. — Je recueille tout celui que j'y mets.

LUI. — Si cela était, vous n'auriez pas cet habit grossier, cette veste d'étamine, ces bas de laine, ces souliers
épais, et cette antique perruque.

MOI. — D'accord. Il faut être bien maladroit, quand
on n'est pas riche, et que l'on se permet tout pour le
devenir. Mais c'est qu'il y a des gens comme moi qui ne
regardent pas la richesse, comme la chose du monde la
plus précieuse; gens bizarres.

LUI. — Très bizarres. On ne naît pas avec cette tour-
nure-là. On se la donne; car elle n'est pas dans la
nature.

MOI. — De l'homme?

LUI. — De l'homme. Tout ce qui vit, sans l'en excepter, cherche son bien-être aux dépens de qui il appartiendra; et je suis sûr que, si je laissais venir le petit
sauvage, sans lui parler de rien : il voudrait être riche-
ment vêtu, splendidement nourri, chéri des hommes,
aimé des femmes, et rassembler sur lui tous les bonheurs
de la vie.

MOI. — Si le petit sauvage était abandonné à lui-
même; qu'il conservât toute son imbécillité et qu'il

réunit au peu de raison de l'enfant au berceau, la violence des passions de l'homme de trente ans, il tordrait
le col à son père, et coucherait avec sa mère.

LUI. — Cela prouve la nécessité d'une bonne éducation; et qui est-ce qui la conteste? et qu'est-ce qu'une
bonne éducation, sinon celle qui conduit à toutes sortes
de jouissances, sans péril, et sans inconvénient.

MOI. — Peu s'en faut que je ne sois de votre avis;
mais gardons-nous de nous expliquer.

LUI. — Pourquoi.

MOI. — C'est que je crains que nous ne soyons d'accord qu'en apparence; et que, si nous entrons une fois,
dans la discussion des périls et des inconvénients à éviter, nous ne nous entendions plus.

LUI. — Et qu'est-ce que cela fait?

MOI. — Laissons cela, vous dis-je. Ce que je sais là-
dessus, je ne vous l'apprendrais pas; et vous m'ins-
truirez plus aisément de ce que j'ignore et que vous
savez en musique. Cher Rameau, parlons musique, et
dites-moi comment il est arrivé qu'avec la facilité de
sentir, de retenir et de rendre les plus beaux endroits
des grands maîtres; avec l'enthousiasme qu'ils vous
inspirent et que vous transmettez aux autres, vous
n'avez rien fait qui vaille.

Au lieu de me répondre, il se mit à hocher de la tête, et
levant le doigt au ciel, il ajouta, et l'astre! l'astre! Quand
la nature fit Leo, Vinci, Pergolèse, Duni, elle sourit.
Elle prit un air imposant et grave, en formant le cher
oncle Rameau qu'on aura appelé pendant une dizaine
d'années le grand Rameau et dont bientôt on ne par-

lera plus. Quand elle fagota son neveu, elle fit la grimace et puis la grimace, et puis la grimace encore; *et en disant ces mots, il faisait toutes sortes de grimaces du visage; c'était le mépris, le dédain, l'ironie; et il semblait pétrir entre ses doigts un morceau de pâte, et sourire aux formes ridicules qu'il lui donnait. Cela fait, il jeta la pagode hétéroclite loin de lui; et il dit :* C'est ainsi qu'elle me fit et qu'elle me jeta, à côté d'autres pagodes, les unes à gros ventres ratatinés, à cols courts, à gros yeux hors de la tête, apoplectiques; d'autres à cols obliques; il y en avait de sèches, à l'œil vif, au nez crochu : toutes se mirent à crever de rire, en me voyant; et moi, de mettre mes deux poings sur mes côtes et à crever de rire, en les voyant; car les sots et les fous s'amusent les uns des autres; ils se cherchent, ils s'attirent. Si, en arrivant là, je n'avais pas trouvé tout fait le proverbe qui dit que *l'argent des sots est le patrimoine des gens d'esprit,* on me le devrait. Je sentis que nature avait mis ma légitime dans la bourse des pagodes : et j'inventai mille moyens de m'en ressaisir.

MOI. — Je sais ces moyens; vous m'en avez parlé, et je les ai fort admirés. Mais entre tant de ressource, pourquoi n'avoir pas tenté celle d'un bel ouvrage?

LUI. — Ce propos est celui d'un homme du monde à l'abbé Le Blanc... L'abbé disait : « La marquise de Pompadour me prend sur la main; me porte jusque sur le seuil de l'Académie; là elle retire sa main. Je tombe, et je me casse les deux jambes. » L'homme du monde lui répondait : « Eh bien, l'abbé, il faut se relever, et enfoncer la porte d'un coup de tête. » L'abbé lui répliquait :

« C'est ce que j'ai tenté; et savez-vous ce qui m'en est revenu, une bosse au front ».

Après cette historiette, mon homme se mit à marcher la tête baissée, l'air pensif et abattu; il soupirait, pleurait, se désolait, levait les mains et les yeux, se frappait la tête du poing, à se briser le front ou les doigts, et il ajoutait : Il me semble qu'il y a pourtant là quelque chose; mais j'ai beau frapper, secouer, il ne sort rien. *Puis il recommençait à secouer sa tête et à se frapper le front de plus belle, et il disait,* ou il n'y a personne, ou l'on ne veut pas répondre.

Un instant après, il prenait un air fier, il relevait sa tête, il s'appliquait la main droite sur le cœur; il marchait et disait : Je sens, oui, je sens. *Il contrefaisait l'homme qui s'irrite, qui s'indigne, qui s'attendrit, qui commande, qui supplie, et prononçait, sans préparation des discours de colère, de commisération, de haine, d'amour; il esquissait les caractères des passions avec une finesse et une vérité surprenantes. Puis il ajoutait :* C'est cela, je crois. Voilà que cela vient; voilà ce que c'est que de trouver un accoucheur qui sait irriter, précipiter les douleurs et faire sortir l'enfant; seul, je prends la plume; je veux écrire. Je me ronge les ongles; je m'use le front. Serviteur. Bonsoir. Le dieu est absent; je m'étais persuadé que j'avais du génie; au bout de ma ligne, je lis que je suis un sot, un sot, un sot. Mais le moyen de sentir, de s'élever, de penser, de peindre fortement, en fréquentant avec des gens, tels que ceux qu'il faut voir pour vivre; au milieu des propos qu'on tient, et de ceux qu'on entend; et de ce commérage : « Aujourd'hui, le boulevard était charmant. Avez-vous entendu la petite Marmotte? Elle joue à ravir. Monsieur un tel avait le plus bel attelage gris pommelé qu'il soit possible d'imaginer. La belle madame celle-ci commence à passer. Est-ce qu'à l'âge de quarante-cinq ans, on porte une coiffure comme celle-là. La jeune une telle est couverte de diamants qui ne lui coûtent guère. — Vous voulez dire qui lui coûtent cher? — Mais non. — Où l'avez-vous vue? — A *L'Enfant d'Arlequin perdu et retrouvé*. La scène du désespoir a été jouée comme elle ne l'avait pas encore été. Le Polichinelle de la Foire a du gosier, mais point de finesse, point d'âme. Madame une telle est accouchée de deux enfants à la fois. Chaque père aura le sien. » Et vous croyez que cela dit, redit et entendu tous les jours, échauffe et conduit aux grandes choses?

MOI. — Non. Il vaudrait mieux se renfermer dans son grenier, boire de l'eau, manger du pain sec, et se chercher soi-même.

LUI. — Peut-être; mais je n'en ai pas le courage; et puis sacrifier son bonheur à un succès incertain. Et le nom que je porte donc? Rameau! s'appeler Rameau, cela est gênant. Il n'en est pas des talents comme de la noblesse qui se transmet et dont l'illustration s'accroît en passant du grand-père au père, du père au fils, du fils à son petit-fils, sans que l'aïeul impose quelque mérite à son descendant. La vieille souche se ramifie en une énorme tige de sots; mais qu'importe? Il n'en est pas ainsi du talent. Pour n'obtenir que la renommée de son père, il faut être plus habile que lui. Il faut avoir hérité de sa fibre. La fibre m'a manqué; mais le poignet s'est dégourdi; l'archet marche, et le pot bout. Si ce n'est pas de la gloire; c'est du bouillon.

MOI. — A votre place, je ne me le tiendrais pas pour dit; j'essaierais.

LUI. — Et vous croyez que je n'ai pas essayé. Je n'avais pas quinze ans, lorsque je me dis, pour la première fois : Qu'as-tu Rameau? tu rêves. Et à quoi rêves-tu? que tu voudrais bien avoir fait ou faire quelque chose qui excitât l'admiration de l'univers. Hé, oui; il n'y a qu'à souffler et remuer les doigts. Il n'y a qu'à ourler le bec, et ce sera une cane. Dans un âge plus avancé, j'ai répété le propos de mon enfance. Aujourd'hui je le répète encore; et je reste autour de la statue de Memnon.

MOI. — Que voulez-vous dire avec votre statue de Memnon?

LUI. — Cela s'entend, ce me semble. Autour de la statue de Memnon, il y en avait une infinité d'autres également frappées des rayons du soleil; mais la sienne était la seule qui résonnât. Un poète, c'est de Voltaire; et puis qui encore? de Voltaire; et le troisième, de Voltaire; et le quatrième, de Voltaire. Un musicien, c'est Rinaldo da Capoua; c'est Hasse; c'est Pergolèse; c'est Alberti; c'est Tartini; c'est Locatelli; c'est Terradoglias; c'est mon oncle; c'est ce petit Duni qui n'a ni mine, ni figure; mais qui sent, mordieu, qui a du chant et de l'expression. Le reste, autour de ce petit nombre de Memnons, autant de paires d'oreilles fichées au bout d'un bâton. Aussi sommes-nous gueux, si gueux que c'est une bénédiction. Ah, Monsieur le philosophe, la misère est une terrible chose. Je la vois accroupie, la bouche béante, pour recevoir quelques gouttes de l'eau glacée qui s'échappe du tonneau des Danaïdes. Je ne sais si elle aiguise l'esprit du philosophe; mais elle refroidit diablement la tête du poète. On ne chante pas bien sous ce tonneau. Trop heureux encore, celui qui peut s'y placer. J'y étais; et je n'ai pas su m'y tenir. J'avais déjà fait cette sottise une fois. J'ai voyagé en Bohème, en Allemagne, en Suisse, en Hollande, en Flandre; au diable, au vert.

MOI. — Sous le tonneau percé.

LUI. — Sous le tonneau percé; c'était un Juif opulent et dissipateur qui aimait la musique et mes folies. Je musiquais, comme il plaît à Dieu; je faisais le fou; je ne manquais de rien. Mon Juif était un homme qui savait sa loi, et qui l'observait raide comme une barre, quelquefois avec l'ami, toujours avec l'étranger. Il se fit une mauvaise affaire qu'il faut que je vous raconte, car elle est plaisante. Il y avait à Utrecht une courtisane charmante. Il fut tenté de la chrétienne; il lui dépêcha un grison, avec une lettre de change assez forte. La bizarre créature rejeta son offre. Le Juif en fut désespéré. Le grison lui dit : « Pourquoi vous affliger ainsi? vous voulez coucher avec une jolie femme; rien n'est plus aisé, et même de coucher avec une plus jolie que celle que vous poursuivez. C'est la mienne, que je vous céderai au même prix. » Fait et dit. Le grison garde la lettre de change, et mon Juif couche avec la femme du grison. L'échéance de la lettre de change arrive. Le Juif la laisse protester et s'inscrit en faux. Procès. Le Juif disait : jamais cet homme n'osera dire à quel titre il possède ma lettre, et je ne la paierai pas. A l'audience, il interpelle

le grison : « Cette lettre de change, de qui la tenez-vous ?
— De vous. — Est-ce pour de l'argent prêté ? — Non. —
Est-ce pour fourniture de marchandise ? — Non. — Est-ce
pour services rendus ? — Non. Mais il ne s'agit point de
cela. J'en suis possesseur. Vous l'avez signée, et vous
l'acquitterez. — Je ne l'ai point signée. — Je suis donc
un faussaire ? — Vous ou un autre dont vous êtes l'agent.
— Je suis un lâche, mais vous êtes un coquin. Croyez-
moi, ne me poussez pas à bout. Je dirai tout. Je me
déshonorerai, mais je vous perdrai ». Le Juif ne tint
compte de la menace ; et le grison révéla toute l'affaire,
à la séance qui suivit. Ils furent blâmés tous les deux ;
et le Juif condamné à payer la lettre de change, dont la
valeur fut appliquée au soulagement des pauvres. Alors
je me séparai de lui. Je revins ici. Quoi faire ? car il
fallait périr de misère, ou faire quelque chose. Il me
passa toutes sortes de projets par la tête. Un jour, je
partais le lendemain pour me jeter dans une troupe de
province, également bon ou mauvais pour le théâtre ou
pour l'orchestre ; le lendemain, je songeais à me faire
peindre un de ces tableaux attachés à une perche
qu'on plante dans un carrefour, et où j'aurais crié à
tue-tête : « Voilà la ville où il est né ; le voilà qui prend
congé de son père l'apothicaire ; le voilà qui arrive dans
la capitale, cherchant la demeure de son oncle ; le voilà
aux genoux de son oncle qui le chasse ; le voilà avec
un Juif, et caetera et caetera. Le jour suivant, je me
levais bien résolu de m'associer aux chanteurs des
rues ; ce n'est pas ce que j'aurais fait de plus mal ;
nous serions allés concerter sous les fenêtres du cher

oncle qui en serait crevé de rage. Je pris un autre
parti.

Là il s'arrêta, passant successivement de l'attitude d'un
homme qui tient un violon, serrant des cordes à tour de bras,
à celle d'un pauvre diable exténué de fatigue, à qui les forces
manquent, dont les jambes flageolent, prêt à expirer, si on ne
lui jette un morceau de pain ; il désignait son extrême besoin,
par le geste d'un doigt dirigé vers sa bouche entrouverte ; puis
il ajouta : Cela s'entend. On me jetait le lopin. Nous nous
le disputions à trois ou quatre affamés que nous étions;
et puis pensez grandement; faites de belles choses au
milieu d'une pareille détresse.

MOI. — Cela est difficile.

LUI. — De cascade en cascade, j'étais tombé là. J'y
étais comme un coq en pâte. J'en suis sorti. Il faudra
derechef scier le boyau, et revenir au geste du doigt
vers la bouche béante. Rien de stable dans ce monde.
Aujourd'hui, au sommet; demain au bas de la roue. De
maudites circonstances nous mènent; et nous mènent
fort mal.

Puis buvant un coup qui restait au fond de la bouteille et
s'adressant à son voisin : Monsieur, par charité, une petite
prise. Vous avez là une belle boîte? Vous n'êtes pas
musicien? — Non. — Tant mieux pour vous; car ce sont
de pauvres bougres bien à plaindre. Le sort a voulu que
je le fusse, moi; tandis qu'il y a, à Montmartre peut
être, dans un moulin, un meunier, un valet de meunier
qui n'entendra jamais que bruit du cliquet, et qui aurait
trouvé les plus beaux chants. Rameau, au moulin? au
moulin, c'est là ta place.

MOI. — A quoi que ce soit que l'homme s'applique, la Nature l'y destinait.

LUI. — Elle fait d'étranges bévues. Pour moi je ne vois pas de cette hauteur où tout se confond, l'homme qui émonde un arbre avec des ciseaux, la chenille qui en ronge la feuille, et d'où l'on ne voit que deux insectes différents, chacun à son devoir. Perchez-vous sur l'épicycle de Mercure, et de là, distribuez, si cela vous convient, et à l'imitation de Réaumur, lui la classe des mouches en couturières, arpenteuses, faucheuses, vous, l'espèce des hommes, en hommes menuisiers, charpentiers, couvreurs, danseurs, chanteurs, c'est votre affaire. Je ne m'en mêle pas. Je suis dans ce monde et j'y reste. Mais s'il est dans la nature d'avoir appétit; car c'est toujours à l'appétit que j'en reviens, à la sensation qui m'est toujours présente, je trouve qu'il n'est pas du bon ordre de n'avoir pas toujours de quoi manger. Que diable d'économie, des hommes qui regorgent de tout, tandis que d'autres qui ont un estomac importun comme eux, une faim renaissante comme eux, et pas de quoi mettre sous la dent. Le pis, c'est la posture contrainte où nous tient le besoin. L'homme nécessiteux ne marche pas comme un autre; il saute, il rampe, il se tortille, il se traîne; il passe sa vie à prendre et à exécuter des positions.

MOI. — Qu'est-ce que des positions?

LUI. — Allez le demander à Noverre. Le monde en offre bien plus que son art n'en peut imiter.

MOI. — Et vous voilà, aussi, pour me servir de votre expression, ou de celle de Montaigne, *perché sur l'épicycle de Mercure,* et considérant les différentes pantomimes de l'espèce humaine.

LUI. — Non, non, vous dis-je. Je suis trop lourd pour m'élever si haut. J'abandonne aux grues le séjour des brouillards. Je vais terre à terre. Je regarde autour de moi; et je prends mes positions, ou je m'amuse des positions que je vois prendre aux autres. Je suis excellent pantomime; comme vous en allez juger.

Puis il se met à sourire, à contrefaire l'homme admirateur, l'homme suppliant, l'homme complaisant; il a le pied droit en avant, le gauche en arrière, le dos courbé, la tête relevée, le regard comme attaché sur d'autres yeux, la bouche entrou-verte, les bras portés vers quelqu'objet; il attend un ordre, il le reçoit; il part comme un trait; il revient, il est exécuté; il en rend compte. Il est attentif à tout; il ramasse ce qui tombe; il place un oreiller ou un tabouret sous des pieds; il tient une soucoupe, il approche une chaise, il ouvre une porte; il ferme une fenêtre; il tire des rideaux; il observe le maître et la maîtresse; il est immobile, les bras pendants; les jambes parallèles; il écoute; il cherche à lire sur des visages, et il ajoute : Voilà ma pantomime, à peu près la même que celle des flatteurs, des courtisans, des valets et des gueux.

Les folies de cet homme, les contes de l'abbé Galiani, les extravagances de Rabelais, m'ont quelquefois fait rêver profon-dément. Ce sont trois magasins où je me suis pourvu de masques ridicules que je place sur le visage des plus graves personnages; et je vois Pantalon dans un prélat, un satyre dans un président, un pourceau dans un cénobite, une autruche dans un ministre, une oie dans son premier commis.

MOI. — Mais à votre compte, *dis-je à mon homme,*
il y a bien des gueux dans ce monde-ci; et je ne
connais personne qui ne sache quelques pas de votre
danse.

LUI. — Vous avez raison. Il n'y a dans tout un
royaume qu'un homme qui marche. C'est le souverain.
Tout le reste prend des positions.

MOI. — Le souverain? encore y a-t-il quelque chose
à dire? Et croyez-vous qu'il ne se trouve pas, de temps
en temps, à côté de lui, un petit pied, un petit chignon,
un petit nez qui lui fasse faire un peu de la pantomime?
Quiconque a besoin d'un autre, est indigent et prend
une position. Le roi prend une position devant sa maîtresse et devant Dieu; il fait son pas de pantomime.
Le ministre fait le pas de courtisan, de flatteur, de valet
ou de gueux devant son roi. La foule des ambitieux
danse vos positions, en cent manières plus viles les unes
que les autres, devant le ministre. L'abbé de condition
en rabat, et en manteau long, au moins une fois la
semaine, devant le dépositaire de la feuille des bénéfices.
Ma foi, ce que vous appelez la pantomime des gueux,
est le grand branle de la terre. Chacun a sa petite Hus
et son Bertin.

LUI. — Cela me console.

Mais tandis que je parlais, il contrefaisait à mourir de rire,
les positions des personnages que je nommais; par exemple,
pour le petit abbé, il tenait son chapeau sous le bras, et son
bréviaire de la main gauche; de la droite, il relevait la queue
de son manteau; il s'avançait la tête un peu penchée sur
l'épaule, les yeux baissés, imitant si parfaitement l'hypocrite

que je crus voir l'auteur des Réfutations *devant l'évêque d'Orléans. Aux flatteurs, aux ambitieux, il était ventre à terre. C'était Bouret, au contrôle général.*

MOI. — Cela est supérieurement exécuté, *lui dis-je.* Mais il y a pourtant un être dispensé de la pantomime. C'est le philosophe qui n'a rien et qui ne demande rien.

LUI. — Et où est cet animal-là? S'il n'a rien il souffre; s'il ne sollicite rien, il n'obtiendra rien, et il souffrira toujours.

MOI. — Non. Diogène se moquait des besoins.

LUI. — Mais, il faut être vêtu.

MOI. — Non. Il allait tout nu.

LUI. — Quelquefois il faisait froid dans Athènes.

MOI. — Moins qu'ici.

LUI. — On y mangeait.

MOI. — Sans doute.

LUI. — Aux dépens de qui?

MOI. — De la nature. A qui s'adresse le sauvage? à la terre, aux animaux, aux poissons, aux arbres, aux herbes, aux racines, aux ruisseaux.

LUI. — Mauvaise table.

MOI. — Elle est grande.

LUI. — Mais mal servie.

MOI. — C'est pourtant celle qu'on dessert, pour couvrir les nôtres.

LUI. — Mais vous conviendrez que l'industrie de nos cuisiniers, pâtissiers, rôtisseurs, traiteurs, confiseurs y met un peu du sien. Avec la diète austère de votre Diogène, il ne devait pas avoir des organes fort indociles.

MOI. — Vous vous trompez. L'habit du cynique était autrefois, notre habit monastique avec la même vertu. Les cyniques étaient les carmes et les cordeliers d'Athènes.

LUI. — Je vous y prends. Diogène a donc aussi dansé la pantomime; si ce n'est devant Périclès, du moins devant Laïs ou Phryné.

MOI. — Vous vous trompez encore. Les autres achetaient bien cher la courtisane qui se livrait à lui pour le plaisir.

LUI. — Mais s'il arrivait que la courtisane fût occupée, et le cynique pressé?

MOI. — Il rentrait dans son tonneau, et se passait d'elle.

LUI. — Et vous me conseilleriez de l'imiter?

MOI. — Je veux mourir, si cela ne vaudrait mieux que de ramper, de s'avilir, et se prostituer.

LUI. — Mais il me faut un bon lit, une bonne table, un vêtement chaud en hiver; un vêtement frais, en été; du repos, de l'argent, et beaucoup d'autres choses, que je préfère de devoir à la bienveillance, plutôt que de les acquérir par le travail.

MOI. — C'est que vous êtes un fainéant, un gourmand, un lâche, une âme de boue.

LUI. — Je crois vous l'avoir dit.

MOI. — Les choses de la vie ont un prix sans doute; mais vous ignorez celui du sacrifice que vous faites pour les obtenir. Vous dansez, vous avez dansé et vous continuerez de danser la vile pantomime.

LUI. — Il est vrai. Mais il m'en a peu coûté, et il ne

m'en coûte plus rien pour cela. Et c'est par cette raison
que je ferais mal de prendre une autre allure qui me
peinerait, et que je ne garderais pas. Mais, je vois à ce
que vous me dites là que ma pauvre petite femme était
une espèce de philosophe. Elle avait du courage comme
un lion. Quelquefois nous manquions de pain, et nous
étions sans le sol. Nous avions vendu presque toutes nos
nippes. Je m'étais jeté sur les pieds de notre lit, là je me
creusais à chercher quelqu'un qui me prêtât un écu que
je ne lui rendrais pas. Elle, gaie comme un pinson, se
mettait à son clavecin, chantait et s'accompagnait. C'était
un gosier de rossignol; je regrette que vous ne l'ayez pas
entendue. Quand j'étais de quelque concert, je l'emme-
nais avec moi. Chemin faisant, je lui disais : « Allons,
madame, faites-vous admirer; déployez votre talent et
vos charmes. Enlevez. Renversez ». Nous arrivions; elle
chantait, elle enlevait, elle renversait. Hélas, je l'ai
perdue, la pauvre petite. Outre son talent, c'est qu'elle
avait une bouche à recevoir à peine le petit doigt;
des dents, une rangée de perles; des yeux, des pieds,
une peau, des joues, des tétons, des jambes de
cerf, des cuisses et des fesses à modeler. Elle aurait
eu, tôt ou tard, le fermier général, tout au moins.
C'était une démarche, une croupe! ah Dieu, quelle
croupe!

*Puis le voilà qui se met à contrefaire la démarche de
sa femme; il allait à petits pas; il portait sa tête au vent;
il jouait de l'éventail; il se démenait de la croupe; c'était la
charge de nos petites coquettes la plus plaisante et la plus
ridicule.*

Puis, reprenant la suite de son discours, il ajoutait : Je la
promenais partout, aux Tuileries, au Palais-Royal, aux
Boulevards. Il était impossible qu'elle me demeurât.
Quand elle traversait la rue, le matin, en cheveux, et
en pet-en-l'air; vous vous seriez arrêté pour la voir, et
vous l'auriez embrassée entre quatre doigts, sans la
serrer. Ceux qui la suivaient, qui la regardaient trotter
avec ses petits pieds; et qui mesuraient cette large
croupe dont ses jupons légers dessinaient la forme, dou-
blaient le pas; elle les laissait arriver; puis elle détournait prestement sur eux, ses deux grands yeux noirs
et brillants qui les arrêtaient tout court. C'est que
l'endroit de la médaille ne déparait pas le revers. Mais
hélas je l'ai perdue; et mes espérances de fortune
se sont toutes évanouies avec elle. Je ne l'avais prise
que pour cela, je lui avais confié mes projets; et elle
avait trop de sagacité pour n'en pas concevoir la certitude, et trop de jugement pour ne les pas approuver.

Et puis le voilà qui sanglote et qui pleure, en disant : Non,
non, je ne m'en consolerai jamais. Depuis, j'ai pris le
rabat et la calotte.

MOI. — De douleur?

LUI. — Si vous le voulez. Mais le vrai, pour avoir
mon écuelle sur ma tête... Mais voyez un peu l'heure
qu'il est, car il faut que j'aille à l'Opéra.

MOI. — Qu'est-ce qu'on donne?

LUI. — Le Dauvergne. Il y a d'assez belles choses dans
sa musique; c'est dommage qu'il ne les ait pas dites le
premier. Parmi ces morts, il y en a toujours quelques-

uns qui désolent les vivants. Que voulez-vous? *Quisque suos patimur manes.*

Mais il est cinq heures et demie. J'entends la cloche qui sonne les vêpres de l'abbé de Canaye et les miennes. Adieu, monsieur le philosophe. N'est-il pas vrai que je suis toujours le même?

MOI. — Hélas oui, malheureusement.

LUI. — Que j'aie ce malheur-là seulement encore une quarantaine d'années. Rira bien qui rira le dernier.

SATIRE PREMIÈRE

sur les caractères, et les mots de caractère, de profession, etc...

Quot capitum vivunt, totidem studiorum Millia*

Horat., *Sat. Lib. II.*

* « Autant d'hommes, autant de goûts. »

NOTICE

Ce petit texte parut en octobre 1778 dans la Correspondance littéraire *de Grimm. Naigeon l'inséra dans son édition des* Œuvres *de Diderot, en 1798, et c'est lui qui lui donna vraisemblablement son sous-titre :* « Sur les caractères et les mots de caractère, de profession, etc. »

La forme est celle d'une lettre satirique en prose adressée à Naigeon. La référence à Horace contenue dans la dédicace ne rend compte que très partiellement du contenu de l'ouvrage.

Il est probable que la Satire *première fut écrite après juin 1773, c'est-à-dire après le départ de Diderot pour La Haye et la Russie. Par son contenu, elle s'apparente parfois à la* Réfutation de « l'Homme » *d'Helvétius, écrite vers la même époque. Par son titre, Diderot l'a rattachée explicitement au* Neveu de Rameau, *«* Satire seconde *», dont la rédaction, commencée dès 1762, ne fut achevée que bien après 1773. Dans le même genre, le* Salon de 1767 *contient encore une* Satire contre le luxe à la manière de Perse.

Il existe plusieurs copies manuscrites de la Satire première, *mais aucune n'est autographe. Le meilleur texte est celui de l'édition imprimée de Naigeon. Il est ici reproduit selon la lecture qu'en a faite Roland Desné (Diderot,* Satires, Club des amis du livre progressiste, *1963, pp. 161-184).*

A MON AMI M. NAIGEON

Sur un passage de la première satire du
Second Livre d'Horace :
*Sunt quibus in satira videar nimis acer, et ultra
Legem tendere opus**.

N'AVEZ-VOUS pas remarqué, mon ami, que telle est la
variété de cette prérogative qui nous est propre, et qu'on
appelle raison, qu'elle correspond seule à toute la diversité de l'instinct des animaux? De là vient que, sous la
forme bipède de l'homme, il n'y a aucune bête innocente
ou malfaisante, dans l'air, au fond des forêts, dans les
eaux, que vous ne puissiez reconnaître. Il y a l'homme
loup, l'homme tigre, l'homme renard, l'homme taupe,
l'homme pourceau, l'homme mouton, et celui-ci est le
plus commun. Il y a l'homme anguille; serrez-le tant
qu'il vous plaira, il vous échappera. L'homme brochet,

---

* *« Aux yeux de certains, j'ai trop d'âpreté dans la satire et je force le
genre au-delà de ses lois ».*

qui dévore tout. L'homme serpent, qui se replie en cent façons diverses. L'homme ours, qui ne me déplait pas. L'homme aigle, qui plane au haut des cieux. L'homme corbeau, l'homme épervier, l'homme et l'oiseau de proie. Rien de plus rare qu'un homme qui soit homme de toute pièce; aucun de nous qui ne tienne un peu de son analogue animal.

Aussi, autant d'hommes, autant de cris divers. Il y a le cri de la nature, et je l'entends lorsque Sara dit du sacrifice de son fils : *Dieu ne l'eût jamais demandé à sa mère*. Lorsque Fontenelle, témoin des progrès de l'incrédulité, dit : *Je voudrais bien y être dans soixante ans, pour voir ce que cela deviendra;* il ne voulait qu'y être. On ne veut pas mourir, et l'on finit toujours un jour trop tôt. Un jour de plus, et l'on eût découvert la quadrature du cercle.

Comment se fait-il que dans les arts d'imitation, ce cri de nature, qui nous est propre, soit si difficile à trouver? Comment se fait-il que le poète qui l'a saisi, nous étonne et nous transporte? Serait-ce qu'alors il nous révèle le secret de notre cœur?

Il y a le cri de la passion, et je l'entends encore dans le poète, lorsqu'Hermione dit à Oreste : *Qui te l'a dit?* lorsqu'à, *Ils ne se verront plus,* Phèdre répond : *Ils s'aimeront toujours;* à côté de moi, lorsqu'au sortir d'un sermon éloquent sur l'aumône, l'avare dit : *Cela donnerait envie de demander;* lorsqu'une maîtresse surprise en flagrant délit, dit à son amant : *Ah! vous ne m'aimez plus, puisque vous en croyez plutôt ce que vous avez vu que ce que je vous dis;* lorsque l'usurier agonisant dit au prêtre qui l'exhorte : *Ce crucifix, en conscience, je ne saurais prêter là-dessus plus de cent écus; encore faut-il m'en passer un billet de vente.*

Il y eut un temps où j'aimais le spectacle et surtout l'opéra. J'étais un jour à l'Opéra entre l'abbé de Canaye que vous connaissez, et un certain Monbron, auteur de quelques brochures où l'on trouve beaucoup de fiel et peu, très peu de talent. Je venais d'entendre un morceau pathétique, dont les paroles et la musique m'avaient transporté. Alors nous ne connaissions pas Pergolèse, et Lulli était un homme sublime pour nous. Dans le transport de mon ivresse je saisis mon voisin Monbron par le bras, et lui dis : Convenez, monsieur, que cela est beau. L'homme au teint jaune, aux sourcils noirs et touffus, à l'œil féroce et couvert, me répond : Je ne sens pas cela. — Vous ne sentez pas cela? — Non, j'ai le cœur velu... — Je frissonne, je m'éloigne du tigre à deux pieds; je m'approche de l'abbé de Canaye et lui adressant la parole : Monsieur l'abbé, ce morceau qu'on vient de chanter, comment vous a-t-il paru? L'abbé me répond froidement et avec dédain : Mais assez bien, pas mal. — Et vous connaissez quelque chose de mieux? — D'infiniment mieux. — Qu'est-ce donc? — Certains vers qu'on a faits sur ce pauvre abbé Pellegrin :

> *Sa culotte attachée avec une ficelle*
> *Laisse voir par cent trous un cul plus noir qu'icelle.*

C'est là ce qui est beau!

Combien de ramages divers, combien de cris discordants dans la seule forêt qu'on appelle société : Allons! prenez cette eau de riz. — Combien a-t-elle coûté? — Peu de chose. — Mais encore combien? — Cinq ou six sous peut-être. — Et qu'importe que je périsse de mon mal, ou par le vol et les rapines? — Vous, qui aimez tant à parler, comment écoutez-vous cet homme si longtemps? — J'attends; s'il tousse ou s'il crache, il est perdu. — Quel est cet homme assis à votre droite? — C'est un homme d'un grand mérite, et qui écoute comme personne. — Celui-ci dit au prêtre qui lui annonçait la visite de son Dieu : *Je le reconnais à sa monture : c'est ainsi qu'il entra dans Jérusalem...* Celui-là, moins caustique, s'épargne dans ses derniers moments l'ennui de l'exhortation du vicaire qui l'avait administré, en lui disant : *Monsieur, ne vous serais-je plus bon à rien?...* Et voilà le cri de caractère.

Méfiez-vous de l'homme singe. Il est sans caractère, il a toutes sortes de cris.

Cette démarche ne vous perdra pas, vous, mais elle perdra votre ami. — *Eh! que m'importe, pourvu qu'elle me sauve.* — Mais votre *ami?* — *Mon ami, tant qu'il vous plaira; moi d'abord.* — Croyez-vous, Monsieur l'abbé, que madame Geoffrin vous reçoive chez elle avec grand plaisir? — *Qu'est-ce que cela me fait, pourvu que je m'y trouve bien?...* Regardez cet homme-ci, lorsqu'il entre quelque part; il a la tête penchée sur sa poitrine, il s'embrasse, il se serre étroitement pour être plus près de lui-même. Vous avez vu le maintien et vous avez entendu le cri de l'homme personnel, cri qui retentit de tout côté. C'est un des cris de la nature.

J'ai contracté ce pacte avec vous, il est vrai; mais je vous annonce que je ne le tiendrai pas. — Monsieur le Comte, vous ne le tiendrez pas! et pourquoi cela, s'il vous plaît? — Parce que je suis le plus fort... — Le cri de la force est encore un des cris de la nature... — *Vous pense-rez que je suis un infâme, je m'en moque...* — Voilà le cri de l'impudence.

Mais ce sont, je crois, des foies d'oie de Toulouse? — Excellents, délicieux! — *Eh! que n'ai-je la maladie dont ce serait là le remède!...* — Et c'est l'exclamation d'un gourmand qui souffrait de l'estomac.

« *Vous leur fîtes, Seigneur,*
En les croquant, beaucoup d'honneur... »

Et voilà le cri de la flatterie, de la bassesse et des cours. Mais ce n'est pas tout.

Le cri de l'homme prend encore une infinité de formes diverses de la profession qu'il exerce. Souvent elles déguisent l'accent du caractère.

Lorsque Ferrein dit : *Mon ami tomba malade, je le traitai, il mourut, je le disséquai;* Ferrein fut-il un homme dur? Je l'ignore.

Docteur, vous arrivez bien tard. — *Il est vrai. Cette pauvre mademoiselle du Thé n'est plus.* — *Elle est morte!* — *Oui. Il a fallu assister à l'ouverture de son corps; je n'ai jamais eu un plus grand plaisir de ma vie.* Lorsque le doc-teur parlait ainsi, était-il un homme dur? Je l'ignore. L'enthousiasme de métier, vous savez ce que c'est, mon

ami. La satisfaction d'avoir deviné la cause secrète de la
mort de Mademoiselle du Thé fit oublier au docteur
qu'il parlait de son amie. Le moment de l'enthousiasme
passé, le docteur pleura-t-il son amie? Si vous me le
demandez, je vous avouerai que je n'en crois rien.

Tirez, tirez; il n'est pas ensemble. Celui qui tient ce propos d'un mauvais Christ qu'on approche de sa bouche,
n'est point un impie. Son mot est de son métier, c'est
celui d'un sculpteur agonisant.

Ce plaisant abbé de Canaye, dont je vous ai parlé, fit
une petite satire bien amère et bien gaie des petits dialogues de son ami Rémond de Saint-Mard. Celui-ci qui
ignorait que l'abbé fût l'auteur de la satire, se plaignait
un jour de cette malice à une de leurs communes amies.
Tandis que Saint-Mard, qui avait la peau tendre, se
lamentait outre mesure d'une piqûre d'épingle, l'abbé,
placé derrière lui et en face de la dame, s'avouait auteur
de la satire, et se moquait de son ami en tirant la langue.
Les uns disaient que le procédé de l'abbé était malhonnête, d'autres n'y voyaient qu'une espiéglerie. Cette
question de morale fut portée au tribunal de l'érudit
abbé Fénel, dont on ne put jamais obtenir d'autre décision, sinon, que *c'était un usage chez les anciens Gaulois
de tirer la langue...* Que conclurez-vous de là? Que l'abbé
de Canaye était un méchant? Je le crois. Que l'autre
abbé était un sot? Je le nie. C'était un homme qui avait
consumé ses yeux et sa vie à des recherches d'érudition,
et qui ne voyait rien dans ce monde de quelque impor-

tance en comparaison de la restitution d'un passage ou de la découverte d'un ancien usage. C'est le pendant du géomètre, qui, fatigué des éloges dont la capitale retentissait lorsque Racine donna son *Iphigénie,* voulut lire cette *Iphigénie* si vantée. Il prend la pièce; il se retire dans un coin; il lit une scène; deux scènes, à la troisième, il jette le livre en disant : *Qu'est-ce que cela prouve?...* C'est le jugement et le mot d'un homme accoutumé dès ses jeunes ans à écrire à chaque bout de page : *Ce qu'il fallait démontrer.*

On se rend ridicule; mais on n'est ni ignorant, ni sot, moins encore méchant, pour ne voir jamais que la pointe de son clocher.

Me voilà tourmenté d'un vomissement périodique; je verse des flots d'une eau caustique et limpide. Je m'effraie, j'appelle Thierry. Le docteur regarde, en souriant, le fluide que j'avais rendu par la bouche, et qui remplissait toute une cuvette. — Eh bien! docteur, qu'est-ce qu'il y a? — Vous êtes trop heureux; vous nous avez restitué la *pituite vitrée* des Anciens que nous avions perdue... Je souris à mon tour, et n'en estimai ni plus ni moins le docteur Thierry.

Il y a tant et tant des mots de métier, que je fatiguerais à périr un homme plus patient que vous, si je voulais vous raconter ceux qui se présentent à ma mémoire en vous écrivant. Lorsqu'un monarque, qui commande lui même ses armées, dit à des officiers qui avaient abandonné une attaque où ils auraient tous perdu la vie sans aucun avantage : *Est-ce que vous êtes faits pour autre chose que pour mourir?...* il dit un mot de métier.

Lorsque des grenadiers sollicitent auprès de leur général la grâce d'un de leurs braves camarades surpris en maraude, et lui disent : *Notre général, remettez-le entre nos mains. Vous le voulez faire mourir; nous savons punir plus sévèrement un grenadier : il n'assistera point à la première bataille que vous gagnerez...* Ils ont l'éloquence de leur métier. Eloquence sublime! Malheur à l'homme de bronze qu'elle ne fléchit pas! Dites-moi, mon ami, eussiez-vous fait pendre ce soldat si bien défendu par ses camarades? Non. Ni moi non plus.

Sire, et la bombe? — *Qu'a de commun la bombe avec ce que je vous dicte?...* — *Le boulet a emporté la timbale; mais le riz n'y était pas...* C'est un roi qui a dit le premier de ces mots; c'est un soldat qui a dit le second, mais ils sont l'un et l'autre d'une âme ferme; ils n'appartiennent point à l'état.

Y étiez-vous lorsque le castrat Caffarelli nous jetait dans un ravissement que ni ta véhémence, Démosthène! ni ton harmonie, Cicéron! ni l'élévation de ton génie, ô Corneille! ni ta douceur, Racine! ne nous firent jamais éprouver? Non, mon ami, vous n'y étiez pas. Combien de temps et de plaisir nous avons perdu sans nous connaître!... Caffarelli a chanté; nous restons stupéfaits d'admiration. Je m'adresse au célèbre naturaliste Daubenton, avec lequel je partageais un sofa. — Eh bien! docteur, qu'en dites-vous? — Il a les jambes grêles, les genoux ronds, les cuisses grosses, les hanches larges, c'est qu'un être privé des organes qui caractérisent son sexe affecte la conformation du sexe opposé... — Mais cette musique angélique!... — Pas un poil de barbe au menton... — Ce goût exquis, ce sublime pathétique, cette voix! — C'est une voix de femme. — C'est la voix la plus belle, la plus égale, la plus flexible, la plus juste, la plus touchante... Tandis que le virtuose nous faisait fondre en larmes, Daubenton l'examinait en naturaliste.

L'homme qui est tout entier à son métier, s'il a du génie, devient un prodige; s'il n'en a point, une application opiniâtre l'élève au-dessus de la médiocrité. Heureuse la société où chacun serait à sa chose, et ne serait qu'à sa chose! Celui qui disperse ses regards sur tout, ne voit rien ou voit mal; il interrompt souvent, et contredit celui qui parle et qui a bien vu.

Je vous entends d'ici, et vous vous dîtes : Dieu soit loué! J'en avais assez de ces cris de nature, de passion, de caractère, de profession, et m'en voilà quitte... Vous vous trompez, mon ami. Après tant de mots malhonnêtes ou ridicules, je vous demanderai grâce pour un ou deux qui ne le soient pas.

Chevalier, quel âge avez-vous? — Trente ans. — *Moi j'en ai vingt-cinq; eh bien! vous m'aimeriez une soixantaine d'années, ce n'est pas la peine de commencer pour si peu...* — C'est le mot d'une bégueule. — Le vôtre est d'un homme sans mœurs. C'est le mot de la gaieté, de l'esprit et de la vertu. Chaque sexe a son ramage; celui

de l'homme n'a ni la légèreté, ni la délicatesse, ni la
sensibilité de celui de la femme. L'un semble toujours commander et brusquer; l'autre se plaindre et supplier... Et
puis celui du célèbre Muret, et je passe à d'autres choses.

Muret tombe malade en voyage; il se fait porter à
l'hôpital. On le place dans un lit voisin du grabat
d'un malheureux attaqué d'une de ces infirmités qui
rendent l'art perplexe. Les médecins et les chirurgiens
délibèrent sur son état. Un des consultants propose une
opération qui pouvait également être salutaire ou
fatale. Les avis se partagent. On incline à livrer le malade à la décision de la nature, lorsqu'un plus intré-
pide dit : *Faciamus experimentum in anima vili*. Voilà le
cri de la bête féroce. Mais d'entre les rideaux qui entou-
raient Muret, s'élève le cri de l'homme, du philosophe,
du chrétien : *Tanquam foret anima vilis, illa pro qua Christus
non dedignatus est mori!* Ce mot empêcha l'opération, et
le malade guérit.

A cette variété du cri de la nature, de la passion, du
caractère, de la profession, joignez le diapason des
mœurs nationales, et vous entendrez le vieil Horace
dire de son fils, *qu'il mourût;* et les Spartiates dire
d'Alexandre : *Puisque Alexandre veut être Dieu, qu'il soit
Dieu.* Ces mots ne désignent pas le caractère d'un
homme, ils marquent l'esprit général d'un peuple.

Je ne vous dirai rien de l'esprit et du ton des corps.
Le clergé, la noblesse, la magistrature, ont chacun leur

manière de commander, de supplier et de se plaindre. Cette manière est traditionnelle. Les membres deviennent vils et rampants, le corps garde sa dignité. Les remontrances de nos parlements n'ont pas toujours été des chefs-d'œuvre; cependant Thomas, l'homme de lettres le plus éloquent, l'âme la plus fière et la plus digne, ne les aurait pas faites; il ne serait pas demeuré en deçà; mais il serait allé au-delà de la mesure.

Et voilà pourquoi, mon ami, je ne me presserai jamais de demander quel est l'homme qui entre dans un cercle. Souvent cette question est impolie, presque toujours elle est inutile. Avec un peu de patience et d'attention, on n'importune ni le maître ni la maîtresse de la maison, et l'on se ménage le plaisir de deviner.

Ces préceptes ne sont pas de moi; ils m'ont été dictés par un homme très fin, et il en fit en ma présence l'application chez Mademoiselle Dornais, la veille de mon départ pour le grand voyage, que j'ai entrepris en dépit de vous. Il survint sur le soir un personnage qu'il ne connaissait pas; mais ce personnage ne parlait pas haut, il avait de l'aisance dans le maintien, de la pureté dans l'expression et une politesse froide dans les manières. C'est, me dit-il à l'oreille, un homme qui tient à la cour. Ensuite il remarqua qu'il avait presque toujours la main droite sur la poitrine, les doigts fermés et les ongles en dehors. Ah! ah! ajouta-t-il, c'est un exempt des gardes du corps, et il ne lui manque que sa baguette. Peu de temps après, cet homme conte une

petite histoire. Nous étions quatre, dit-il, madame et
monsieur tels, madame de*** et moi... Sur cela mon
instituteur continua : Me voilà entièrement au fait. Mon
homme est marié, la femme qu'il a placée la troisième
est sûrement la sienne, et il m'a appris son nom en
la nommant.

Nous sortîmes ensemble de chez mademoiselle Dornais. L'heure de la promenade n'était pas encore passée; il me propose un tour aux Tuileries; j'accepte.
Chemin faisant, il me dit beaucoup de choses déliées
et conçues dans des termes fort déliés; mais comme je
suis bon homme, bien uni, bien rond, et que la subtilité de ses observations m'en dérobait la vérité, je le
priai de les éclaircir par quelques exemples. Les esprits
bornés ont besoin d'exemples. Il eut cette complaisance,
et me dit :

Je dînais un jour chez l'archevêque de Paris. Je ne
connais guère le monde qui va là; je m'embarrasse
même peu de le connaître; mais mon voisin, celui à
côté duquel on est assis, c'est autre chose. Il faut savoir
avec qui l'on cause, et, pour y réussir, il n'y a qu'à
laisser parler et réunir les circonstances. J'en avais un
à déchiffrer à ma droite. D'abord l'archevêque, lui parlant peu et assez sèchement, ou il n'est pas dévot, me
dis-je, ou il est janséniste. Un petit mot sur les jésuites
m'apprend que c'est le dernier. On faisait un emprunt
pour le clergé; j'en prends occasion d'interroger mon
homme sur les ressources de ce corps. Il me les développe très bien, se plaint de ce qu'ils sont surchargés,
fait une sortie contre le ministre de la finance, ajoute

qu'il s'en est expliqué nettement en 1750 avec le contrô-
leur général. Je vois donc qu'il a été agent du clergé.
Dans le courant de la conversation, il me fait entendre
qu'il n'a tenu qu'à lui d'être évêque. Je le crois homme
de qualité; mais comme il se vante plusieurs fois d'un
vieil oncle lieutenant-général, et qu'il ne dit pas un mot
de son père, je suis sûr que c'est un homme de fortune
qui a dit une sottise. Comme il me conte les anecdotes
scandaleuses de huit ou dix évêques, je ne doute pas
qu'il ne soit méchant. Enfin, il a obtenu, malgré bien
des concurrents, l'intendance de *** pour son frère. Vous
conviendrez que si l'on m'eût dit, en me mettant à
table, c'est un janséniste, sans naissance, insolent, intri-
gant, qui déteste ses confrères, qui en est détesté, enfin,
c'est l'abbé de ***, on ne m'aurait rien appris de plus
que ce que j'en ai su, et qu'on m'aurait privé du plaisir
de la découverte.

La foule commençait à s'éclaircir dans la grande
allée. Mon homme tira sa montre, et me dit : Il est
tard, il faut que je vous quitte, à moins que vous ne
veniez souper avec moi. — Où? — Ici près, chez Arnould. — Je ne la connais pas. — Est-ce qu'il faut
connaître une fille pour aller souper chez elle? Du
reste, c'est une créature charmante, qui a le ton de son
état et celui du grand monde. Venez, vous vous amu-
serez. Non, je vous suis obligé; mais, comme je vais
de ce côté, je vous accompagnerai jusqu'au cul-de-sac
Dauphin... — Nous allons, et en allant il m'apprend
quelques plaisanteries cyniques d'Arnould et quelques-
uns de ses mots ingénus et délicats. Il me parle de tous

ceux qui fréquentent là; et chacun d'eux eut son mot...
Appliquant à cet homme les mêmes principes que j'en
avais reçus, moi, je vois qu'il fréquente dans de la bonne
et de la mauvaise compagnie... Ne fait-il pas des vers?
me demandez-vous? — Très bien. — N'a-t-il pas été lié
avec le maréchal de Richelieu? — Intimement. — Ne
fait-il pas sa cour à la comtesse de Grammont? — Assi-
dument. — N'y a-t-il pas sur son compte?... — Oui,
une certaine histoire de Bordeaux, mais je n'y crois pas.
On est si méchant dans ce pays-ci, on y fait tant de
contes, il y a tant de coquins intéressés à multiplier
le nombre de leurs semblables! — Vous a-t-il lu sa
Révolution de Russie? — Oui. — Qu'en pensez-vous?
— Que c'est un roman historique assez bien écrit et
très intéressant, un tissu de mensonges et de vérités
que nos neveux compareront à un chapitre de
Tacite.

Et voilà, me direz-vous, qu'au lieu de vous avoir
éclairci un passage d'Horace; je vous ai presque fait
une satire à la manière de Perse. — Il est vrai. — Et que
vous croyez que je vous en tiens quitte? — Non.

— Vous connaissez Burigny? — Qui ne connaît pas
l'ancien, l'honnête, le savant et fidèle serviteur de madame Geoffrin? C'est un très bon et très savant homme.
— Un peu curieux. — D'accord. — Fort gauche. — Il en
est d'autant meilleur. Il faut toujours avoir un petit
ridicule qui amuse nos amis.
— Eh bien! Burigny?

Je causais avec lui, je ne sais plus de quoi. Le hasard
voulut qu'en causant, je touchai sa corde favorite, l'érudition; et voilà mon érudit qui m'interrompt, et se
jette dans une digression qui ne finissait pas. — Cela lui
arrive tous les jours, et jamais sans qu'on en soit plus
instruit. — Et qu'un endroit d'Horace, qui m'avait paru
maussade, devient pour moi d'un naturel charmant, et
d'une finesse exquise. — Et cet endroit? — C'est celui où
le poète prétend qu'on ne lui refusera pas une indulgence qu'on a bien accordée à Lucilius, son compa-
triote. Soit que Lucilius fût Apulien ou Lucanien, dit
Horace, je marcherai sur ses traces. — Je vous entends,
et c'est dans la bouche de Trébatius dont Horace a touché le texte favori, que vous mettez cette longue discussion sur l'histoire ancienne des deux contrées. Cela est
bien et finement vu. — Quelle vraisemblance, à votre
avis, que le poète sût ces choses! Et, quand il les aurait
sues, qu'il eût assez peu de goût pour quitter son sujet,
et se jeter dans un fastidieux détail d'antiquités! — Je
pense comme vous. — Horace dit : ...*Sequor hunc, Lucanus,
an Appulus.* L'érudit Trébatius prend la parole à *Anceps,*
et dit à Horace : « Ne brouillons rien. Vous n'êtes ni de
la Pouille, ni de la Lucanie; vous êtes de Venouse, qui
laboure sur l'un et l'autre finage. Vous avez pris la place
des Sabelliens après leur expulsion. Vos ancêtres furent
placés là comme une barrière qui arrêta les incursions
des Lucaniens et des Apuliens. Ils remplirent cet espace
vacant, et firent la sécurité de notre territoire contre
deux violents ennemis. C'est du moins une tradition très

vieille. » — L'érudit Trébatius, toujours érudit, instruit
Horace sur les chroniques surannées de son pays. Et
l'érudit Burigny, toujours érudit, m'explique un endroit
difficile d'Horace, en m'interrompant précisément
comme le poète l'avait été par Trébatius. — Et vous
partez de là, vous, pour me faire un long narré des mots
de nature et des propos de passion, de caractère et de
profession? — Il est vrai. Le tic d'Horace est de faire
des vers, le tic de Trébatius et de Burigny, de parler
antiquité; le mien de moraliser, et le vôtre...* — Je vous
dispense de me le dire : je le sais. — Je me tais donc.
Je vous salue; je salue tous nos amis de la rue Royale
et de la cour de Marsan, et me recommande à votre
souvenir qui m'est cher.

Post-scriptum : Je lirais volontiers le commentaire de

* Ce passage ne peut avoir aucun sens pour le public; mais il était
très clair pour Diderot et pour moi : et cela suffisait dans une lettre
qui pouvait être interceptée et compromettre celui à qui elle était
écrite. Comme il n'y a plus aujourd'hui aucun danger à donner le
mot de cette énigme, qui peut d'ailleurs exciter la curiosité de quelques
lecteurs, je dirais donc que Diderot, souvent témoin de la colère et
de l'indignation avec lesquelles je parlais des maux sans nombre que
les prêtres, les religions et les dieux de toutes les nations avaient
faits à l'espèce humaine, et des crimes de toutes espèces dont ils
avaient été le prétexte et la cause, disait des vœux ardents que je
formais, *pectore ab imo,* pour l'entière destruction des idées religieuses,
quel qu'en fût l'objet, que c'était mon tic, comme celui de Voltaire
était d'*écraser l'infâme.* Il savait de plus que j'étais alors occupé d'un
Dialogue entre un déiste, un sceptique et un athée; et c'est à ce travail,
dont mes principes philosophiques lui faisaient pressentir le résultat,
qu'il fait ici allusion; mais en termes si obscurs et si généraux, qu'un
autre que moi n'y pouvait rien comprendre; et c'est précisément ce
qu'il voulait. (Note de Naigeon).

l'abbé Galiani sur Horace, si vous l'aviez. A quelques-
unes de vos heures perdues je voudrais que vous lussiez
l'ode troisième du troisième livre, *justum et tenacem pro-
positi virum,* et que vous me découvrissiez ailleurs la
place de la strophe *Aurum irrepertum, et sic melius situm,*
qui ne tient à rien de ce qui précède, à rien de ce qui
suit, et qui gâte tout.

Quant aux deux vers de l'épître dixième du premier
livre,

Imperat aut servit collecta pecunia cuique,
Tortum digna sequi potius, quam ducere funem,

voici comme je les entends.

Les confins des villes sont fréquentés par les poètes
qui y cherchent la solitude, et par les cordiers qui y
trouvent un long espace pour filer leur corde : *Collecta
pecunia,* c'est la filasse entassée dans leur tablier. Alternativement, elle obéit au cordier, et commande au chariot. Elle obéit quand on la file; elle commande quand
on la tord. Pour la seconde manœuvre, la corde filée
est accrochée d'un bout à l'émerillon du rouet, et de
l'autre à l'émerillon du chariot, instrument assez semblable à un petit traîneau. Ce traîneau est chargé d'un
gros poids qui en ralentit la marche, qui est en sens
contraire de celle du cordier. Le cordier qui file s'éloigne
à reculons du rouet, le chariot qui tord s'en approche.
A mesure que la corde filée se tord par le mouvement du

rouet, elle se raccourcit, et en se raccourcissant, tire le
chariot vers le rouet. Horace nous fait donc entendre
que l'argent, ainsi que la filasse, doit faire la fonction du
chariot, et non celle du cordier, suivre la corde torse,
et non la filer, rendre notre vie plus ferme, plus vigoureuse, mais non la diriger. Le choix et l'ordre des mots
employés par le poète indiquent l'emprunt métapho-
rique d'une manœuvre que le poète avait sous les yeux,
et dont son goût exquis a sauvé la bassesse*.

---

* On presserait jusqu'à la dernière goutte tous les commentaires
et les commentateurs passés et présents, qu'on n'en tirerait pas de
quoi composer, sur quelque passage que ce soit, une explication aussi
naturelle, aussi ingénieuse, aussi vraie, et d'un goût aussi délicat, aussi
exquis. Ces deux vers m'avaient toujours arrêtée ; et le sens que j'y
trouvais ne me satisfaisait nullement. Les interprètes et les traducteurs
d'Horace n'ont pas même soupçonné la difficulté de ce passage : et
leurs notes le prouvent assez. Il fallait, pour l'entendre, avoir la
sagacité de Diderot, et surtout connaître comme lui la manœuvre des
différents arts mécaniques, particulièrement de celui auquel le poète
fait ici allusion : et j'avoue, à ma honte, que la plupart de ces arts,
dont je sens d'ailleurs toute l'importance et toute l'utilité, n'ont
jamais été l'objet de mes études. Je suis bien ignorant sur ce point ;
mais il n'est plus temps aujourd'hui de réparer à cet égard le vice
de mon éducation, et, je crois aussi, celui de beaucoup d'autres. Ces
différentes connaissances, dont on a si souvent occasion de faire
usage dans le cours de sa vie, ne sont pas du genre de celles qu'on
peut acquérir par la méditation, par des études faites à l'ombre et
dans le silence du cabinet. Ici il faut agir, se déplacer ; il faut visiter
toutes les sortes d'ateliers ; faire, comme Diderot, travailler devant
soi les artistes ; travailler soi-même sous leurs yeux, les interroger,
et, ce qui est encore plus difficile, savoir entendre leurs réponses
souvent obscures, parce qu'ils ne veulent pas se rendre plus clairs ;
et quelquefois aussi parce qu'ils n'en ont pas le talent. (Note de
Naigeon).

LETTRE SUR LES AVEUGLES
A L'USAGE DE CEUX QUI VOIENT

NOTICE

La Lettre sur les Aveugles *a été publiée anonymement en juin 1749. Diderot l'écrivit à la suite de l'opération d'une aveugle née, protégée par Réaumur. Selon le témoignage de Mme de Vandeul, sa fille, « le premier appareil devait être levé devant des gens de l'art et quelques littérateurs ». Diderot y fut convié, mais il s'aperçut aux discours de l'aveugle qu'elle avait déjà vu. Il fut d'autant plus irrité d'avoir été dupé qu'il avait demandé en vain pour une de ses amies l'autorisation d'assister à l' « expérience ». C'est à cette amie que la lettre est prétendument écrite.*

Une plaisanterie sur le fait que Réaumur n'avait voulu « laisser tomber le voile que devant quelques yeux sans conséquences », mais plus sûrement encore le contenu même de la Lettre (par exemple la confession de Saunderson), et le passé déjà chargé de Diderot (qui avait par devers lui l'Essai sur le mérite et la vertu, les Pensées philosophiques et Les Bijoux indiscrets) lui valurent, le 24 juillet 1749, d'être incarcéré au donjon de Vincennes, sur lettre de cachet. Il n'en *fut libéré, après trois mois de détention, que par la pression insistante de ses amis, et surtout des libraires associés, éditeurs de l'*Encyclopédie, *qui craignaient la ruine de leur entreprise. Il dut promettre, avant d'être élargi, « de ne plus rien publier qui, en quoi que ce soit, fût contraire à la religion et à la morale ».*

On connaît plusieurs éditions de la Lettre sur les Aveugles *pour la seule année 1749. Il en parut une autre en 1772 à Amsterdam, dans la collection in-12 des* Œuvres philoso- phiques et dramatiques *de M. Diderot : c'est elle qui a été choisie comme base pour l'établissement de notre texte, puis- qu'elle est la dernière parue du vivant de l'auteur. L'édition in-8º de 1772 et celle de 1773 n'offrent pas, dans leur ensemble, les mêmes garanties que celle-ci.*

Aucun manuscrit n'a été retrouvé jusqu'à présent.

La Lettre sur les Aveugles *entraîna une polémique entre Diderot et Voltaire, sur le problème de l'athéisme de Saun- derson. La réponse de Diderot aux critiques de Voltaire (11 juin 1749) peut être considérée comme une première addition au texte original. Diderot en rédigea d'autres vers 1782, incluant notamment les observations qu'il avait faites entre 1760 et 1765 sur une jeune aveugle de sa connaissance, Mélanie de Salignac. Ces additions sont reproduites dans l'édition Niklaus de la* Lettre *(3ᵉ édition, Droz, 1970).*

Par rapport à l'édition de 1772, notre texte présente une orthographe normalisée; la ponctuation a été quelquefois modi- fiée pour plus de clarté, et des inadvertances ont été corrigées.

Je me doutais bien, Madame, que l'Aveugle-née, à qui M. de Réaumur vient de faire abattre la cataracte, ne vous apprendrait pas ce que vous vouliez savoir; mais je n'avais garde de deviner que ce ne serait ni sa faute ni la vôtre. J'ai sollicité son bienfaiteur par moi-même, par ses meilleurs amis, par les compliments que je lui ai faits; nous n'en avons rien obtenu, et le premier appareil se lèvera sans vous. Des personnes de la première distinction ont eu l'honneur de partager son refus avec les philosophes : en un mot, il n'a voulu laisser tomber le voile que devant quelques yeux sans conséquence. Si vous êtes curieuse de savoir pourquoi cet habile académicien fait si secrètement des expériences, qui ne peuvent avoir, selon vous, un trop grand nombre de témoins éclairés, je vous répondrai que les observations d'un homme aussi célèbre, ont moins besoin de spectateurs quand elles se font, que d'auditeurs quand elles sont faites. Je suis donc revenu, Madame, à mon premier dessein; et forcé de me passer d'une expérience, où je ne voyais guère à gagner pour mon instruction ni pour la vôtre, mais dont M. de Réaumur tirera sans doute un bien meilleur parti, je me suis mis à philoso-

pher avec mes amis sur la matière importante qu'elle a
pour objet. Que je serais heureux, si le récit d'un de
nos entretiens pouvait me tenir lieu auprès de vous du
spectacle que je vous avais trop légèrement promis!

Le jour même que le Prussien faisait l'opération de la
cataracte, à la fille de Simoneau, nous allâmes interroger l'Aveugle-né du Puiseaux* : c'est un homme qui
ne manque pas de bon sens, que beaucoup de personnes
connaissent, qui fait un peu de chimie, et qui a suivi
avec quelque succès les cours de botanique au Jardin
du Roi. Il est né d'un père qui a professé avec applaudissement la philosophie dans l'Université de Paris. Il
jouissait d'une fortune honnête, avec laquelle il eût
aisément satisfait les sens qui lui restent; mais le goût
du plaisir l'entraîna dans sa jeunesse; on abusa de ses
penchants; ses affaires domestiques se dérangèrent, et il
s'est retiré dans une petite ville de province, d'où il fait
tous les ans un voyage à Paris. Il y apporte des liqueurs
qu'il distille, et dont on est très content. Voilà, Madame,
des circonstances assez peu philosophiques, mais par
cette raison même plus propres à vous faire juger que
le personnage dont je vous entretiens n'est point imaginaire.

Nous arrivâmes chez notre Aveugle sur les cinq heures
du soir, et nous le trouvâmes occupé à faire lire son fils
avec des caractères en relief : il n'y avait pas plus d'une
heure qu'il était levé; car vous saurez que la journée
commence pour lui quand elle finit pour nous. Sa cou-

---

* Petite ville du Gâtinais.

tume est de vaquer à ses affaires domestiques et de
travailler, pendant que les autres reposent. A minuit,
rien ne le gêne, et il n'est incommode à personne. Son
premier soin est de mettre en place tout ce qu'on a
déplacé pendant le jour; et quand sa femme s'éveille,
elle trouve ordinairement la maison rangée. La difficulté
qu'ont les aveugles à recouvrer les choses égarées, les
rend amis de l'ordre; et je me suis aperçu que ceux
qui les approchaient familièrement, partageaient cette
qualité, soit par un effet du bon exemple qu'ils donnent,
soit par un sentiment d'humanité qu'on a pour eux.
Que les aveugles seraient malheureux sans les petites
attentions de ceux qui les environnent! nous-mêmes,
que nous serions à plaindre sans elles; Les grands services sont comme de grosses pièces d'or ou d'argent
qu'on a rarement occasion d'employer; mais les petites
attentions sont une monnaie courante qu'on a toujours
à la main.

Notre Aveugle juge fort bien des symétries. La symétrie qui est peut-être une affaire de pure convention
entre nous, est certainement telle à beaucoup d'égards,
entre un Aveugle et ceux qui voient. A force d'étudier
par le tact la disposition que nous exigeons entre les
parties qui composent un tout, pour l'appeler beau,
un Aveugle parvient à faire une juste application de ce
terme. Mais quand il dit *cela est beau,* il ne juge pas, il
rapporte seulement le jugement de ceux qui voient : et
que font autre chose les trois quarts de ceux qui décident
d'une pièce de théâtre, après l'avoir entendue, ou d'un
livre après l'avoir lu? La beauté pour un Aveugle n'est

qu'un mot, quand elle est séparée de l'utilité; et avec un organe de moins, combien de choses dont l'utilité lui échappe! Les aveugles ne sont-ils pas bien à plaindre, de n'estimer beau que ce qui est bon? Combien de choses admirables perdues pour eux! le seul bien qui les dédommage de cette perte, c'est d'avoir des idées du beau, à la vérité moins étendues, mais plus nettes que les philosophes clairvoyants qui en ont traité fort au long.

Le nôtre parle de miroir à tout moment. Vous croyez bien qu'il ne sait ce que veut dire le mot miroir; cependant il ne mettra jamais une glace à contre-jour. Il s'exprime aussi sensément que nous, sur les qualités et les défauts de l'organe qui lui manque : s'il n'attache aucune idée aux termes qu'il emploie, il a du moins sur la plupart des autres hommes l'avantage de ne les prononcer jamais mal à propos. Il discourt si bien et si juste de tant de choses qui lui sont absolument inconnues, que son commerce ôterait beaucoup de force à cette induction que nous faisons tous sans savoir pourquoi, de ce qui se passe en nous, à ce qui se passe au-dedans des autres.

Je lui demandai ce qu'il entendait par un miroir : « Une machine, me répondit-il, qui met les choses en relief, loin d'elles-mêmes, si elles se trouvent placées convenablement par rapport à elle. C'est comme ma main qu'il ne faut pas que je pose à côté d'un objet pour le sentir. » Descartes, aveugle-né, aurait dû, ce me semble, s'applaudir d'une pareille définition. En effet, considérez, je vous prie, la finesse avec laquelle il a fallu

combiner certaines idées pour y parvenir. Notre Aveugle
n'a de connaissance des objets que par le toucher. Il sait
sur le rapport des autres hommes, que par le moyen
de la vue on connaît les objets, comme ils lui sont connus par le toucher; du moins, c'est la seule notion qu'il
s'en puisse former. Il sait de plus, qu'on ne peut voir
son propre visage quoiqu'on puisse le toucher. La vue,
doit-il conclure, est donc une espèce de toucher, qui ne
s'étend que sur les objets différents de notre visage et
éloignés de nous : d'ailleurs le toucher ne lui donne
l'idée que du relief. Donc, ajoute-t-il, un miroir est une
machine qui nous met en relief hors de nous-mêmes.
Combien de philosophes renommés ont employé moins
de subtilité pour arriver à des notions aussi fausses?
mais combien un miroir doit-il être surprenant pour
notre Aveugle? Combien son étonnement dut-il augmenter, quand nous lui apprîmes qu'il y a de ces sortes
de machines qui agrandissent les objets; qu'il y en a
d'autres qui, sans les doubler, les déplacent, les rappro-
chent, les éloignent, les font apercevoir, en dévoilent
les plus petites parties aux yeux des naturalistes; qu'il
y en a qui les multiplient par milliers; qu'il y en a enfin
qui paraissent les défigurer totalement Il nous fit cent
questions bizarres sur ces phénomènes. Il nous demanda, par exemple, s'il n'y avait que ceux qu'on appelle
naturalistes qui vissent avec le microscope, si les astro-
nomes étaient les seuls qui vissent avec le télescope; si
la machine qui grossit les objets était plus grosse que
celle qui les rapetisse; si celle qui les rapproche était
plus courte que celle qui les éloigne; et ne comprenant

point comment cet autre nous-même que, selon lui, le miroir répète en relief, échappe au sens du toucher. « Voilà, disait-il, deux sens qu'une petite machine met en contradiction : une machine plus parfaite les mettrait peut-être d'accord, sans que pour cela les objets en fussent plus réels; peut-être une troisième plus parfaite encore et moins perfide les ferait disparaître, et nous avertirait de l'erreur. »

Et qu'est-ce à votre avis que des yeux, lui dit Monsieur de.... « C'est, lui répondit l'aveugle, un organe sur lequel l'air fait l'effet de mon bâton sur ma main. » Cette réponse nous fit tomber des nues; et tandis que nous nous entre-regardions avec admiration : « Cela est si vrai, continua-t-il, que quand je place ma main entre vos yeux et un objet, ma main vous est présente, mais l'objet vous est absent. La même chose m'arrive quand je cherche une chose avec mon bâton, et que j'en rencontre une autre. »

Madame, ouvrez la *Dioptrique* de Descartes, et vous y verrez les phénomènes de la vue rapportés à ceux du toucher, et des planches d'optique pleines de figures d'hommes occupés à voir avec des bâtons. Descartes et tous ceux qui sont venus depuis, n'ont pu nous donner d'idées plus nettes de la vision; et ce grand philosophe n'a point eu à cet égard plus d'avantage sur notre aveugle, que le peuple qui a des yeux.

Aucun de nous ne s'avisa de l'interroger sur la peinture et sur l'écriture; mais il est évident qu'il n'y a point de questions auxquelles sa comparaison n'eût pu satisfaire; et je ne doute nullement qu'il ne nous eût

dit, que tenter de lire ou de voir, sans avoir des yeux, c'était chercher une épingle avec un gros bâton. Nous lui parlâmes seulement de ces sortes de perspectives qui donnent du relief aux objets, et qui ont avec nos miroirs tant d'analogie et tant de différence à la fois; et nous nous aperçûmes qu'elles nuisaient autant qu'elles concouraient à l'idée qu'il s'est formée d'une glace, et qu'il était tenté de croire que, la glace peignant les objets, le peintre, pour les représenter, peignait peut-être une glace.

Nous lui vîmes enfiler des aiguilles fort menues. Pourrait-on, Madame, vous prier de suspendre ici votre lecture, et de chercher comment vous vous y prendriez à sa place. En cas que vous ne rencontriez aucun expédient, je vais vous dire celui de notre aveugle. Il dispose l'ouverture de l'aiguille transversalement entre ses lèvres, et dans la même direction que celle de sa bouche, puis à l'aide de sa langue et de la succion il attire le fil qui suit son haleine, à moins qu'il ne soit beaucoup trop gros pour l'ouverture; mais dans ce cas; celui qui voit n'est guère moins embarrassé que celui qui est privé de la vue.

Il a la mémoire des sons à un degré surprenant; et les visages ne nous offrent pas une diversité plus grande que celle qu'il observe dans les voix. Elles ont pour lui une infinité de nuances délicates qui nous échappent parce que nous n'avons pas à les observer, le même intérêt que l'aveugle. Il en est pour nous de ces nuances comme de notre propre visage. De tous les hommes que nous avons vus, celui que nous nous rappellerions le

moins, c'est nous-mêmes. Nous n'étudions les visages
que pour reconnaître les personnes; et si nous ne rete-
nons pas la nôtre, c'est que nous ne serons jamais exposés à nous prendre pour un autre, ni un autre pour
nous. D'ailleurs les secours que nos sens se prêtent mu-
tuellement, les empêchent de se perfectionner. Cette
occasion ne sera pas la seule que j'aurai d'en faire la
remarque.

Notre aveugle nous dit, à ce sujet, qu'il se trouverait
fort à plaindre d'être privé des mêmes avantages que
nous, et qu'il aurait été tenté de nous regarder comme
des intelligences supérieures, s'il n'avait éprouvé cent
fois combien nous lui cédions à d'autres égards. Cette
réflexion nous en fit faire une autre. Cet aveugle, dîmes-
nous, s'estime autant et plus peut-être que nous qui
voyons; pourquoi donc si l'animal raisonne, comme on
n'en peut guère douter, balançant ses avantages sur
l'homme, qui lui sont mieux connus que ceux de
l'homme sur lui, ne porterait-il pas un semblable jugement? Il a des bras, dit peut-être le moucheron; mais
j'ai des ailes. S'il a des armes, dit le lion, n'avons-nous
pas des ongles? L'éléphant nous verra comme des
insectes; et tous les animaux, nous accordant volontiers
une raison avec laquelle nous aurions grand besoin de
leur instinct, se prétendront doués d'un instinct avec
lequel ils se passent fort bien de notre raison. Nous
avons un si violent penchant à surfaire nos qualités et
à diminuer nos défauts, qu'il semblerait presque, que
c'est à l'homme à faire le traité de la force, et à l'animal
celui de la raison.

Quelqu'un de nous s'avisa de demander à notre aveugle, s'il serait bien content d'avoir des yeux : « Si la curiosité ne me dominait pas, dit-il, j'aimerais bien autant avoir de longs bras : il me semble que mes mains m'instruiraient mieux de ce qui se passe dans la lune que vos yeux où vos télescopes; et puis les yeux cessent plutôt de voir, que les mains de toucher. Il vaudrait donc bien autant qu'on perfectionnât en moi l'organe que j'ai, que de m'accorder celui qui me manque. »

Notre aveugle adresse au bruit ou à la voix si sûrement, que je ne doute pas qu'un tel exercice ne rendît les aveugles très adroits et très dangereux. Je vais vous en raconter un trait qui vous persuadera combien on aurait tort d'attendre un coup de pierre ou de s'exposer à un coup de pistolet de sa main, pour peu qu'il eût l'habitude de se servir de cette arme. Il eut dans sa jeunesse une querelle avec un de ses frères qui s'en trouva fort mal. Impatienté des propos désagréables qu'il en essuyait, il saisit le premier objet qui lui tomba sous la main, le lui lança, l'atteignit au milieu du front, et l'étendit par terre.

Cette aventure, et quelques autres le firent appeler à la Police. Les signes extérieurs de la puissance qui nous affectent si vivement, n'en imposent point aux aveugles. Le nôtre comparut devant le magistrat comme devant son semblable. Les menaces ne l'intimidèrent point. « Que me ferez-vous ? dit-il à M. Hérault. — Je vous jetterai dans un cul-de-basse-fosse, lui répondit le magistrat. — Eh ! Monsieur, lui répliqua l'aveugle, il y a vingt-

cinq ans que j'y suis. » Quelle réponse, madame! et quel
texte pour un homme qui aime autant à moraliser que
moi. Nous sortons de la vie, comme d'un spectacle
enchanteur; l'aveugle en sort ainsi que d'un cachot :
si nous avons à vivre plus de plaisir que lui, convenez
qu'il a bien moins de regret à mourir.

L'aveugle du Puiseaux estime la proximité du feu,
aux degrés de chaleur; la plénitude des vaisseaux, au
bruit que font en tombant les liqueurs qu'il transvase;
et le voisinage des corps, à l'action de l'air sur son
visage. Il est si sensible aux moindres vicissitudes qui
arrivent dans l'atmosphère, qu'il peut distinguer une
rue d'un cul-de-sac. Il apprécie à merveille les poids
des corps et les capacités des vaisseaux; et il s'est fait de
ses bras des balances si justes, et de ses doigts des
compas si expérimentés, que dans les occasions où cette
espèce de statique a lieu, je gagerais toujours pour notre
aveugle, contre vingt personnes qui voient. Le poli des
corps n'a guère moins de nuances pour lui, que le son
de la voix; et il n'y aurait pas à craindre qu'il prît sa
femme pour une autre, à moins qu'il ne gagnât au
change. Il y a cependant bien de l'apparence que les
femmes seraient communes chez un peuple d'aveugles,
ou que leurs lois contre l'adultère seraient bien rigoureuses. Il serait si facile aux femmes de tromper leurs
maris, en convenant d'un signe avec leurs amants.

Il juge de la beauté par le toucher, cela se comprend;
mais ce qui n'est pas si facile à saisir, c'est qu'il fait
entrer dans ce jugement la prononciation et le son de
la voix. C'est aux anatomistes à nous apprendre, s'il y a

quelque rapport entre les parties de la bouche et du palais, et la forme extérieure du visage. Il fait de petits ouvrages au tour et à l'aiguille; il nivelle à l'équerre; il monte et démonte les machines ordinaires; il sait assez de musique pour exécuter un morceau dont on lui dit les notes et leurs valeurs. Il estime avec beaucoup plus de précision que nous, la durée du temps, par la succession des actions et des pensées. La beauté de la peau, l'embonpoint, la fermeté des chairs, les avantages de la conformation, la douceur de l'haleine, les charmes de la voix, ceux de la prononciation sont des qualités dont il fait grand cas dans les autres.

Il s'est marié pour avoir des yeux qui lui appartinssent; auparavant il avait eu dessein de s'associer un sourd qui lui prêterait des yeux, et à qui il apporterait en échange des oreilles. Rien ne m'a tant étonné que son aptitude singulière à un grand nombre de choses; et lorsque nous lui en témoignâmes notre surprise : « Je m'aperçois bien, Messieurs, nous dit-il, que vous n'êtes pas aveugles; vous êtes surpris de ce que je fais, et pourquoi ne vous étonnez-vous pas aussi de ce que je parle? » Il y a, je crois, plus de philosophie dans cette réponse qu'il ne prétendait y en mettre lui-même. C'est une chose assez surprenante que la facilité avec laquelle on apprend à parler. Nous ne parvenons à attacher une idée à quantité de termes qui ne peuvent être représentés par des objets sensibles, et qui, pour ainsi dire, n'ont point de corps, que par une suite de combinaisons fines et profondes des analogies que nous remarquons entre ces objets non sensibles, et les idées qu'ils excitent; et il faut avouer conséquemment qu'un aveugle-né doit apprendre à parler plus difficilement qu'un autre, puisque le nombre des objets non sensibles étant beaucoup plus grand pour lui, il a bien moins de champ que nous pour comparer et pour combiner. Comment veut-on, par exemple, que le mot physionomie se fixe dans sa mémoire. C'est une espèce d'agrément qui consiste en des objets si peu sensibles pour un aveugle, que faute de l'être assez pour nous-mêmes qui voyons, nous serions fort embarrassés de dire bien précisément ce que c'est que d'avoir de la physionomie. Si c'est principalement dans les yeux qu'elle réside, le toucher n'y peut rien; et puis qu'est-ce, pour un aveugle, que des yeux morts, des yeux vifs, des yeux d'esprit, etc.?

Je conclus de là que nous tirons sans doute du concours de nos sens et de nos organes de grands services. Mais ce serait tout autre chose encore, si nous les exercions séparément, et si nous n'en employions jamais deux dans les occasions où le secours d'un seul nous suffirait. Ajouter le toucher à la vue, quand on a assez de ses yeux, c'est à deux chevaux qui sont déjà fort vifs, en atteler un troisième en arbalète, qui tire d'un côté, tandis que les autres tirent de l'autre.

Comme je n'ai jamais douté que l'état de nos organes et de nos sens n'ait beaucoup d'influence sur notre métaphysique et sur notre morale, et que nos idées les plus purement intellectuelles, si je puis parler ainsi, ne tiennent de fort près à la conformation de notre corps, je me mis à questionner notre aveugle sur les vices et sur les vertus. Je m'aperçus d'abord qu'il avait une aversion prodigieuse pour le vol : elle naissait en lui de deux causes; de la facilité qu'on avait de le voler, sans qu'il s'en aperçût; et plus encore peut-être, de celle qu'on avait de l'apercevoir, quand il volait. Ce n'est pas qu'il ne sache très bien se mettre en garde contre le sens qu'il nous connaît de plus qu'à lui, et qu'il ignore la manière de bien cacher un vol. Il ne fait pas grand cas de la pudeur : sans les injures de l'air dont les vêtements le garantissent, il n'en comprendrait guère l'usage, et il avoue franchement qu'il ne devine pas pourquoi l'on couvre plutôt une partie du corps qu'une autre; et moins encore par quelle bizarrerie on donne entre ces parties la préférence à certaines que leur usage et les indispositions auxquelles elles sont sujettes demande-raient que l'on tînt libres. Quoique nous soyons dans un siècle où l'esprit philosophique nous a débarrassés d'un grand nombre de préjugés, je ne crois pas que nous en venions jamais jusqu'à méconnaître les pré-rogatives de la pudeur aussi parfaitement que mon aveugle. Diogène n'aurait point été pour lui un phi-losophe.

Comme de toutes les démonstrations extérieures qui réveillent en nous la commisération et les idées de la douleur, les aveugles ne sont affectés que par la plainte; je les soupçonne en général d'inhumanité. Quelle diffé-rence y a-t-il pour un aveugle entre un homme qui urine et un homme qui sans se plaindre verse son sang? Nous-mêmes, ne cessons-nous pas de compatir, lorsque la distance ou la petitesse des objets produit le même

effet sur nous, que la privation de la vue sur les
aveugles? Tant nos vertus dépendent de notre manière
de sentir, et du degré auquel les choses extérieures nous
affectent! Aussi je ne doute point que, sans la crainte du
châtiment, bien des gens n'eussent moins de peine à
tuer un homme à une distance où ils ne le verraient
gros que comme une hirondelle, qu'à égorger un bœuf
de leurs mains. Si nous avons de la compassion pour un
cheval qui souffre, et si nous écrasons une fourmi
sans aucun scrupule, n'est-ce pas le même principe
qui nous détermine? Ah! Madame, que la morale
des aveugles est différente de la nôtre! Que celle
d'un sourd différerait encore de celle d'un aveugle;
et qu'un être qui aurait un sens de plus que nous,
trouverait notre morale imparfaite, pour ne rien dire
de pis!

Notre métaphysique ne s'accorde pas mieux avec la
leur. Combien de principes pour eux qui ne sont que
des absurdités pour nous, et réciproquement? Je pourrais entrer là dessus dans un détail qui vous amuserait
sans doute, mais que de certaines gens qui voient du
crime à tout, ne manqueraient pas d'accuser d'irréligion;
comme s'il dépendait de moi de faire apercevoir aux
aveugles les choses autrement qu'ils ne les aperçoivent.
Je me contenterai d'observer une chose dont je crois
qu'il faut que tout le monde convienne; c'est que ce
grand raisonnement qu'on tire des merveilles de la
nature, est bien faible pour des aveugles. La facilité que
nous avons de créer, pour ainsi dire, de nouveaux objets,
par le moyen d'une petite glace, est quelque chose de

plus incompréhensible pour eux, que des astres qu'ils ont été condamnés à ne voir jamais. Ce globe lumineux qui s'avance d'orient en occident, les étonne moins qu'un petit feu qu'ils ont la commodité d'augmenter ou de diminuer : comme ils voient la matière d'une manière beaucoup plus abstraite que nous, ils sont moins éloignés de croire qu'elle pense.

Si un homme qui n'a vu que pendant un jour ou deux, se trouvait confondu chez un peuple d'aveugles, il faudrait qu'il prît le parti de se taire, ou celui de passer pour un fou. Il leur annoncerait tous les jours quelque nouveau mystère qui n'en serait un que pour eux, et que les esprits forts se sauraient bon gré de ne pas croire. Les Défenseurs de la Religion ne pourraient-ils pas tirer un grand parti d'une incrédulité si opiniâtre, si juste même à certains égards, et cependant si peu fondée? Si vous vous prêtez pour un instant à cette supposition, elle vous rappellera sous des traits empruntés l'histoire et les persécutions de ceux qui ont eu le malheur de rencontrer la vérité dans les siècles de ténèbres, et l'imprudence de la déceler à leurs aveugles contemporains, entre lesquels ils n'ont point eu d'ennemis plus cruels que ceux qui par leur état et leur éducation semblaient devoir être les moins éloignés de leurs sentiments.

Je laisse donc la morale et la métaphysique des aveugles, et je passe à des choses qui sont moins importantes, mais qui tiennent de plus près au but des observations qu'on fait ici de toutes parts, depuis l'arrivée du Prussien. Première question. Comment un aveugle-né se forme-t-il des idées des figures? Je crois que les mouvements de son corps, l'existence successive de sa main en plusieurs lieux, la sensation non interrompue d'un corps qui passe entre ses doigts, lui donnent la notion de direction. S'il les glisse le long d'un fil bien tendu, il prend l'idée d'une ligne droite; s'il suit la courbure d'un fil lâche, il prend celle d'une ligne courbe. Plus généralement, il a par des expériences réitérées du toucher, la mémoire de sensations éprouvées en différents points : il est maître de combiner ces sensations ou points, et d'en former des figures. Une ligne droite pour un aveugle qui n'est point Géomètre, n'est autre chose que la mémoire d'une suite de sensations du toucher, placées dans la direction d'un fil tendu; une ligne courbe, la mémoire d'une suite de sensations du toucher, rapportées à la surface de quelque corps solide, concave ou convexe. L'étude rectifie dans le Géomètre la notion de ces lignes, par les propriétés qu'il leur découvre. Mais, Géomètre ou non, l'aveugle-né rapporte tout à l'extrémité de ses doigts. Nous combinons des points colorés; il ne combine lui que des points palpables, ou, pour parler plus exactement, que des sensations du toucher dont il a mémoire. Il ne se passe rien dans sa tête d'analogue à ce qui se passe dans la nôtre : il n'imagine point; car pour imaginer il faut colorer un fond, et détacher de ce fond des points, en leur supposant une couleur différente de celle du fond. Restituez à ces points la même couleur qu'au fond; à l'instant ils se confondent avec lui, et la figure disparaît : du moins, c'est ainsi que les choses s'exécutent dans mon imagination, et je présume que les autres n'imaginent pas autrement que moi. Lors donc que je me propose d'apercevoir dans ma tête une ligne droite, autrement que par ses propriétés, je commence par la tapisser en dedans d'une toile blanche dont je détache une suite de points noirs placés dans la même direction. Plus les couleurs du fond et des points sont tranchantes, plus j'aperçois les points distinctement; et une figure d'une couleur fort voisine de celle du fond, ne me fatigue pas moins à considérer dans mon imagination, que hors de moi et sur une toile.

Vous voyez donc, Madame, qu'on pourrait donner des lois pour imaginer facilement à la fois plusieurs objets diversement colorés, mais que ces lois ne seraient certainement pas à l'usage d'un aveugle-né. L'aveugle-né, ne pouvant colorer, ni par conséquent figurer comme nous l'entendons, n'a mémoire que de sensations prises par le toucher, qu'il rapporte à différents points, lieux ou distances, et dont il compose des figures. Il est si constant que l'on ne figure point dans l'imagination, sans colorer, que, si l'on nous donne à toucher dans les ténèbres de petits globules dont nous ne connaissons ni la matière ni la couleur, nous les supposerons aussitôt blancs ou noirs, ou de quelque autre couleur; ou que, si nous ne leur en attachons aucune, nous n'aurons, ainsi que l'aveugle-né, que la mémoire de petites sensations excitées à l'extrémité des doigts, et telles que de petits corps ronds peuvent les occasionner. Si cette mémoire est très fugitive en nous, si nous n'avons guère

d'idées de la manière dont un aveugle-né fixe, rappelle
et combine les sensations du toucher, c'est une suite de
l'habitude que nous avons prise par les yeux, de tout
exécuter dans notre imagination avec des couleurs. Il
m'est cependant arrivé à moi-même, dans les agitations
d'une passion violente, d'éprouver un frissonnement
dans toute une main; de sentir l'impression des corps
que j'avais touchés il y avait longtemps, s'y réveiller
aussi vivement que s'ils eussent encore été présents à
mon attouchement, et de m'apercevoir très distinctement que les limites de la sensation coïncidaient précisément avec celles de ces corps absents. Quoique la
sensation soit indivisible par elle-même, elle occupe,
si on peut se servir de ce terme, un espace étendu,
auquel l'aveugle-né a la faculté d'ajouter ou de retrancher par la pensée, en grossissant ou diminuant la
partie affectée. Il compose par ce moyen des points,
des surfaces, des solides : il aura même un solide gros
comme le globe terrestre, s'il se suppose le bout du
doigt gros comme le globe et occupé par la sensation
en longueur, largeur et profondeur.

Je ne connais rien qui démontre mieux la réalité du
sens interne que cette faculté faible en nous, mais forte
dans les aveugles-nés, de sentir ou de se rappeler la sensation des corps, lors même qu'ils sont absents et qu'ils
n'agissent plus sur eux. Nous ne pouvons faire entendre
à un aveugle-né, comment l'imagination nous peint
les objets absents, comme s'ils étaient présents; mais
nous pouvons très bien reconnaître en nous la faculté
de sentir à l'extrémité d'un doigt, un corps qui n'y

est plus, telle qu'elle est dans l'aveugle-né. Pour cet
effet serrez l'index contre le pouce; fermez les yeux;
séparez vos doigts; examinez immédiatement après
cette séparation ce qui se passe en vous, et dites-moi
si la sensation ne dure pas longtemps après que la
compression a cessé; si pendant que la compression
dure, votre âme vous paraît plus dans votre tête qu'à
l'extrémité de vos doigts; et si cette compression ne
vous donne pas la notion d'une surface, par l'espace
qu'occupe la sensation. Nous ne distinguons la présence des êtres hors de nous, de leur représentation
dans notre imagination, que par la force et la faiblesse
de l'impression : pareillement, l'aveugle-né ne discerne
la sensation d'avec la présence réelle d'un objet à l'extrémité de son doigt, que par la force ou la faiblesse de la
sensation même.

Si jamais un philosophe aveugle et sourd de naissance
fait un homme à l'imitation de celui de Descartes, j'ose
vous assurer, Madame, qu'il placera l'âme au bout des
doigts; car c'est de là que lui viennent ses principales
sensations et toutes ses connaissances. Et qui l'avertirait
que sa tête est le siège de ses pensées? Si les travaux
de l'imagination épuisent la nôtre, c'est que l'effort que
nous faisons pour imaginer, est assez semblable à celui
que nous faisons pour apercevoir des objets très
proches ou très petits. Mais il n'en sera pas de même
de l'Aveugle et Sourd de naissance : les sensations qu'il
aura prises par le toucher, seront, pour ainsi dire, le
moule de toutes ses idées; et je ne serais pas surpris
qu'après une profonde méditation il eût les doigts aussi

fatigués que nous avons la tête. Je ne craindrais point qu'un philosophe lui objectât que les nerfs sont les causes de nos sensations, et qu'ils partent tous du cerveau : quand ces deux propositions seraient aussi démontrées qu'elles le sont peu, surtout la première, il lui suffirait de se faire expliquer tout ce que les physiciens ont rêvé là-dessus, pour persister dans son sentiment.

Mais si l'imagination d'un aveugle n'est autre chose que la faculté de se rappeler et de combiner des sensations de points palpables, et celle d'un homme qui voit, la faculté de se rappeler et de combiner des points visibles ou colorés, il s'ensuit que l'aveugle-né aperçoit les choses d'une manière beaucoup plus abstraite que nous, et que dans les questions de pure spéculation, il est peut-être moins sujet à se tromper. Car l'abstraction ne consiste qu'à séparer par la pensée les qualités sensibles des corps, ou les unes des autres, ou du corps même qui leur sert de base; et l'erreur naît de cette séparation mal faite, ou faite mal à propos; mal faite dans les questions métaphysiques, et faite mal à propos dans les questions physico-mathématiques. Un moyen presque sûr de se tromper en métaphysique, c'est de ne pas simplifier assez les objets dont on s'occupe; et un secret infaillible pour arriver en physico-mathématique à des résultats défectueux, c'est de les supposer moins composés qu'ils ne le sont.

Il y a une espèce d'abstraction dont si peu d'hommes sont capables, qu'elle semble réservée aux intelligences

pures; c'est celle par laquelle tout se réduirait à des
unités numériques. Il faut convenir que les résultats
de cette géométrie seraient bien exacts, et ses formules
bien générales; car il n'y a point d'objets, soit dans
la nature, soit dans le possible, que ces unités simples
ne pussent représenter, des points, des lignes, des surfaces, des solides, des pensées, des idées, des sensations, et... si par hasard c'était là le fondement de la
doctrine de Pythagore, on pourrait dire de lui qu'il
échoua dans son projet, parce que cette manière de
philosopher est trop au-dessus de nous, et trop appro-
chante de celle de l'Être suprême, qui, selon l'expression ingénieuse d'un Géomètre anglais, *géométrise* perpétuellement dans l'Univers.

L'unité pure et simple est un symbole trop vague et
trop général pour nous. Nos sens nous ramènent à des
signes plus analogues à l'étendue de notre esprit et à la
conformation de nos organes : nous avons même fait
en sorte que ces signes pussent être communs entre
nous, et qu'ils servissent, pour ainsi dire, d'entrepôt
au commerce mutuel de nos idées. Nous en avons institué pour les yeux, ce sont les caractères; pour l'oreille,
ce sont les sons articulés; mais nous n'en avons aucun
pour le toucher, quoiqu'il y ait une manière propre de
parler à ce sens, et d'en obtenir des réponses. Faute
de cette langue, la communication est entièrement rom-
pue entre nous et ceux qui naissent sourds, aveugles et
muets. Ils croissent, mais ils restent dans un état d'imbécillité. Peut-être acquerraient-ils des idées, si l'on se
faisait entendre à eux dès l'enfance, d'une manière fixe,

déterminée, constante et uniforme; en un mot, si on leur
traçait sur la main les mêmes caractères que nous tra-
çons sur le papier, et que la même signification leur
demeurât invariablement attachée.

Ce langage, Madame, ne vous paraît-il pas aussi commode qu'un autre? n'est-il pas même tout inventé? et
oseriez-vous nous assurer qu'on ne vous a jamais rien
fait entendre de cette manière? Il ne s'agit donc que de
le fixer, et d'en faire une Grammaire et des Diction-
naires, si l'on trouve que l'expression par les caractères ordinaires de l'écriture soit trop lente pour ce
sens.

Les connaissances ont trois portes pour entrer dans
notre âme; et nous en tenons une barricadée par le
défaut de signes. Si l'on eût négligé les deux autres, nous
en serions réduits à la condition des animaux : de même
que nous n'avons que le serré pour nous faire entendre
au sens du toucher, nous n'aurions que le cri pour
parler à l'oreille. Madame, il faut manquer d'un sens
pour connaître les avantages de symboles destinés à ceux
qui restent; et des gens qui auraient le malheur d'être
sourds, aveugles et muets, ou qui viendraient à perdre
ces trois sens par quelque accident, seraient bien char-
més qu'il y eût une langue nette et précise pour le
toucher.

Il est bien plus court d'user de symboles tout inventés,
que d'en être inventeur, comme on y est forcé, lorsqu'on
est pris au dépourvu. Quel avantage n'eût-ce pas été
pour Saunderson de trouver une arithmétique palpable toute préparée à l'âge de cinq ans, au lieu d'avoir

à l'imaginer à l'âge de vingt-cinq? Ce Saunderson, Madame, est un autre aveugle dont il ne sera pas hors de propos de vous entretenir. On en raconte des prodiges; et il n'y en a aucun que ses progrès dans les Belles-Lettres, et son habileté dans les Sciences mathématiques ne puissent rendre croyable.

La même machine lui servait pour les calculs algébriques, et pour la description des figures rectilignes. Vous ne seriez pas fâchée qu'on vous en fît l'explication, pourvu que vous fussiez en état de l'entendre; et vous allez voir qu'elle ne suppose aucune connaissance que vous n'ayez, et qu'elle vous serait très utile, s'il vous prenait jamais envie de faire de longs calculs à tâtons.

Imaginez un carré tel que vous le voyez planche 2, divisé en quatre parties égales, par des lignes perpendiculaires aux côtés, en sorte qu'il vous offrît les neuf points 1, 2, 3, 4, 5, 6, 7, 8, 9. Supposez ce carré percé de neuf trous capables de recevoir des épingles de deux espèces, toutes de même longueur et de même grosseur, mais les unes à tête un peu plus grosse que les autres.

Les épingles à grosse tête ne se plaçaient jamais qu'au centre du carré; celles à petite tête, jamais que sur les côtés, excepté dans un seul cas, celui du zéro. Le zéro se marquait par une épingle à grosse tête, placée au centre du petit carré, sans qu'il y eût aucune autre épingle sur les côtés. Le chiffre 1 était représenté par une épingle à petite tête, placée au centre du carré, sans qu'il y eût aucune autre épingle sur les côtés. Le chiffre 2

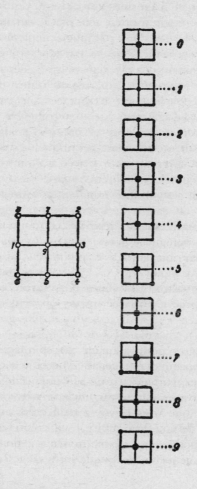

par une épingle à grosse tête placée au centre du carré,
et par une épingle à petite tête placée sur un des côtés
au point 1. Le chiffre 3 par une épingle à grosse tête
placée au centre du carré, et par une épingle à petite
tête placée sur un des côtés au point 2. Le chiffre 4 par
une épingle à grosse tête placée au centre du carré, et
par une épingle à petite tête placée sur un des côtés,
au point 3. Le chiffre 5 par une épingle à grosse tête
placée au centre du carré, et par une épingle à petite
tête placée sur un des côtés, au point 4. Le chiffre 6 par
une épingle à grosse tête placée au centre du carré,
et par une épingle à petite tête placée sur un des côtés,
au point 5. Le chiffre 7 par une épingle à grosse
tête placée au centre du carré, et par une épingle à
petite tête placée sur un des côtés, au point 6. Le chiffre
8 par une épingle à grosse tête placée au centre du
carré, et par une épingle à petite tête placée sur un
des côtés, au point 7. Le chiffre 9 par une épingle à
grosse tête placée au centre du carré, et par une
épingle à petite tête placée sur un des côtés du carré, au
point 8.

Voilà bien dix expressions différentes pour le tact,
dont chacune répond à un de nos dix caractères arithmétiques. Imaginez maintenant une table si grande que
vous voudrez, partagée en petits carrés, rangés horizon-
talement, et séparés les uns des autres de la même distance, ainsi que vous le voyez planche 3, et vous aurez
la machine de Saunderson.

Vous concevez facilement qu'il n'y a point de nombres qu'on ne puisse écrire sur cette table, et par consé-

quent aucune opération arithmétique qu'on n'y puisse exécuter.

Soit proposé, par exemple, de trouver la somme, ou de faire l'addition des neuf nombres suivants.

1	2	3	4	5
2	3	4	5	6
3	4	5	6	7
4	5	6	7	8
5	6	7	8	9
6	7	8	9	0
7	8	9	0	1
8	9	0	1	2
9	0	1	2	3

Je les écris sur la table à mesure qu'on me les nomme, le premier chiffre à gauche du premier nombre, sur le premier carré à gauche de la première ligne; le second chiffre à gauche du premier nombre, sur le second carré à gauche de la même ligne; et ainsi de suite.

Je place le second nombre sur la seconde rangée de carrés, les unités sous les unités, les dizaines sous les dizaines, etc.

Je place le troisième nombre sur la troisième rangée de carrés, et ainsi de suite, comme vous voyez planche 3. Puis parcourant avec les doigts chaque rangée verticale de bas en haut, en commençant par celle qui est le plus à ma gauche, je fais l'addition des nombres qui y sont exprimés, et j'écris le surplus des dizaines au bas de cette colonne. Je passe à la seconde colonne en avançant vers la gauche, sur laquelle j'opère de la même manière; de celle-là à la troisième, et j'achève ainsi de suite mon addition.

Voici comment la même table lui servait à démontrer les propriétés des figures rectilignes. Supposons qu'il eût à démontrer que les parallélogrammes qui ont même base et même hauteur sont égaux en surface. Il plaçait ses épingles, comme vous les voyez planche 4. Il attachait des noms aux points angulaires, et il achevait la démonstration avec ses doigts.

En supposant que Saunderson n'employât que des épingles à grosse tête, pour désigner les limites de ses figures, il pouvait disposer autour d'elles des épingles à petite tête de neuf façons différentes, qui toutes lui étaient familières. Ainsi il n'était guère embarrassé que dans les cas où le grand nombre de points angulaires qu'il était obligé de nommer dans sa démonstration, le forçait de recourir aux lettres de l'alphabet. On ne nous apprend point comment il les employait.

Nous savons seulement qu'il parcourait sa table avec une agilité de doigts surprenante, qu'il s'engageait avec succès dans les calculs les plus longs, qu'il pouvait les interrompre et reconnaître quand il se trompait, qu'il les vérifiait avec facilité, et que ce travail ne lui demandait pas, à beaucoup près, autant de temps qu'on pourrait se l'imaginer, par la commodité qu'il avait de préparer sa table.

Cette préparation consistait à placer des épingles à grosse tête au centre de tous les carrés; cela fait, il ne lui restait plus qu'à en déterminer la valeur par les épingles à petite tête excepté dans les cas où il fallait

écrire une unité; alors il mettait au centre du carré une épingle à petite tête, à la place de l'épingle à grosse tête qui l'occupait.

Quelquefois au lieu de former une ligne entière avec ses épingles, il se contentait d'en placer à tous les points angulaires et d'intersection, autour desquels il fixait des fils de soie qui achevaient de former les limites de ses figures. *Voyez* la planche 5.

Il a laissé quelques autres machines qui lui facilitaient l'étude de la géométrie; on ignore le véritable usage qu'il en faisait; et il y aurait peut-être plus de sagacité à le retrouver, qu'à résoudre un problème de calcul intégral. Que quelque géomètre tâche de nous apprendre à quoi lui servaient quatre morceaux de bois solides, de la forme de parallélépipèdes rectangulaires, chacun de onze pouces de long sur cinq et demi de large, et sur un peu plus d'un demi pouce d'épais, dont les deux grandes surfaces opposées étaient divisées en petits carrés, semblables à celui de l'abaque que je viens de décrire; avec cette différence qu'ils n'étaient percés qu'en quelques endroits où des épingles étaient enfoncées jusqu'à la tête. Chaque surface représentait neuf petites tables arithmétiques, de dix nombres chacune, et chacun de ces dix nombres était composé de dix chiffres. La planche 6 représente une de ces petites tables; et voici les nombres qu'elle contenait :

$$9 \quad 4 \quad 0 \quad 8 \quad 4$$
$$2 \quad 4 \quad 1 \quad 8 \quad 6$$
$$4 \quad 1 \quad 7 \quad 9 \quad 2$$

5	4	2	8	4
6	3	9	6	8
7	1	8	8	0
7	8	5	6	8
8	4	3	5	8
8	9	4	6	4
9	4	0	3	0

Il est auteur d'un ouvrage très parfait dans son genre : ce sont des éléments d'algèbre, où l'on n'aperçoit qu'il était aveugle qu'à la singularité de certaines démonstrations qu'un homme qui voit n'eût peut-être pas rencontrées ; c'est à lui qu'appartient la division du cube en six pyramides égales, qui ont leurs sommets au centre du cube, et pour bases chacune une de ses faces. On s'en sert pour démontrer d'une manière très simple que toute pyramide est le tiers d'un prisme de même base et de même hauteur.

Il fut entraîné par son goût à l'étude des mathématiques, et déterminé par la médiocrité de sa fortune et les conseils de ses amis, à en faire des leçons publiques. Ils ne doutèrent point qu'il ne réussît au-delà de ses espérances, par la facilité prodigieuse qu'il avait à se faire entendre. En effet, Saunderson parlait à ses élèves comme s'ils eussent été privés de la vue ; mais un aveugle qui s'exprime clairement pour des aveugles, doit gagner beaucoup avec des gens qui voient ; ils ont un télescope de plus.

Ceux qui ont écrit sa vie disent qu'il était fécond en expressions heureuses, et cela est fort vraisemblable.

Mais qu'entendez-vous par des expressions heureuses, me demanderez-vous peut-être? Je vous répondrai, Madame, que ce sont celles qui sont propres à un sens, au toucher par exemple, et qui sont métaphoriques en même temps à un autre sens, comme aux yeux; d'où il résulte une double lumière pour celui à qui l'on parle; la lumière vraie et directe de l'expression, et la lumière réfléchie de la métaphore. Il est évident que dans ces occasions Saunderson, avec tout l'esprit qu'il avait, ne s'entendait qu'à moitié; puisqu'il n'apercevait que la moitié des idées attachées aux termes qu'il employait. Mais qui est-ce qui n'est pas de temps en temps dans le même cas? Cet accident est commun aux idiots qui font quelquefois d'excellentes plaisanteries, et aux personnes qui ont le plus d'esprit, à qui il échappe une sottise, sans que ni les uns ni les autres s'en aperçoivent.

J'ai remarqué que la disette de mots produisait aussi le même effet sur les étrangers à qui la langue n'est pas encore familière; ils sont forcés de tout dire avec une très petite quantité de termes, ce qui les contraint d'en placer quelques-uns très heureusement. Mais toute langue en général étant pauvre de mots propres pour les écrivains qui ont l'imagination vive, ils sont dans le même cas que les étrangers qui ont beaucoup d'esprit; les situations qu'ils inventent, les nuances délicates qu'ils aperçoivent dans les caractères, la naïveté des peintures qu'ils ont à faire, les écartent à tout moment des façons de parler ordinaires, et leur font adopter des tours de phrases qui sont admirables toutes les fois qu'ils ne sont ni précieux ni obscurs, défauts qu'on leur pardonne plus ou moins difficilement, selon qu'on a plus d'esprit soi-même et moins de connaissance de la langue. Voilà pourquoi M. de M... est de tous les auteurs français celui qui plaît le plus aux Anglais, et Tacite celui de tous les auteurs latins que les *Penseurs* estiment davantage. Les licences de langage nous échappent, et la vérité des termes nous frappe seule.

Saunderson professa les mathématiques dans l'Université de Cambridge avec un succès étonnant. Il donna des leçons d'optique, il prononça des discours sur la nature de la lumière et des couleurs, il expliqua la théorie de la vision, il traita des effets des verres, des phénomènes de l'arc-en-ciel, et de plusieurs autres matières relatives à la vue et à son organe.

Ces choses perdront beaucoup de leur merveilleux, si vous considérez, Madame, qu'il y a trois choses à distinguer dans toute question mêlée de physique et de géométrie; le phénomène à expliquer, les suppositions du Géomètre, et le calcul qui résulte des suppositions. Or il est évident que, quelle que soit la pénétration d'un aveugle, les phénomènes de la lumière et des couleurs lui sont inconnus. Il entendra les suppositions, parce qu'elles sont toutes relatives à des causes palpables, mais nullement la raison que le Géomètre avait de les préférer à d'autres; car il faudrait qu'il pût comparer les suppositions mêmes avec les phénomènes. L'aveugle prend donc les suppositions pour ce qu'on les lui donne; un rayon de lumière, pour un fil élastique et mince, ou pour une fuite de petits corps qui viennent frapper nos

yeux avec une vitesse incroyable; et il calcule en conséquence. Le passage de la physique à la géométrie est
franchi, et la question devient purement mathématique.

Mais que devons-nous penser des résultats du calcul?
1° Qu'il est quelquefois de la dernière difficulté de les
obtenir; et qu'en vain un Physicien serait très heureux
à imaginer les hypothèses les plus conformes à la
nature, s'il ne savait les faire valoir par la géométrie :
aussi les plus grands Physiciens, Galilée, Descartes,
Newton, ont-ils été grands Géomètres. 2° Que ces
résultats sont plus ou moins certains, selon que les
hypothèses dont on est parti sont plus ou moins compliquées. Lorsque le calcul est fondé sur une hypothèse
simple, alors les conclusions acquièrent la force de
démonstrations géométriques. Lorsqu'il y a un grand
nombre de suppositions, l'apparence que chaque hypothèse soit vraie diminue en raison du nombre des
hypothèses, mais augmente d'un autre côté par le
peu de vraisemblance que tant d'hypothèses fausses se
puissent corriger exactement l'une l'autre, et qu'on
en obtienne un résultat confirmé par les phénomènes.
Il en serait en ce cas comme d'une addition dont le
résultat serait exact, quoique les sommes partielles des
nombres ajoutés eussent toutes été prises faussement.
On ne peut disconvenir qu'une telle opération ne soit
possible, mais vous voyez en même temps qu'elle doit
être fort rare. Plus il y aura de nombres à ajouter, plus
il y aura d'apparence que l'on se sera trompé dans
l'addition de chacun; mais aussi moins cette apparence

sera grande, si le résultat de l'opération est juste. Il y a donc un nombre d'hypothèses tel, que la certitude qui en résulterait serait la plus petite qu'il est possible. Si je fais A, plus B, plus C, égaux à 50, conclurai-je de ce que 50 est en effet la quantité du phénomène, que les suppositions représentées par les lettres A, B, C, sont vraies? Nullement; car il y a une infinité de manières d'ôter à l'une de ces lettres et d'ajouter aux deux autres, d'après lesquelles je trouverai toujours 50 pour résultat; mais le cas de trois hypothèses combinées est peut-être un des plus défavorables.

Un avantage du calcul que je ne dois pas omettre, c'est d'exclure les hypothèses fausses, par la contrariété qui se trouve entre le résultat et le phénomène. Si un Physicien se propose de trouver la courbe que fuit un rayon de lumière en traversant l'atmosphère, il est obligé de prendre son parti sur la densité des couches de l'air, sur la loi de la réfraction, sur la nature et la figure des corpuscules lumineux, et peut-être sur d'autres éléments essentiels qu'il ne fait point entrer en compte, soit parce qu'il les néglige volontairement, soit parce qu'ils lui sont inconnus; il détermine ensuite la courbe du rayon. Est-elle autre dans la nature que son calcul ne la donne? Ses suppositions sont incomplètes ou fausses : le rayon prend-il la courbe déterminée? il s'ensuit de deux choses l'une, ou que les suppositions se sont redressées, ou qu'elles sont exactes; mais lequel des deux? il l'ignore : cependant voilà toute la certitude à laquelle il peut arriver.

J'ai parcouru les éléments d'algèbre de Saunderson, dans l'espérance d'y rencontrer ce que je désirais d'apprendre de ceux qui l'ont vu familièrement, et qui nous ont instruits de quelques particularités de sa vie; mais ma curiosité a été trompée, et j'ai conçu que des éléments de géométrie de sa façon auraient été un ouvrage plus singulier en lui-même, et beaucoup plus utile pour nous. Nous y aurions trouvé les définitions du point, de la ligne, de la surface, du solide, de l'angle, des intersections des lignes et des plans, où je ne doute point qu'il n'eût employé des principes d'une métaphysique très abstraite et fort voisine de celle des Idéalistes. On appelle Idéalistes ces Philosophes qui, n'ayant conscience que de leur existence et des sensations qui se succèdent au-dedans d'eux-mêmes, n'admettent pas autre chose : système extravagant, qui ne pouvait, ce me semble, devoir sa naissance qu'à des aveugles; système qui, à la honte de l'esprit humain et de la Philosophie, est le plus difficile à combattre, quoique le plus absurde de tous. Il est exposé avec autant de franchise que de clarté dans trois *Dialogues* du docteur Berkeley, évêque de Cloyne; il faudrait inviter l'auteur de l'Essai sur nos connaissances à examiner cet ouvrage : il y trouverait matière à des observations utiles, agréables, fines, et telles en un mot qu'il les sait faire. L'idéalisme mérite bien de lui être dénoncé; et cette hypothèse a de quoi le piquer moins encore par sa singularité, que par la difficulté de la réfuter dans ses principes; car ce sont précisément les mêmes que ceux de Berkeley. Selon l'un et l'autre, et selon la raison, les termes, essence, matière, substance, suppôt, etc. ne portent guère par eux-mêmes de lumière dans notre esprit; d'ailleurs, remarque judicieusement l'Auteur de l'Essai sur l'origine des connaissances humaines, soit que nous nous élevions jusqu'aux cieux, soit que nous descendions jusques dans les abîmes, nous ne sortons jamais de nous-mêmes, et ce n'est que notre propre pensée que nous apercevons : or, c'est là le résultat du premier Dialogue de Berkeley, et le fondement de tout son système. Ne seriez-vous pas curieuse de voir aux prises deux ennemis dont les armes se ressemblent si fort? Si la victoire restait à l'un des deux, ce ne pourrait être qu'à celui qui s'en servirait le mieux : mais l'Auteur de l'Essai sur l'origine des connaissances humaines vient de donner dans un Traité sur les systèmes de nouvelles preuves de l'adresse avec laquelle il sait manier les siennes, et montrer combien il est redoutable pour les systématiques.

Nous voilà bien loin de nos aveugles, direz-vous; mais il faut que vous ayez la bonté, Madame, de me passer toutes ces digressions : je vous ai promis un entretien, et je ne puis vous tenir parole sans cette indulgence.

J'ai lu avec toute l'attention dont je suis capable ce que Saunderson a dit de l'Infini : je puis vous assurer qu'il avait sur ce sujet des idées très justes et très nettes, et que la plupart de nos Infinitaires n'auraient été pour lui que des aveugles. Il ne tiendra qu'à vous d'en juger par vous-même : quoique cette matière soit assez difficile, et s'étende un peu au-delà de vos connaissances mathématiques, je ne désespérerais pas, en me préparant, de la mettre à votre portée, et de vous initier dans cette logique infinitésimale.

L'exemple de cet illustre aveugle prouve que le tact peut devenir plus délicat que la vue, lorsqu'il est perfectionné par l'exercice; car en parcourant des mains une suite de médailles, il discernait les vraies d'avec les fausses, quoique celles-ci fussent assez bien contrefaites pour tromper un connaisseur qui aurait eu de bons yeux; et il jugeait de l'exactitude d'un instrument de mathématique, en faisant passer l'extrémité de ses doigts sur ses divisions. Voilà certainement des choses plus difficiles à faire que d'estimer par le tact la ressemblance d'un buste, avec la personne représentée. D'où l'on voit qu'un peuple d'aveugles pourrait avoir des Statuaires, et tirer des statues le même avantage que nous, celui de perpétuer la mémoire des belles actions, et des personnes qui leur seraient chères. Je ne doute pas même que le sentiment qu'ils éprouveraient à toucher les statues ne fût beaucoup plus vif que celui que nous avons à les voir. Quelle douceur pour un amant qui aurait bien tendrement aimé, de promener ses mains sur des charmes qu'il reconnaîtrait, lorsque l'illusion qui doit agir plus fortement dans les aveugles qu'en ceux qui voient, viendrait à les ranimer! mais peut-être aussi que plus il aurait de plaisir dans ce souvenir, moins il aurait de regrets.

Saunderson avait de commun avec l'aveugle du Puiseaux, d'être affecté de la moindre vicissitude qui survenait dans l'atmosphère, et de s'apercevoir, surtout dans les temps calmes, de la présence des objets dont il n'était

éloigné que de quelques pas. On raconte qu'un jour
qu'il assistait à des observations astronomiques qui se
faisaient dans un Jardin, les nuages qui dérobaient de
temps en temps aux observateurs le disque du Soleil
occasionnaient une altération assez sensible dans l'action
des rayons sur son visage, pour lui marquer les moments
favorables ou contraires aux observations. Vous croirez
peut-être qu'il se faisait dans ses yeux quelque ébran-
lement capable de l'avertir de la présence de la lumière,
mais non de celle des objets; et je l'aurais cru comme
vous s'il n'était certain que Saunderson était privé non
seulement de la vue, mais de l'organe.

Saunderson voyait donc par la peau; cette enveloppe
était donc en lui d'une sensibilité si exquise, qu'on peut
assurer qu'avec un peu d'habitude, il serait parvenu à
reconnaître un de ses amis, dont un Dessinateur lui
aurait tracé le portrait sur la main, et qu'il aurait prononcé sur la succession des sensations excitées par le
crayon : c'est Monsieur un tel. Il y a donc aussi une
peinture pour les aveugles : celle à qui leur propre peau
servirait de toile. Ces idées sont si peu chimériques, que
je ne doute point que si quelqu'un vous traçait sur la
main la petite bouche de M... vous ne la reconnussiez
sur-le-champ : convenez cependant, que cela serait plus
facile encore à un aveugle-né qu'à vous, malgré l'habitude que vous avez de la voir et de la trouver charmante. Car il entre dans votre jugement deux ou trois
choses, la comparaison de la peinture qui s'en ferait sur
votre main, avec celle qui s'en est faite dans le fond de
votre œil; la mémoire de la manière dont on est affecté

des choses que l'on sent, et de celle dont on est affecté par les choses qu'on s'est contenté de voir et d'admirer; enfin l'application de ces données, à la question qui vous est proposée par un Dessinateur qui vous demande sur la peau de votre main, avec la pointe de son crayon, à qui appartient la bouche que je dessine? au lieu que la somme des sensations excitées par une bouche sur la main d'un aveugle, est la même que la somme des sensations successives, réveillées par le crayon du Dessinateur qui la lui représente.

Je pourrais ajouter à l'histoire de l'aveugle du Puiseaux et de Saunderson, celle de Didyme d'Alexandrie, d'Eusèbe l'Asiatique, de Nicaise de Mechlin, et de quelques autres qui ont paru si fort élevés au-dessus du reste des hommes, avec un sens de moins; que les Poètes auraient pu feindre sans exagération, que les Dieux jaloux les en privèrent, de peur d'avoir des égaux parmi les mortels. Car qu'était-ce que ce Tirésie qui avait lu dans les secrets des Dieux et qui possédait le don de prédire l'avenir, qu'un philosophe aveugle dont la Fable nous a conservé la mémoire? Mais ne nous éloignons plus de Saunderson, et suivons cet homme extraordinaire jusqu'au tombeau.

Lorsqu'il fut sur le point de mourir, on appela auprès de lui un ministre fort habile, M. Gervaise Holmes : ils eurent ensemble un entretien sur l'existence de Dieu, dont il nous reste quelques fragments que je vous traduirai de mon mieux, car ils en valent bien la peine. Le ministre commença par lui objecter les merveilles de la nature : « Eh! Monsieur, lui disait le philosophe aveugle, laissez là tout ce beau spectacle qui n'a jamais été fait pour moi. J'ai été condamné à passer ma vie dans les ténèbres, et vous me citez des prodiges que je n'entends point, et qui ne prouvent que pour vous et que pour ceux qui voient comme vous. Si vous voulez que je croie en Dieu, il faut que vous me le fassiez toucher.

— Monsieur, reprit habilement le ministre, portez les mains sur vous-même, et vous rencontrerez la Divinité dans le mécanisme admirable de vos organes.

— Monsieur Holmes, reprit Saunderson, je vous le répète; tout cela n'est pas aussi beau pour moi que pour vous. Mais le mécanisme animal fût-il aussi parfait que vous le prétendez, et que je veux bien le croire, car vous êtes un honnête homme, très incapable de m'en imposer, qu'a-t-il de commun avec un être souverainement intelligent? s'il vous étonne, c'est peut-être parce que vous êtes dans l'habitude de traiter de prodige tout ce qui vous paraît au-dessus de vos forces. J'ai été si souvent un objet d'admiration pour vous, que j'ai bien mauvaise opinion de ce qui vous surprend. J'ai attiré du fond de l'Angleterre des gens qui ne pouvaient concevoir comment je faisais de la géométrie : il faut que vous conveniez que ces gens-là n'avaient pas des notions bien exactes de la possibilité des choses. Un phénomène est-il, à notre avis, au-dessus de l'homme? nous disons aussitôt, c'est l'ouvrage d'un Dieu; notre vanité ne se contente pas à moins : ne pourrions-nous pas mettre dans nos discours un peu moins d'orgueil et un peu plus de philosophie? Si la nature nous offre un nœud difficile à

délier, laissons-le pour ce qu'il est, et n'employons pas
à le couper la main d'un Être qui devient ensuite pour
nous un nouveau nœud plus indissoluble que le premier.
Demandez à un Indien, pourquoi le monde reste suspendu dans les airs, il vous répondra qu'il est porté sur
le dos d'un éléphant; et l'éléphant sur quoi l'appuiera-
t-il? sur une tortue; et la tortue qui la soutiendra?...
Cet Indien vous fait pitié; et l'on pourrait vous dire
comme à lui : « Monsieur Holmes mon ami, confessez
« d'abord votre ignorance, et faites-moi grâce de l'élé-
« phant et de la tortue. »

   Saunderson s'arrêta un moment : il attendait apparemment que le ministre lui répondît; mais par où
attaquer un aveugle? M. Holmes se prévalut de la bonne
opinion que Saunderson avait conçue de sa probité et
des lumières de Newton, de Leibnitz, de Clarke et de
quelques-uns de ses compatriotes, les premiers génies du
monde, qui tous avaient été frappés des merveilles de la
nature, et reconnaissaient un être intelligent pour son
auteur. C'était sans contredit ce que le ministre pouvait
objecter de plus fort à Saunderson. Aussi le bon aveugle
convint-il qu'il y aurait de la témérité à nier ce qu'un
homme, tel que Newton, n'avait pas dédaigné d'admettre : il représenta toutefois au Ministre, que le témoignage de Newton n'était pas aussi fort pour lui, que
celui de la nature entière pour Newton; et que Newton
croyait sur la parole de Dieu, au lieu que lui, il en était
réduit à croire sur la parole de Newton.

   « Considérez, monsieur Holmes, ajouta-t-il, combien
il faut que j'aie de confiance en votre parole et dans

celle de Newton. Je ne vois rien; cependant j'admets en tout un ordre admirable; mais je compte que vous n'en exigerez pas davantage. Je vous le cède sur l'état actuel de l'univers, pour obtenir de vous en revanche la liberté de penser ce qu'il me plaira, de son ancien et premier état sur lequel vous n'êtes pas moins aveugle que moi. Vous n'avez point ici de témoins à m'opposer, et vos yeux ne vous sont d'aucune ressource. Imaginez donc si vous voulez, que l'ordre qui vous frappe a toujours subsisté; mais laissez-moi croire qu'il n'en est rien; et que, si nous remontions à la naissance des choses et des temps, et que nous sentissions la matière se mouvoir et le chaos se débrouiller, nous rencontrerions une multitude d'êtres informes, pour quelques êtres bien organisés. Si je n'ai rien à vous objecter sur la condition présente des choses, je puis du moins vous interroger sur leur condition passée. Je puis vous demander, par exemple, qui vous a dit à vous, à Leibnitz, à Clarke et à Newton, que dans les premiers instants de la formation des animaux, les uns n'étaient pas sans tête et les autres sans pieds? Je puis vous soutenir que ceux-ci n'avaient point d'estomac, et ceux-là point d'intestins, que tels à qui un estomac, un palais et des dents semblaient promettre de la durée, ont cessé par quelque vice du cœur ou des poumons; que les monstres se sont anéantis successivement; que toutes les combinaisons vicieuses de la matière ont disparu, et qu'il n'est resté que celles où le mécanisme n'impliquait aucune contradiction importante et qui pouvaient subsister par elles-mêmes et se perpétuer.

« Cela supposé, si le premier homme eût eu le larynx fermé, eût manqué d'aliments convenables, eût péché par les parties de la génération, n'eût point rencontré sa compagne, ou se fût répandu dans une autre espèce, monsieur Holmes, que devenait le genre humain? il eût été enveloppé dans la dépuration générale de l'univers, et cet être orgueilleux qui s'appelle homme, dissous et dispersé entre les molécules de la matière, serait resté, peut-être pour toujours, au nombre des possibles.

« S'il n'y avait jamais eu d'êtres informes, vous ne manqueriez pas de prétendre qu'il n'y en aura jamais, et que je me jette dans des hypothèses chimériques; mais l'ordre n'est pas si parfait, continua Saunderson, qu'il ne paraisse encore de temps en temps des productions monstrueuses. » Puis se tournant en face du Ministre, il ajouta : « Voyez moi bien, monsieur Holmes, je n'ai point d'yeux. Qu'avions-nous fait à Dieu, vous et moi, l'un pour avoir cet organe, l'autre pour en être privé? »

Saunderson avait l'air si vrai et si pénétré en prononçant ces mots, que le Ministre et le reste de l'assemblée ne purent s'empêcher de partager sa douleur, et se mirent à pleurer amèrement sur lui. L'aveugle s'en aperçut : « Monsieur Holmes, dit-il au Ministre, la bonté de votre cœur m'était bien connue, et je suis très sensible à la preuve que vous m'en donnez dans ces derniers moments; mais, si je vous suis cher, ne m'enviez pas en mourant la consolation de n'avoir jamais affligé personne. »

Puis reprenant un ton plus ferme, il ajouta : « Je conjecture donc que, dans le commencement où la matière en fermentation faisait éclore l'univers, mes semblables étaient fort communs. Mais pourquoi n'assurerais-je pas des mondes ce que je crois des animaux ? combien de mondes estropiés, manqués, se sont dissipés, se reforment et se dissipent peut-être à chaque instant, dans des espaces éloignés, où je ne touche point et où vous ne voyez pas ; mais où le mouvement continue et continuera de combiner des amas de matière, jusqu'à ce qu'ils aient obtenu quelque arrangement dans lequel ils puissent persévérer. Ô Philosophes, transportez-vous donc avec moi, sur les confins de cet univers, au-delà du point où je touche et où vous voyez des êtres organisés ; promenez-vous sur ce nouvel océan, et cherchez à travers ses agitations irrégulières quelques vestiges de cet être intelligent dont vous admirez ici la sagesse !

« Mais à quoi bon vous tirer de votre élément ? Qu'est-ce que ce monde, monsieur Holmes ? un composé sujet à des révolutions qui toutes indiquent une tendance continuelle à la destruction ; une succession rapide d'êtres qui s'entresuivent, se poussent et disparaissent ; une symétrie passagère ; un ordre momentané. Je vous reprochais tout à l'heure d'estimer la perfection des choses par votre capacité, et je pourrais vous accuser ici d'en mesurer la durée sur celle de vos jours. Vous jugez de l'existence successive du monde, comme la mouche éphémère de la vôtre. Le monde est éternel pour vous, comme vous êtes éternel pour l'être qui ne vit qu'un instant. Encore l'insecte est-il plus raisonnable que vous. Quelle suite prodigieuse de générations d'éphémères atteste votre éternité! quelle tradition immense! cependant nous passerons tous, sans qu'on puisse assigner ni l'étendue réelle que nous occupions, ni le temps précis que nous aurons duré. Le temps, la matière et l'espace ne sont peut-être qu'un point. »

Saunderson s'agita dans cet entretien un peu plus que son état ne le permettait; il lui survint un accès de délire qui dura quelques heures, et dont il ne sortit que pour s'écrier : « *Ô Dieu de Clarke et de Newton, prends pitié de moi* »; et mourir.

Ainsi finit Saunderson. Vous voyez, Madame, que tous les raisonnements qu'il venait d'objecter au Ministre, n'étaient pas même capables de rassurer un aveugle. Quelle honte pour des gens qui n'ont pas de meilleures raisons que lui, qui voient, et à qui le spectacle étonnant de la nature annonce depuis le lever du soleil jusqu'au coucher des moindres étoiles, l'existence et la gloire de son Auteur. Ils ont des yeux dont Saunderson était privé; mais Saunderson avait une pureté de mœurs et une ingénuité de caractère qui leur manquent. Aussi ils vivent en aveugles, et Saunderson meurt comme s'il eût vu. La voix de la nature se fait entendre suffisamment à lui, à travers les organes qui lui restent, et son témoignage n'en sera que plus fort contre ceux qui se ferment opiniâtrement les oreilles et les yeux. Je demanderais volontiers, si le vrai Dieu n'était pas encore mieux voilé pour Socrate par les ténèbres du Paganisme, que pour Saunderson par la privation de la vue et du spectacle de la nature.

Je suis bien fâché, madame, que pour votre satisfaction et la mienne, on ne nous ait pas transmis de cet illustre aveugle d'autres particularités intéressantes. Il y avait peut-être plus de lumières à tirer de ses réponses, que de toutes les expériences qu'on se propose. Il fallait que ceux qui vivaient avec lui fussent bien peu philosophes! J'en excepte cependant son disciple, M. William Inchlif qui ne vit Saunderson que dans ses derniers moments, et qui nous a recueilli ses dernières paroles que je conseillerais à tous ceux qui entendent un peu l'anglais, de lire en original dans un ouvrage imprimé à Dublin, en 1747, et qui a pour titre : *The Life and character of Dr. Nicholas Saunderson late lucasian Professor of the Mathematicks in the University of Cambridge. By his Disciple and friend William Inchlif, Esq.* Ils y remarqueront un agrément, une force, une vérité, une douceur qu'on ne rencontre dans aucun autre écrit, et que je ne me flatte pas de vous avoir rendus, malgré tous les efforts que j'ai faits pour les conserver dans ma traduction.

Il épousa en 1713 la fille de M. Dickons, recteur de Boxworth, dans la contrée de Cambridge; il en eut un fils et une fille qui vivent encore. Les derniers adieux qu'il fit à sa famille sont fort touchants. « Je vais, leur dit-il, où nous irons tous : épargnez-moi des plaintes qui m'attendrissent. Les témoignages de douleur que vous me donnez, me rendent plus sensible à ceux qui m'échappent. Je renonce sans peine à une vie qui n'a été pour moi qu'un long désir, et qu'une privation continuelle. Vivez aussi vertueux et plus heureux; et apprenez à mourir aussi tranquilles. » Il prit ensuite la main de sa femme, qu'il tint un moment serrée entre les siennes : il se tourna le visage de son côté, comme s'il eût cherché à la voir : il bénit ses enfants, les embrassa tous, et les pria de se retirer, parce qu'ils portaient à son âme des atteintes plus cruelles que les approches de la mort.

L'Angleterre est le pays des Philosophes, des Curieux, des Systématiques; cependant sans M. Inchlif, nous ne saurions de Saunderson que ce que les hommes les plus ordinaires nous en auraient appris; par exemple, qu'il reconnaissait les lieux où il avait été introduit une fois, au bruit des murs et du pavé, lorsqu'ils en faisaient, et cent autres choses de la même nature qui lui étaient communes avec presque tous les aveugles. Quoi donc, rencontre-t-on si fréquemment en Angleterre des aveugles du mérite de Saunderson, et y trouve-t-on tous les jours des gens qui n'aient jamais vu, et qui fassent des leçons d'optique?

On cherche à restituer la vue à des aveugles-nés; mais si l'on y regardait de plus près, on trouverait, je crois, qu'il y a bien autant à profiter pour la Philosophie, en questionnant un aveugle de bon sens. On en apprendrait comment les choses se passent en lui; on les comparerait avec la manière dont elles se passent en nous; et l'on tirerait peut-être de cette comparaison, la solution des difficultés qui rendent la théorie de la vision et des sens si embarrassée et si incertaine : mais je ne conçois pas, je l'avoue, ce que l'on espère d'un homme à qui l'on vient de faire une opération douloureuse, sur un organe très délicat, que le plus léger accident dérange, et qui trompe souvent ceux en qui il est sain et qui jouissent depuis longtemps de ses avantages. Pour moi, j'écouterais avec plus de satisfaction sur la théorie des sens un Métaphysicien à qui les principes de la Physique, les éléments des Mathématiques, et la conformation des parties seraient familiers, qu'un homme sans éducation et sans connaissances, à qui l'on a restitué la vue par l'opération de la cataracte. J'aurais moins de confiance dans les réponses d'une personne qui voit pour la première fois, que dans les découvertes d'un Philosophe qui aurait bien médité son sujet dans l'obscurité; ou, pour parler le langage des Poètes, qui se serait crevé les yeux pour connaître plus aisément comment se fait la vision.

Si l'on voulait donner quelque certitude à des expériences, il faudrait du moins que le sujet fût préparé de longue main, qu'on l'élevât, et peut-être qu'on le rendît philosophe; mais ce n'est pas l'ouvrage d'un moment, que de faire un philosophe, même quand on l'est; que sera-ce quand on ne l'est pas? c'est bien pis, quand on croit l'être. Il serait très à propos de ne commencer les observations que longtemps après l'opération. Pour cet effet, il faudrait traiter le malade dans l'obscurité, et s'assurer bien que sa blessure est guérie, et que ses yeux sont sains. Je ne voudrais pas qu'on l'exposât d'abord au grand jour : l'éclat d'une lumière vive nous empêche de voir; que ne produira-t-il point sur un organe qui doit être de la dernière sensibilité, n'ayant encore éprouvé aucune impression qui l'ait émoussé?

Mais ce n'est pas tout : ce serait encore un point fort délicat, que de tirer parti d'un sujet ainsi préparé, et que de l'interroger avec assez de finesse, pour qu'il ne dît précisément que ce qui se passe en lui. Il faudrait que cet interrogatoire se fît en pleine Académie; ou plutôt, afin de n'avoir point de spectateurs superflus, n'inviter à cette assemblée que ceux qui le mériteraient par leurs connaissances philosophiques, anatomiques, etc. Les plus habiles gens et les meilleurs esprits ne seraient pas trop bons pour cela. Préparer et interroger un aveugle-né, n'eût point été une occupation indigne des talents réunis de Newton, Descartes, Locke et Leibnitz.

Je finirai cette Lettre, qui n'est déjà que trop longue, par une question qu'on a proposée il y a longtemps. Quelques réflexions sur l'état singulier de Saunderson m'ont fait voir qu'elle n'avait jamais été entièrement résolue. On suppose un aveugle de naissance qui soit devenu homme fait, et à qui on ait appris à distinguer, par l'attouchement, un cube et un globe de même métal et à peu près de même grandeur, en sorte que, quand il touche l'un et l'autre, il puisse dire quel est le cube et quel est le globe. On suppose que, le cube et le globe étant posés sur une table, cet aveugle vienne à jouir de la vue, et l'on demande si en les voyant sans les toucher, il pourra les discerner et dire quel est le cube et quel est le globe.

Ce fut M. Molineux qui proposa le premier cette question, et qui tenta de la résoudre : il prononça que l'aveugle ne distinguerait point le globe du cube; « car, dit-il, quoiqu'il ait appris par expérience de quelle manière le globe et le cube affectent son attouchement, il ne sait pourtant pas encore que ce qui affecte son attouchement de telle ou de telle manière doit frapper ses yeux de telle ou telle façon, ni que l'angle avancé du cube qui presse sa main d'une manière iné-gale, doive paraître à ses yeux tel qu'il paraît dans le cube ».

Locke, consulté sur cette question, dit : « Je suis tout à fait du sentiment de M. Molineux; je crois que l'aveugle ne serait pas capable à la première vue d'assurer avec quelque confiance quel serait le cube, et quel serait le globe, s'il se contentait de les regarder, quoiqu'en les touchant il pût les nommer et les distinguer sûrement par la différence de leurs figures, que l'attouchement lui ferait reconnaître. »

M. l'abbé de Condillac, dont vous avez lu l'*Essai sur l'origine des connaissances humaines,* avec tant de plaisir et d'utilité, et dont je vous envoie avec cette Lettre l'excel-lent *Traité des Systèmes,* a là-dessus un sentiment parti-culier. Il est inutile de vous rapporter les raisons sur lesquelles il s'appuie; ce serait vous envier le plaisir de relire un ouvrage où elles sont exposées d'une manière si agréable et si philosophique, que de mon côté je risquerais trop à les déplacer. Je me contenterai d'obser-ver qu'elles tendent toutes à démontrer que l'aveugle-né ne voit rien, ou qu'il voit la sphère et le cube différents; et que les conditions que ces deux corps soient de même métal, et à peu près de même grosseur, qu'on a jugé à propos d'insérer dans l'énoncé de la question, y sont superflues, ce qui ne peut être contesté; car, aurait-il pu dire, s'il n'y a aucune liaison essentielle entre la sensation de la vue et celle du toucher, comme MM. Locke et Molineux le prétendent, ils doivent convenir qu'on pourrait voir deux pieds de diamètre à un corps qui disparaîtrait sous la main. M. de Condillac ajoute cependant que si l'aveugle-né voit les corps, en discerne les figures, et qu'il hésite sur le jugement qu'il en doit porter, ce ne peut être que par des raisons métaphysiques assez subtiles, que je vous expliquerai 'tout à l'heure.

Voilà donc deux sentiments différents sur la même question, et entre des philosophes de la première force. Il semblerait qu'après avoir été maniée par des gens tels que MM. Molineux, Locke et l'abbé de Condillac, elle ne doit plus rien laisser à dire; mais il y a tant de faces sous lesquelles la même chose peut être considérée, qu'il ne serait pas étonnant qu'ils ne les eussent pas toutes épuisées.

Ceux qui ont prononcé que l'aveugle-né distinguerait le cube de la sphère, ont commencé par supposer un fait qu'il importerait peut-être d'examiner, savoir si un aveugle-né, à qui l'on abattrait les cataractes, serait en état de se servir de ses yeux dans les premiers moments qui succèdent à l'opération? Ils ont dit seulement : « L'aveugle-né comparant les idées de sphère et de cube, qu'il a reçues par le toucher, avec celles qu'il en prend par la vue, connaîtra nécessairement que ce sont les mêmes; et il y aurait en lui bien de la bizarrerie de prononcer que c'est le cube qui lui donne à la vue l'idée de sphère, et que c'est de la sphère que lui vient l'idée de cube. Il appellera donc sphère et cube à la vue, ce qu'il appelait sphère et cube au toucher? »

Mais quelle a été la réponse et le raisonnement de leurs antagonistes? Ils ont supposé pareillement que l'aveugle-né verrait aussitôt qu'il aurait l'organe sain; ils ont imaginé qu'il en était d'un œil, à qui l'on abaisse la cataracte, comme d'un bras qui cesse d'être paralytique; il ne faut point d'exercice à celui-ci pour sentir, ont-ils dit, ni par conséquent à l'autre pour voir; et ils ont ajouté : « Accordons à l'aveugle-né un peu plus de philosophie que vous ne lui en donnez; et après avoir poussé le raisonnement jusqu'où vous l'avez laissé, il continuera; mais cependant, qui m'a assuré qu'en approchant de ces corps, et en appliquant mes mains sur eux, ils ne tromperont pas subitement mon attente; et que le cube ne me renverra pas la sensation de la sphère, et la sphère celle du cube? Il n'y a que l'expérience qui puisse m'apprendre s'il y a conformité de relation entre la vue et le toucher; ces deux sens pourraient être en contradiction dans leurs rapports sans que j'en susse rien; peut-être même croirais-je que ce qui se présente actuellement à ma vue, n'est qu'une pure apparence, si l'on ne m'avait informé que ce sont là les mêmes corps que j'ai touchés. Celui-ci me semble, à la vérité, devoir être le corps que j'appelais cube; et celui-là, le corps que j'appelais sphère; mais on ne me demande pas ce qu'il m'en semble, mais ce qui en est; et je ne suis nullement en état de satisfaire à cette dernière question ».

Ce raisonnement, dit l'auteur de l'*Essai sur l'origine des connaissances humaines,* serait très embarrassant pour l'aveugle-né; et je ne vois que l'expérience qui puisse y fournir une réponse. Il y a toute apparence que M. l'abbé de Condillac ne veut parler ici que de l'expérience que l'aveugle-né réitérerait lui-même sur les corps par un second attouchement : vous sentirez tout à l'heure pourquoi je fais cette remarque. Au reste, cet habile métaphysicien aurait pu ajouter qu'un aveugle-né devait trouver d'autant moins d'absurdité à supposer que deux sens pussent être en contradiction, qu'il imagine qu'un miroir les y met en effet, comme je l'ai remarqué plus haut.

M. de Condillac observe ensuite que M. Molineux a embarrassé la question de plusieurs conditions qui ne peuvent ni prévenir ni lever les difficultés que la métaphysique formerait à l'aveugle-né. Cette observation est d'autant plus juste, que la métaphysique que l'on suppose à l'aveugle-né n'est point déplacée, puisque dans ces questions philosophiques l'expérience doit toujours être censée se faire sur un philosophe, c'est-à-dire, sur une personne qui saisisse dans les questions qu'on lui propose tout ce que le raisonnement et la condition de ses organes lui permettent d'y apercevoir.

Voilà, Madame, en abrégé ce qu'on a dit pour et contre sur cette question; et vous allez voir par l'examen que j'en ferai, combien ceux qui ont prononcé que l'aveugle-né verrait les figures et discernerait les corps, étaient loin de s'apercevoir qu'ils avaient raison, et combien ceux qui le niaient avaient de raisons de penser qu'ils n'avaient point tort.

La question de l'aveugle-né prise un peu plus généralement que M. Molineux ne l'a proposée, en embrasse deux autres que nous allons considérer séparément. On peut demander 1°, si l'aveugle-né verra aussitôt que l'opération de la cataracte sera faite; 2°, dans le cas qu'il voie, s'il verra suffisamment pour discerner les figures, s'il sera en état de leur appliquer sûrement en les voyant les mêmes noms qu'il leur donnait au toucher, et s'il aura démonstration que ces noms leur conviennent.

L'aveugle-né verra-t-il immédiatement après la guérison de l'organe? Ceux qui prétendent qu'il ne verra point, disent : « Aussitôt que l'aveugle-né jouit de la faculté de se servir de ses yeux, toute la scène qu'il a en perspective vient se peindre dans le fond de son œil. Cette image, composée d'une infinité d'objets rassemblés dans un fort petit espace, n'est qu'un amas confus de figures qu'il ne sera pas en état de distinguer les unes des autres. On est presque d'accord qu'il n'y a que l'expérience qui puisse lui apprendre à juger de la distance des objets, et qu'il est même dans la nécessité de s'en approcher, de les toucher, de s'en éloigner, de s'en rapprocher et de les toucher encore, pour s'assurer qu'ils ne font point partie de lui-même, qu'ils sont étrangers à son être, et qu'il en est tantôt voisin et tantôt éloigné : pourquoi l'expérience ne lui serait-elle pas encore nécessaire pour les apercevoir? Sans l'expérience celui qui aperçoit des objets pour la première fois,

devrait s'imaginer, lorsqu'ils s'éloignent de lui, ou lui
d'eux, au-delà de la portée de sa vue, qu'ils ont cessé
d'exister ; car il n'y a que l'expérience que nous faisons
sur les objets permanents, et que nous retrouvons à la
même place où nous les avons laissés, qui nous constate
leur existence continuée dans l'éloignement. C'est peut-
être par cette raison que les enfants se consolent si promptement des jouets dont on les prive : on ne peut pas
dire qu'ils les oublient promptement, car si l'on considère qu'il y a des enfants de deux ans et demi qui savent
une partie considérable des mots d'une langue, et qu'il
leur en coûte plus pour les prononcer que pour les
retenir, on sera convaincu que le temps de l'enfance est
celui de la mémoire. Ne serait-il pas plus naturel de
supposer qu'alors les enfants s'imaginent que ce qu'ils
cessent de voir a cessé d'exister, d'autant plus que leur
joie paraît mêlée d'admiration, lorsque les objets qu'ils
ont perdus de vue viennent à reparaître ? Les nourrices
les aident à acquérir la notion de la durée des êtres
absents, en les exerçant à un petit jeu qui consiste à se
couvrir et à se montrer subitement le visage. Ils ont de
cette manière, cent fois en un quart d'heure, l'expérience
que ce qui cesse de paraître ne cesse pas d'exister : d'où
il s'ensuit que c'est à l'expérience que nous devons la
notion de l'existence continuée des objets, que c'est par
le toucher que nous acquérons celle de leur distance ;
qu'il faut peut-être que l'œil apprenne à voir, comme la
langue à parler ; qu'il ne serait pas étonnant que le
secours d'un des sens fût nécessaire à l'autre, et que le
toucher, qui nous assure de l'existence des objets hors de

nous, lorsqu'ils sont présents à nos yeux, est peut-être encore le sens à qui il est réservé de nous constater, je ne dis pas leurs figures et autres modifications, mais même leur présence ».

On ajoute à ces raisonnements les fameuses expériences de Chéselden*. Le jeune homme à qui cet habile chirurgien abaissa les cataractes, ne distingua de longtemps ni grandeurs, ni distances, ni situations, ni même figures. Un objet d'un pouce mis devant son œil et qui lui cachait une maison, lui paraissait aussi grand que la maison. Il avait tous les objets sur les yeux, et ils lui semblaient appliqués à cet organe, comme les objets du tact le sont à la peau. Il ne pouvait distinguer ce qu'il avait jugé rond à l'aide de ses mains, d'avec ce qu'il avait jugé angulaire; ni discerner avec les yeux si ce qu'il avait senti être en haut ou en bas, était en effet en haut ou en bas. Il parvint, mais ce ne fut pas sans peine, à apercevoir que sa maison était plus grande que sa chambre, mais nullement à concevoir comment l'œil pouvait lui donner cette idée. Il lui fallut un grand nombre d'expériences réitérées, pour s'assurer que la peinture représentait des corps solides, et quand il se fut bien convaincu, à force de regarder des tableaux, que ce n'étaient point des surfaces seulement qu'il voyait; il y porta la main, et fut bien étonné de ne rencontrer qu'un plan uni et sans aucune saillie; il demanda alors quel était le trompeur, du sens du toucher ou du sens de la vue. Au reste, la peinture fit le même effet sur les sau-

---

* Voyez *Les Éléments de la philosophie de Newton* par M. de Voltaire.

vages; la première fois qu'ils en virent : ils prirent des figures peintes pour des hommes vivants, les interrogèrent, et furent tout surpris de n'en recevoir aucune réponse; cette erreur ne venait certainement pas en eux du peu d'habitude de voir.

Mais que répondre aux autres difficultés? Qu'en effet l'œil expérimenté d'un homme fait voir mieux les objets, que l'organe imbécile et tout neuf d'un enfant ou d'un aveugle de naissance, à qui l'on vient d'abaisser les cataractes. Voyez, Madame, toutes les preuves qu'en donne M. l'abbé de Condillac, à la fin de son *Essai sur l'origine des connaissances humaines,* où il se propose en objection les expériences faites par Chéselden, et rapportées par M. de Voltaire. Les effets de la lumière sur un œil qui en est affecté pour la première fois, et les conditions requises dans les humeurs de cet organe, la cornée, le cristallin, etc., y sont exposés avec beaucoup de netteté et de force, et ne permettent guère de douter que la vision ne se fasse très imparfaitement dans un enfant qui ouvre les yeux pour la première fois, ou dans un aveugle à qui l'on vient de faire l'opération.

Il faut donc convenir que nous devons apercevoir dans les objets une infinité de choses que l'enfant ni l'aveugle-né n'y aperçoivent point, quoiqu'elles se peignent également au fond de leurs yeux; que ce n'est pas assez que les objets nous frappent, qu'il faut encore que nous soyons attentifs à leurs impressions; que par conséquent on ne voit rien la première fois qu'on se sert de ses yeux; qu'on n'est affecté dans les premiers instants de la vision, que d'une multitude de sensations confuses

qui ne se débrouillent qu'avec le temps, et par la réflexion
habituelle sur ce qui se passe en nous; que c'est l'expérience seule qui nous apprend à comparer les sensations avec ce qui les occasionne; que les sensations
n'ayant rien qui ressemble essentiellement aux objets,
c'est à l'expérience à nous instruire sur des analogies qui
semblent être de pure institution; en un mot, on ne peut
douter que le toucher ne serve beaucoup à donner à
l'œil une connaissance précise de la conformité de
l'objet avec la représentation qu'il en reçoit; et je pense
que si tout ne s'exécutait pas dans la nature par des lois
infiniment générales; si, par exemple, la piqûre de certains corps durs était douloureuse, et celle d'autres
corps, accompagnée de plaisir, nous mourrions sans
avoir recueilli la cent millionnième partie des expériences nécessaires à la conservation de notre corps et à
notre bien-être.

Cependant je ne pense nullement que l'œil ne puisse
s'instruire, ou, s'il est permis de parler ainsi, s'expérimenter de lui-même. Pour s'assurer par le toucher de
l'existence et de la figure des objets, il n'est pas nécessaire de voir; pourquoi faudrait-il toucher pour s'assurer des mêmes choses par la vue? Je connais tous les
avantages du tact, et je ne les ai pas déguisés, quand il a
été question de Saunderson, ou de l'aveugle du Puiseaux;
mais je ne lui ai point reconnu celui-là. On conçoit
sans peine que l'usage d'un des sens peut être perfectionné et accéléré par les observations de l'autre, mais
nullement qu'il y ait entre leurs fonctions une dépen-
dance essentielle. Il y a assurément dans les corps des

qualités que nous n'y apercevrions jamais sans l'attouchement : c'est le tact qui nous instruit de la présence
de certaines modifications insensibles aux yeux qui ne
les aperçoivent que quand ils ont été avertis par ce
sens; mais ces services sont réciproques; et dans ceux
qui ont la vue plus fine que le toucher, c'est le premier
de ces sens qui instruit l'autre de l'existence d'objets
et de modifications qui lui échapperaient par leur petitesse. Si l'on vous plaçait à votre insu, entre le pouce
et l'index, un papier ou quelque autre substance unie,
mince et flexible, il n'y aurait que votre œil qui pût
vous informer que le contact de ces doigts ne se
ferait pas immédiatement. J'observerai en passant
qu'il serait infiniment plus difficile de tromper là-
dessus un aveugle, qu'une personne qui a l'habitude de
voir.

Un œil vivant et animé aurait sans doute de la peine
à s'assurer que les objets extérieurs ne font pas partie
de lui-même, qu'il en est tantôt voisin, tantôt éloigné,
qu'ils sont figurés, qu'ils sont plus grands les uns que
les autres, qu'ils ont de la profondeur, etc., mais je ne
doute nullement qu'il ne les vît à la longue, et qu'il ne
les vît assez distinctement pour en discerner au moins
les limites grossières. Le nier, ce serait perdre de vue
la destination des organes, ce serait oublier les principaux phénomènes de la vision, ce serait se dissimuler
qu'il n'y a point de peintre assez habile pour approcher
de la beauté et de l'exactitude des miniatures qui se
peignent dans le fond de nos yeux, qu'il n'y a rien de
plus précis que la ressemblance de la représentation à

l'objet représenté, que la toile de ce tableau n'est pas si petite, qu'il n'y a nulle confusion entre les figures, qu'elles occupent à peu près un demi-pouce en carré; et que rien n'est plus difficile d'ailleurs que d'expliquer comment le toucher s'y prendrait pour enseigner à l'œil à apercevoir, si l'usage de ce dernier organe était absolument impossible sans le secours du premier.

Mais je ne m'en tiendrai pas à de simples présomptions, et je demanderai si c'est le toucher qui apprend à l'œil à distinguer les couleurs? Je ne pense pas qu'on accorde au tact un privilège aussi extraordinaire : cela supposé, il s'ensuit que si l'on présente à un aveugle à qui l'on vient de restituer la vue, un cube noir, avec une sphère rouge sur un grand fond blanc, il ne tardera pas à discerner les limites de ces figures.

Il tardera, pourrait-on me répondre, tout le temps nécessaire aux humeurs de l'œil pour se disposer convenablement; à la cornée, pour prendre la convexité requise à la vision; à la prunelle, pour être susceptible de la dilatation et du rétrécissement qui lui sont propres; aux filets de la rétine, pour n'être ni trop ni trop peu sensibles à l'action de la lumière; au cristallin, pour s'exercer aux mouvements en avant et en arrière qu'on lui soupçonne; ou aux muscles, pour bien remplir leurs fonctions; aux nerfs optiques, pour s'accoutumer à transmettre la sensation; au globe entier de l'œil, pour se prêter à toutes les dispositions nécessaires, et à toutes les parties qui le composent, pour concourir à l'exécution de cette miniature dont on tire un bon parti, quand il s'agit de démontrer que l'œil s'expérimentera de lui-même.

J'avoue que, quelque simple que soit le tableau que je viens de présenter à l'œil d'un aveugle-né, il n'en distinguera bien les parties que quand l'organe réunira toutes les conditions précédentes; mais c'est peut-être l'ouvrage d'un moment; et il ne serait pas difficile, en appliquant les raisonnements qu'on vient de m'objecter, à une machine un peu composée, à une montre, par exemple, de démontrer par le détail de tous les mouvements qui se passent dans le tambour, la fusée, les palettes, le balancier, etc. qu'il faudrait quinze jours à l'aiguille pour parcourir l'espace d'une seconde. Si on répond que ces mouvements sont simultanés, je répliquerai qu'il en est peut-être de même de ceux qui se passent dans l'œil, quand il s'ouvre pour la première fois, et de la plupart des jugements qui se font en conséquence. Quoi qu'il en soit de ces conditions qu'on exige dans l'œil pour être propre à la vision, il faut convenir que ce n'est point le toucher qui les lui donne, que cet organe les acquiert de lui-même, et que par conséquent il parviendra à distinguer les figures qui s'y peindront, sans le secours d'un autre sens.

Mais encore une fois, dira-t-on, quand en sera-t-il là? Peut-être beaucoup plus promptement qu'on ne pense. Lorsque nous allâmes visiter ensemble le cabinet du Jardin Royal, vous souvenez-vous, Madame, de l'expérience du miroir concave, et de la frayeur que vous eûtes lorsque vous vîtes venir à vous la pointe d'une épée, avec la même vitesse que la pointe de celle que vous aviez à la main s'avançait vers la surface du miroir.

Cependant vous aviez l'habitude de rapporter au delà des miroirs tous les objets qui s'y peignent. L'expérience n'est donc ni si nécessaire, ni même si infaillible qu'on le pense, pour apercevoir les objets ou leurs images où elles sont. Il n'y a pas jusqu'à votre perroquet qui ne m'en fournît une preuve : la première fois qu'il se vit dans une glace, il en approcha son bec; et ne se rencontrant pas lui-même qu'il prenait pour son semblable, il fit le tour de la glace. Je ne veux point donner au témoignage du perroquet plus de force qu'il n'en a; mais c'est une expérience animale où le préjugé ne peut avoir de part.

Cependant m'assurera-t-on qu'un aveugle-né n'a rien distingué pendant deux mois, je n'en serai point étonné; j'en conclurai seulement la nécessité de l'expérience de l'organe, mais nullement la nécessité de l'attouchement pour l'expérimenter. Je n'en comprendrai que mieux combien il importe de laisser séjourner quelque temps un aveugle-né dans l'obscurité, quand on le destine à des observations, de donner à ses yeux la liberté de s'exercer, ce qu'il fera plus commodément dans les ténèbres qu'au grand jour, et de ne lui accorder dans les expériences qu'une espèce de crépuscule, ou de se ménager du moins dans le lieu où elles se feront l'avantage d'augmenter ou de diminuer à discrétion la clarté. On ne me trouvera que plus disposé à convenir que ces sortes d'expériences seront toujours très difficiles et très incertaines, et que le plus court en effet, quoique, en apparence le plus long, c'est de prémunir le sujet de connaissances philosophiques qui le rendent capable de comparer les deux conditions par lesquelles il a passé, et de nous informer de la différence de l'état d'un aveugle et de celui d'un homme qui voit. Encore une fois, que peut-on attendre de précis de celui qui n'a aucune habitude de réfléchir et de revenir sur lui-même, et qui, comme l'aveugle de Chéselden, ignore les avantages de la vue, au point d'être insensible à sa disgrâce, et de ne point imaginer que la perte de ce sens nuise beaucoup à ses plaisirs. Saunderson à qui l'on ne refusera pas le titre de philosophe, n'avait certainement pas la même indifférence, et je doute fort qu'il eût été de l'avis de l'auteur de l'excellent *Traité sur les Systèmes*. Je soupçonnerais volontiers le dernier de ces philosophes d'avoir donné lui-même dans un petit système, lorsqu'il a prétendu, « que si la vie de l'homme n'avait été qu'une sensation non interrompue de plaisir ou de douleur, heureux dans un cas sans aucune idée de malheur, malheureux dans l'autre sans aucune idée de bonheur, il eût joui ou souffert ; et que comme si telle eût été sa nature, il n'eût point regardé autour de lui pour découvrir si quelque être veillait à sa conservation, ou travaillait à lui nuire. Que c'est le passage alternatif de l'un à l'autre de ces états qui l'a fait réfléchir, et... »

Croyez-vous, Madame, qu'en descendant de perceptions claires en perceptions claires (car c'est la manière de philosopher de l'auteur, et la bonne), il fût jamais parvenu à cette conclusion. Il n'en est pas du bonheur et du malheur ainsi que des ténèbres et de la lumière ; l'un ne consiste pas dans une privation pure et simple de l'autre. Peut-être eussions-nous assuré que le bonheur ne nous était pas moins essentiel que l'existence et la pensée, si nous en eussions joui sans aucune altération; mais je n'en peux pas dire autant du malheur. Il eût été très naturel de le regarder comme un état forcé de se sentir innocent, et d'accuser ou d'excuser la nature tout comme on fait.

M. l'abbé de Condillac pense-t-il qu'un enfant ne se plaigne quand il souffre, que parce qu'il n'a pas souffert sans relâche depuis qu'il est au monde? S'il me répond, « qu'exister et souffrir ce serait la même chose pour celui qui aurait toujours souffert, et qu'il n'imaginerait pas qu'on pût suspendre sa douleur, sans détruire son existence », peut-être, lui répliquerai-je, l'homme malheureux sans interruption n'eût pas dit, qu'ai-je fait pour souffrir? mais qui l'eût empêché de dire, qu'ai-je fait pour exister? Cependant je ne vois pas pourquoi il n'eût point eu les deux verbes synonymes, *j'existe et je souffre,* l'un pour la prose et l'autre pour la poésie; comme nous avons les deux expressions, *je vis et je respire.* Au reste, vous remarquerez mieux que moi, Madame, que cet endroit de M. l'abbé de Condillac est très parfaitement écrit; et je crains bien que vous ne disiez, en comparant ma critique avec sa réflexion, que vous aimez mieux encore une erreur de Montaigne, qu'une vérité de Charron.

Et toujours des écarts, me direz-vous! Oui, Madame, c'est la condition de notre traité. Voici maintenant mon opinion sur les deux questions précédentes : Je pense que la première fois que les yeux de l'aveugle-né s'ou-

vriront à la lumière, il n'apercevra rien du tout, qu'il
faudra quelque temps à son œil pour s'expérimenter;
mais qu'il s'expérimentera de lui-même et sans le
secours du toucher, et qu'il parviendra non seulement
à distinguer les couleurs, mais à discerner au moins les
limites grossières des objets. Voyons à présent, dans la
supposition qu'il acquît cette aptitude dans un temps
fort court, ou qu'il l'obtînt en agitant ses yeux dans les
ténèbres où l'on aurait eu l'attention de l'enfermer et de
l'exhorter à cet exercice, pendant quelque temps après
l'opération et avant les expériences; voyons, dis-je, s'il
reconnaîtrait à la vue les corps qu'il aurait touchés, et
s'il serait en état de leur donner les noms qui leur
conviennent; c'est la dernière question qui me reste à
résoudre.

Pour m'en acquitter d'une manière qui vous plaise,
puisque vous aimez la méthode, je distinguerai plusieurs sortes de personnes sur lesquelles les expériences
peuvent se tenter. Si ce sont des personnes grossières,
sans éducation, sans connaissances, et non préparées,
je pense que, quand l'opération de la cataracte aura parfaitement détruit le vice de l'organe et que l'œil sera
sain, les objets s'y peindront très distinctement; mais
que ces personnes n'étant habituées à aucune sorte de
raisonnement, ne sachant ce que c'est que sensation,
idée; n'étant point en état de comparer les représentations qu'elles ont reçues par le toucher, avec celles qui
leur viennent par les yeux, elles prononceront, voilà un
rond, voilà un carré, sans qu'il y ait de fond à faire
sur leur jugement; ou même elles conviendront ingénu-

ment, qu'elles n'aperçoivent rien dans les objets qui se présentent à leur vue, qui ressemble à ce qu'elles ont touché.

Il y a d'autres personnes qui, comparant les figures qu'elles apercevront aux corps, avec celles qui faisaient impression sur leurs mains, et appliquant par la pensée leur attouchement sur ces corps qui sont à distance, diront de l'un que c'est un carré, et de l'autre que c'est un cercle, mais sans trop savoir pourquoi; la comparaison des idées qu'elles ont prises par le toucher, avec celles qu'elles reçoivent par la vue, ne se faisant pas en elles assez distinctement pour les convaincre de la vérité de leur jugement.

Je passerai, Madame, sans digression à un métaphysicien, sur lequel on tenterait l'expérience. Je ne doute nullement que celui-ci ne raisonnât dès l'instant où il commencerait à apercevoir distinctement les objets, comme s'il les avait vus toute sa vie, et qu'après avoir comparé les idées qui lui viennent par les yeux, avec celles qu'il a prises par le toucher, il ne dît avec la même assurance que vous et moi : « Je serais fort tenté de croire que c'est ce corps que j'ai toujours nommé cercle, et que c'est celui-ci que j'ai toujours appelé carré; mais je me garderai bien de prononcer que cela est ainsi. Qui m'a révélé que si j'en approchais ils ne disparaîtraient pas sous mes mains, que sais-je si les objets de ma vue sont destinés à être aussi les objets de mon attouchement? J'ignore si ce qui m'est visible est palpable; mais quand je ne serais point dans cette incertitude, et que je croirais sur la parole des personnes qui m'environnent, que

ce que je vois est réellement ce que j'ai touché, je
n'en serais guère plus avancé. Ces objets pourraient fort
bien se transformer dans mes mains, et me renvoyer
par le tact des sensations toutes contraires à celles
que j'en éprouve par la vue. Messieurs, ajouterait-il,
ce corps me semble le carré, celui-ci le cercle, mais je
n'ai aucune science qu'ils soient tels au toucher qu'à la
vue ».

Si nous substituons un géomètre au métaphysicien,
Saunderson à Locke, il dira comme lui, que s'il en croit
ses yeux, des deux figures qu'il voit, c'est celle-là qu'il
appelait carré, et celle-ci qu'il appelait cercle : « car je
m'aperçois, ajouterait-il, qu'il n'y a que la première où
je puisse arranger les fils, et placer les épingles à grosse
tête, qui marquaient les points angulaires du carré, et
qu'il n'y a que la seconde à laquelle je puisse inscrire
ou circonscrire les fils qui m'étaient nécessaires pour
démontrer les propriétés du cercle. Voilà donc un cercle,
voilà donc un carré! Mais, aurait-il continué avec Locke,
peut-être que quand j'appliquerai mes mains sur ces
figures, elles se transformeront l'une en l'autre; de
manière que la même figure pourrait me servir à démontrer aux aveugles les propriétés du cercle, et à ceux qui
voient les propriétés du carré. Peut-être que je ver-
rais un carré, et qu'en même temps je sentirais un cercle.
Non, aurait-il repris, je me trompe. Ceux à qui je
démontrais les propriétés du cercle et du carré, n'avaient
pas les mains sur mon abaque, et ne touchaient pas les
fils que j'avais tendus, et qui limitaient mes figures;
cependant ils me comprenaient. Ils ne voyaient donc

pas un carré, quand je sentais un cercle; sans quoi nous
ne nous fussions jamais entendus; je leur eusse tracé
une figure et démontré les propriétés d'une autre; je leur
eusse donné une ligne droite pour un arc de cercle, et
un arc de cercle pour une ligne droite. Mais puisqu'ils
m'entendaient tous, tous les hommes voient donc les
uns comme les autres? je vois donc carré ce qu'ils
voyaient carré, et circulaire ce qu'ils voyaient circulaire.
Ainsi voilà ce que j'ai toujours nommé carré, et voilà
ce que j'ai toujours nommé cercle. »

J'ai substitué le cercle à la sphère et le carré au cube,
parce qu'il y a toute apparence que nous ne jugeons
des distances que par l'expérience, et conséquemment
que celui qui se sert de ses yeux pour la première fois,
ne voit que des surfaces, et qu'il ne sait ce que c'est que
saillie; la saillie d'un corps à la vue, consistant en ce que
quelques-uns de ses points paraissent plus voisins de
nous que les autres.

Mais quand l'aveugle-né jugerait, dès la première fois
qu'il voit, de la saillie et de la solidité des corps, et
qu'il serait en état de discerner non seulement le cercle
du carré, mais aussi la sphère du cube, je ne crois pas
pour cela qu'il en fût de même de tout autre objet plus
composé. Il y a bien de l'apparence que l'aveugle-née
de M. de Réaumur a discerné les couleurs les unes des
autres; mais il y a trente à parier contre un, qu'elle a
prononcé au hasard sur la sphère et sur le cube; je tiens
pour certain qu'à moins d'une révélation il ne lui a pas
été possible de reconnaître ses gants, sa robe de chambre
et son soulier. Ces objets sont chargés d'un si grand

nombre de modifications, il y a si peu de rapport entre
leur forme totale et celle des membres qu'ils sont destinés
à orner ou à couvrir, que c'eût été un problème cent fois
plus embarrassant pour Saunderson de déterminer l'usage
de son bonnet carré, que pour M. d'Alembert ou Clai-
raut, celui de retrouver l'usage de ses tables.

Saunderson n'eût pas manqué de supposer qu'il règne
un rapport géométrique entre les choses et leur usage,
et conséquemment il eût aperçu en deux ou trois analogies, que sa calotte était faite pour sa tête; il n'y a
là aucune forme arbitraire qui tendît à l'égarer. Mais
qu'eût-il pensé des angles et de la houppe de son
bonnet carré? à quoi bon cette touffe? pourquoi plutôt
quatre angles que six, se fût-il demandé? et ces deux
modifications, qui sont pour nous une affaire
d'ornement, auraient été pour lui la source d'une foule
de raisonnements absurdes, ou plutôt l'occasion
d'une excellente satire de ce que nous appelons le bon
goût.

En pesant mûrement les choses, on avouera que la
différence qu'il y a entre une personne qui a toujours
vu, mais à qui l'usage d'un objet est inconnu, et celle qui
connaît l'usage d'un objet, mais qui n'a jamais vu, n'est
pas à l'avantage de celle-ci : cependant croyez-vous,
Madame, que si l'on vous montrait aujourd'hui pour la
première fois une garniture, vous parvinssiez jamais à
deviner que c'est un ajustement, et que c'est un ajustement de tête? Mais s'il est d'autant plus difficile à un
aveugle-né, qui voit pour la première fois, de bien juger
des objets, selon qu'ils ont un plus grand nombre de

formes, qui l'empêcherait de prendre un observateur tout habillé et immobile dans un fauteuil placé devant lui, pour un meuble ou pour une machine; et un arbre, dont l'air agiterait les feuilles et les branches, pour un être se mouvant, animé et pensant. Madame, combien nos sens nous suggèrent de choses, et que nous aurions de peine sans nos yeux, à supposer qu'un bloc de marbre ne pense ni ne sent!

Il reste donc pour démontré que Saunderson aurait été assuré qu'il ne se trompait pas dans le jugement qu'il venait de porter du cercle et du carré seulement, et qu'il y a des cas où le raisonnement et l'expérience des autres peuvent éclairer la vue sur la relation du toucher, et l'instruire que ce qui est tel pour l'œil, est tel aussi pour le tact.

Il n'en serait cependant pas moins essentiel, lorsqu'on se proposerait la démonstration de quelque proposition d'éternelle vérité, comme on les appelle, d'éprouver sa démonstration en la privant du témoignage des sens; car vous apercevrez bien, Madame, que si quelqu'un prétendait vous prouver que la projection de deux lignes parallèles sur un tableau doit se faire par deux lignes convergentes, parce que deux allées paraissent telles, il oublierait que la proposition est vraie pour un aveugle comme pour lui.

Mais la supposition précédente de l'aveugle-né en suggère deux autres : l'une d'un homme qui aurait vu dès sa naissance, et qui n'aurait point eu le sens du toucher; et l'autre d'un homme en qui les sens de la vue et du toucher seraient perpétuellement en contradiction. On

pourrait demander du premier, si, lui restituant le sens
qui lui manque, et lui ôtant le sens de la vue par un ban-
deau, il reconnaîtrait les corps au toucher. Il est évident
que la Géométrie, en cas qu'il en fût instruit, lui fournirait un moyen infaillible de s'assurer si les témoignages
des deux sens sont contradictoires ou non. Il n'aurait
qu'à prendre le cube ou la sphère entre ses mains, en
démontrer à quelqu'un les propriétés, et prononcer, si
on le comprend, qu'on voit cube ce qu'il sent cube, et
que c'est par conséquent le cube qu'il tient. Quant à
celui qui ignorerait cette science, je pense qu'il ne lui
serait pas plus facile de discerner par le toucher le cube
de la sphère, qu'à l'aveugle de M. Molineux de les distinguer par la vue.

À l'égard de celui en qui les sensations de la vue et du
toucher seraient perpétuellement contradictoires, je ne
sais ce qu'il penserait des formes, de l'ordre, de la symétrie, de la beauté, de la laideur, etc. Selon toute apparence, il serait, par rapport à ces choses, ce que nous
sommes relativement à l'étendue et à la durée réelles des
êtres. Il prononcerait en général qu'un corps a une
forme; mais il devrait avoir du penchant à croire que ce
n'est ni celle qu'il voit ni celle qu'il sent : un tel homme
pourrait bien être mécontent de ses sens, mais ses sens
ne seraient ni contents ni mécontents des objets. S'il
était tenté d'en accuser un de fausseté, je crois que ce
serait au toucher qu'il s'en prendrait. Cent circonstances
l'inclineraient à penser que la figure des objets change
plutôt par l'action de ses mains sur eux, que par celle
des objets sur ses yeux; mais en conséquence de ces pré-

jugés, la différence de dureté et de mollesse qu'il obser-
verait dans les corps, serait fort embarrassante pour lui.

Mais de ce que nos sens ne sont pas en contradiction
sur les formes, s'ensuit-il qu'elles nous soient mieux connues? Qui nous a dit que nous n'avons point affaire à
de faux témoins? Nous jugeons pourtant. Hélas! Madame, quand on a mis les connaissances humaines dans la
balance de Montaigne, on n'est pas éloigné de prendre
sa devise. Car que savons-nous ce que c'est que la matière? nullement; ce que c'est que l'esprit et la pensée?
encore moins; ce que c'est que le mouvement, l'espace
et la durée? point du tout; des vérités géométriques?
interrogez des mathématiciens de bonne foi, et ils vous
avoueront que leurs propositions sont toutes identiques,
et que tant de volumes sur le cercle, par exemple, se
réduisent à nous répéter en cent mille façons différentes,
que c'est une figure où toutes les lignes tirées du centre
de la circonférence sont égales. Nous ne savons donc
presque rien? Cependant combien d'écrits dont les
auteurs ont tous prétendu savoir quelque chose! Je ne
devine pas pourquoi le monde ne s'ennuie point de lire
et de ne rien apprendre, à moins que ce ne soit pas la
même raison qu'il y a deux heures que j'ai l'honneur de
vous entretenir, sans m'ennuyer et sans vous rien dire.
Je suis avec un profond respect,

MADAME,

Votre très humble et très obéissant Serviteur***

LA SUITE D'UN ENTRETIEN ENTRE M. D'ALEMBERT ET M. DIDEROT

LE RÊVE DE D'ALEMBERT

SUITE DE L'ENTRETIEN PRÉCÉDENT

NOTICE

CES trois dialogues philosophiques ont été composés dans l'été de 1769, vingt ans après la Lettre sur les Aveugles. Dans l'intervalle — et pour nous en tenir à ce domaine précis — Diderot avait publié les Pensées sur l'interprétation de la nature et les articles d'histoire de la philosophie de l'Encyclopédie. On peut y suivre aisément la maturation des grands thèmes des dialogues, ainsi que dans la Correspondance du philosophe entre 1759 et 1769. Ces thèmes furent en effet maintes fois abordés au cours des entretiens auxquels il participait dans le cercle du baron d'Holbach, et dans les échanges d'idées qu'il eut dans la même période avec Voltaire, Helvétius, d'Alembert, directement ou par personnes interposées, à propos du déisme et du matérialisme athée.

Pour se faire une idée de l'ampleur de l'information scientifique accumulée par Diderot pour la préparation du Rêve, il faut feuilleter les dossiers qu'il a laissés à sa mort, sous le titre général d'Éléments de physiologie (une bonne édition par Jean Mayer, Paris, Didier, 1964). Il travaillait encore à les augmenter en 1780-1782.

Diderot pensa d'abord habiller ses dialogues à l'antique, en mettant en scène Démocrite, philosophe grec matérialiste, Hippo-

crate le médecin, et Leucippe, la maîtresse de Démocrite. C'était
la forme qu'il avait adoptée pour la Promenade du sceptique,
en 1747. Mais comment faire passer le contenu tout moderne des
Éléments de physiologie *dans une forme aussi traditionnelle ?*
*L'invention, géniale et simple à la fois, consistait à prolonger dans
la fiction le dialogue ouvert depuis dix ans dans la réalité, et à
faire parler d'Alembert au lieu de Démocrite, Bordeu pour
Hippocrate, et pour Leucippe Julie de l'Espinasse, la maîtresse
de d'Alembert. Il y avait au demeurant quelque malice à mettre
dans la bouche du prudent académicien des propos dont la
hardiesse ne pouvait convenir qu'à Diderot, et à prêter à
Mlle de l'Espinasse quelques-uns des traits intellectuels et
moraux de Sophie Volland !*

Étant donné leur forme — trop personnelle — et leur contenu
résolument matérialiste, l'Entretien, le Rêve et la Suite étaient
impubliables. Diderot détruisit-il son manuscrit à la requête de
Julie et de son ami, comme l'assure Naigeon ? S'il le fit, il devait
savoir qu'il en existait une copie, aux mains de Naigeon justement. Il reprit en tout cas son texte après le retour de Russie
et l'avènement de Louis XVI, dont on attendait plus de libé-
ralisme que de Louis XV. Il l'augmenta, le corrigea, en fit une
mise au net, et en autorisa finalement la diffusion dans la
Correspondance littéraire de Grimm, du mois d'août au
mois de décembre 1782 (après La Religieuse et avant la
Réfutation de « l'Homme »).

Le meilleur texte des dialogues est celui de la copie de
Leningrad, envoyée à Catherine II avec tous les papiers de l'auteur. C'est celui qui est reproduit ici, selon la lecture qu'en a faite
Jean Varloot (Diderot, Rêve de d'Alembert, Éditions sociales,
1971), avec la ponctuation de la mise au net autographe.

LA SUITE D'UN ENTRETIEN ENTRE M. D'ALEMBERT ET M. DIDEROT

D'ALEMBERT. — J'avoue qu'un être qui existe quelque part et qui ne correspond à aucun point de l'espace; un être qui est inétendu et qui occupe de l'étendue; qui est tout entier sous chaque partie de cette étendue; qui diffère essentiellement de la matière et qui lui est uni; qui la suit et qui la meut, sans se mouvoir; qui agit sur elle et qui en subit toutes les vicissitudes; un être dont je n'ai pas la moindre idée; un être d'une autre nature aussi contradictoire est difficile à admettre. Mais d'autres obscurités attendent celui qui le rejette. Car enfin cette sensibilité que vous lui substituez, si c'est une qualité générale et essentielle de la matière, — il faut que la pierre sente.

DIDEROT. — Pourquoi non?

D'ALEMBERT. — Cela est dur à croire.

DIDEROT. — Oui, pour celui qui la coupe, la taille, la broie et qui ne l'entend pas crier.

D'ALEMBERT. — Je voudrais bien que vous me dissiez quelle différence vous mettez entre l'homme et la statue, entre le marbre et la chair.

DIDEROT.   Assez peu... On fait du marbre avec de la chair, et de la chair avec du marbre.

D'ALEMBERT. — Mais l'un n'est pas l'autre.

DIDEROT. — Comme ce que vous appelez la force vive n'est pas la force morte.

D'ALEMBERT. — Je ne vous entends pas.

DIDEROT. — Je m'explique. Le transport d'un corps d'un lieu dans un autre n'est pas le mouvement, ce n'en est que l'effet. Le mouvement est également et dans le corps transféré et dans le corps immobile.

D'ALEMBERT. — Cette façon de voir est nouvelle.

DIDEROT. — Elle n'en est pas moins vraie. Otez l'obstacle qui s'oppose au transport local du corps immobile, et il sera transféré. Supprimez, par une raréfaction subite, l'air qui environne cet énorme tronc de chêne, et l'eau qu'il contient, entrant tout à coup en expansion, le dispersera en cent mille éclats. J'en dis autant de votre propre corps.

D'ALEMBERT. — Soit. Mais quel rapport y a-t-il entre le mouvement et la sensibilité? Serait-ce, par hasard, que vous reconnaîtriez une sensibilité active et une sensibilité inerte, comme il y a une force vive et une force morte? Une force vive qui se manifeste par la translation; une force morte qui se manifeste par la pression; une sensibilité active qui se caractérise par certaines actions remarquables dans l'animal et peut-être dans la plante; et une sensibilité inerte dont on serait assuré par le passage à l'état de sensibilité active.

DIDEROT. — A merveilles, vous l'avez dit.

D'ALEMBERT. — Ainsi la statue n'a qu'une sensibilité inerte; et l'homme, l'animal, la plante même peut-être sont doués d'une sensibilité active.

DIDEROT. — Il y a sans doute cette différence entre

le bloc de marbre et le tissu de chair; mais vous concevez bien que ce n'est pas la seule.

D'ALEMBERT. — Assurément. Quelque ressemblance qu'il y ait entre la forme extérieure de l'homme et de la statue, il n'y a point de rapport entre leur organisation intérieure. Le ciseau du plus habile statuaire ne fait pas même un épiderme. Mais il y a un procédé fort simple pour faire passer une force morte à l'état de force vive; c'est une expérience qui se répète sous nos yeux cent fois par jour. Au lieu que je ne vois pas trop comment on fait passer un corps de l'état de sensibilité inerte à l'état de sensibilité active.

DIDEROT. — C'est que vous ne voulez pas le voir. C'est un phénomène aussi commun.

D'ALEMBERT. — Et ce phénomène aussi commun, quel est-il, s'il vous plaît?

DIDEROT. — Je vais vous le dire, puisque vous en voulez avoir la honte. Cela se fait toutes les fois que vous mangez.

D'ALEMBERT. — Toutes les fois que je mange?

DIDEROT. — Oui, car en mangeant, que faites-vous? Vous levez les obstacles qui s'opposaient à la sensibilité active de l'aliment; vous l'assimilez avec vous-même; vous en faites de la chair; vous l'animalisez; vous la rendez sensible; et ce que vous exécutez sur un aliment, je l'exécuterai, quand il me plaira, sur le marbre.

D'ALEMBERT. — Et comment cela?

DIDEROT. — Comment? Je le rendrai comestible.

D'ALEMBERT. — Rendre le marbre comestible, cela ne me paraît pas facile.

DIDEROT. — C'est mon affaire que de vous en indiquer le procédé. Je prends la statue que vous voyez; je la mets dans un mortier; et à grands coups de pilon...

D'ALEMBERT. — Doucement, s'il vous plaît. C'est le chef-d'œuvre de Falconnet. Encore si c'était un morceau d'Huez ou d'un autre.

DIDEROT. — Cela ne fait rien à Falconnet. La statue est payée; et Falconnet fait peu de cas de la considération présente, aucun de la considération à venir.

D'ALEMBERT. — Allons... Pulvérisez donc.

DIDEROT. — Lorsque le bloc de marbre est réduit en poudre impalpable, je mêle cette poudre à de l'humus ou terre végétale. Je les pétris bien ensemble. J'arrose le mélange. Je le laisse putréfier un an, deux ans, un siècle. Le temps ne me fait rien. Lorsque le tout s'est transformé en une matière à peu près homogène, en humus, savez-vous ce que je fais?

D'ALEMBERT. — Je suis sûr que vous ne mangez pas de l'humus.

DIDEROT. — Non. Mais il y a un moyen d'union, d'appropriation entre l'humus et moi, — un *latus,* comme vous dirait le chimiste.

D'ALEMBERT. — Et ce *latus,* c'est la plante.

DIDEROT. — Fort bien. J'y sème des pois, des fèves, des choux, d'autres plantes légumineuses. Les plantes se nourrissent de la terre, — et je me nourris des plantes.

D'ALEMBERT. — Vrai ou faux, j'aime ce passage du marbre à l'humus, de l'humus au règne végétal, et du règne végétal au règne animal, à la chair.

DIDEROT. — Je fais donc de la chair, ou de l'âme,

comme dit ma fille, une matière activement sensible; et si je ne résous pas le problème que vous m'avez proposé, — du moins j'en approche beaucoup; car vous m'avouerez qu'il y a bien plus loin d'un morceau de marbre à un être qui sent, que d'un être qui sent à un Être qui pense.

D'ALEMBERT. — J'en conviens. Avec tout cela, l'être sensible n'est pas encore l'être pensant.

DIDEROT. — Avant que de faire un pas en avant, permettez-moi de vous faire l'histoire d'un des plus grands géomètres de l'Europe. Qu'était-ce d'abord que cet être merveilleux? Rien.

D'ALEMBERT. — Comment rien? On ne fait rien de rien.

DIDEROT. — Vous prenez les mots trop à la lettre. Je veux dire qu'avant que sa mère, la belle et scélérate chanoinesse Tencin, eût atteint l'âge de puberté, — avant que le militaire La Touche fût adolescent, les molécules qui devaient former les premiers rudiments de mon géomètre étaient éparses dans les jeunes et frêles machines de l'un et de l'autre, se filtrèrent avec la lymphe, circulèrent avec le sang, jusqu'à ce qu'enfin elles se rendissent dans les réservoirs destinés à leur coalition, les testicules de son père et de sa mère. Voilà ce germe rare formé. Le voilà, comme c'est l'opinion commune, amené par les trompes de Fallope dans la matrice; le voilà attaché à la matrice par un long pédicule; le voilà s'accroissant successivement et s'avançant à l'état de fœtus; voilà le moment de sa sortie de l'obscure prison arrivé; le voilà né, — exposé sur les degrés de Saint-Jean-le-Rond qui lui donna son nom, tiré des Enfants-Trouvés; attaché à la

mamelle de la bonne vitrière, Madame Rousseau; allaité,
devenu grand de corps et d'esprit, littérateur, mécani-
cien, géomètre; comment cela s'est-il fait? en mangeant,
et par d'autres opérations purement mécaniques. Voici
en quatre mots la formule générale. Mangez, digérez,
distillez *in vasi licito, et fiat homo secundum artem**... Et celui
qui exposerait à l'Académie le progrès de la formation
d'un homme ou d'un animal n'emploierait que des
agents matériels dont les effets successifs seraient un être
inerte, un être sentant, un être pensant, un être résolvant
le problème de la précession des équinoxes, un être
sublime, un être merveilleux, un être vieillissant, dépé-
rissant, mourant, dissous et rendu à la terre végétale.

D'ALEMBERT. — Vous ne croyez donc pas aux germes
préexistants?

DIDEROT. — Non.

D'ALEMBERT. — Ah! que vous me faites plaisir!

DIDEROT. — Cela est contre l'expérience et la raison.
Contre l'expérience qui chercherait inutilement ces
germes dans l'œuf et dans la plupart des animaux ayant
un certain âge; contre la raison qui nous apprend que la
divisibilité de la matière a un terme dans la nature, quoiqu'elle n'en ai aucun dans l'entendement, et qui répugne
à concevoir un éléphant tout formé dans un atome, et
dans cet atome un autre éléphant tout formé, et ainsi
de suite à l'infini.

---

* « Dans un récipient autorisé, et que l'homme se fasse selon la
bonne méthode ».

D'ALEMBERT. — Mais sans ces germes préexistants, la génération première des animaux ne se conçoit pas.

DIDEROT. — Si la question de la priorité de l'œuf sur la poule ou de la poule sur l'œuf vous embarrasse, — c'est que vous supposez que les animaux ont été originairement ce qu'ils sont à présent. Quelle folie! On ne sait non plus ce qu'ils ont été, qu'on ne sait ce qu'ils deviendront. Le vermisseau imperceptible qui s'agite dans la fange, s'achemine peut-être à l'état de grand animal; l'animal énorme qui nous épouvante par sa grandeur, s'achemine peut-être à l'état de vermisseau, est peut-être une production particulière, et momentanée de cette planète.

D'ALEMBERT. — Comment avez-vous dit cela?

DIDEROT. — Je vous disais... Mais cela va nous écarter de notre première discussion.

D'ALEMBERT. — Qu'est-ce que cela fait? Nous y reviendrons ou nous n'y reviendrons pas.

DIDEROT. — Me permettriez-vous d'anticiper de quelques milliers d'années sur les temps?

D'ALEMBERT. — Pourquoi non? le temps n'est rien pour la nature.

DIDEROT. — Vous consentez donc que j'éteigne notre soleil?

D'ALEMBERT. — D'autant plus volontiers que ce ne sera pas le premier qui se soit éteint.

DIDEROT. — Le soleil éteint, qu'en arrivera-t-il? Les plantes périront, les animaux périront, et voilà la terre solitaire et muette. Rallumez cet astre, — et à l'instant vous rétablissez la cause nécessaire d'une infinité de

générations nouvelles contre lesquelles je n'oserais assurer qu'à la suite des siècles nos plantes, nos animaux
d'aujourd'hui se reproduiront ou ne se reproduiront
pas.

D'ALEMBERT. — Et pourquoi les mêmes éléments épars,
venant à se réunir, ne rendraient-ils pas les mêmes
résultats?

DIDEROT. — C'est que tout tient dans la nature, et
que celui qui suppose un nouveau phénomène, ou
ramène un instant passé, recrée un nouveau monde.

D'ALEMBERT. — C'est ce qu'un penseur profond ne
saurait nier. Mais pour en revenir à l'homme, puisque
l'ordre général a voulu qu'il fût, rappelez-vous que c'est
au passage d'être sentant à l'Être pensant que vous
m'avez laissé.

DIDEROT. — Je m'en souviens.

D'ALEMBERT. — Franchement, vous m'obligeriez beaucoup de me tirer de là. Je suis un peu pressé de penser.

DIDEROT. — Quand je n'en viendrais pas à bout, qu'en
résulterait-il contre un enchaînement de faits incontes-
tables?

D'ALEMBERT. — Rien, sinon que nous serions arrêtés
là tout court.

DIDEROT. — Et pour aller plus loin, nous serait-il
permis d'inventer un agent contradictoire dans ses attri-
buts, un mot vide de sens, inintelligible?

D'ALEMBERT. — Non.

DIDEROT. — Pourriez-vous me dire ce que c'est que
l'existence d'un être sentant, par rapport à lui-même?

D'ALEMBERT. — C'est la conscience d'avoir été lui,

depuis le premier instant de sa réflexion, jusqu'au moment présent.

DIDEROT. — Et sur quoi cette conscience est-elle fondée?

D'ALEMBERT. — Sur la mémoire de ses actions.

DIDEROT. — Et sans cette mémoire?

D'ALEMBERT. — Sans cette mémoire il n'aurait point de lui, puisque ne sentant son existence que dans le moment de l'impression, il n'aurait aucune histoire de sa vie. Sa vie serait une suite interrompue de sensations que rien ne lierait.

DIDEROT. — Fort bien. Et qu'est-ce que la mémoire? d'où naît-elle?

D'ALEMBERT. — D'une certaine organisation qui s'accroît, s'affaiblit et se perd quelquefois entièrement.

DIDEROT. — Si donc un être qui sent et qui a cette organisation propre à la mémoire, lie les impressions qu'il reçoit, forme par cette liaison une histoire qui est celle de sa vie, et acquiert la conscience de lui, il nie, il affirme, il conclut, il pense.

D'ALEMBERT. — Cela me paraît. Il ne me reste plus qu'une difficulté!

DIDEROT. — Vous vous trompez. Il vous en reste bien davantage.

D'ALEMBERT. — Mais une principale. C'est qu'il me semble que nous ne pouvons penser qu'à une seule chose à la fois; et que pour former, je ne dis pas ces énormes chaînes de raisonnements qui embrassent dans leur circuit des milliers d'idées, mais une simple proposition, on dirait qu'il faut avoir au moins deux choses présentes, l'objet qui semble rester sous l'œil de l'entendement, tandis qu'il s'occupe de la qualité qu'il en affirmera ou niera.

DIDEROT. — Je le pense; ce qui m'a fait quelquefois comparer les fibres de nos organes à des cordes vibrantes sensibles. La corde vibrante, sensible, oscille, résonne longtemps encore après qu'on l'a pincée. C'est cette oscillation, cette espèce de résonance nécessaire qui tient l'objet présent, tandis que l'entendement s'occupe de la qualité qui lui convient. Mais les cordes vibrantes ont encore une autre propriété, c'est d'en faire frémir d'autres; et c'est ainsi qu'une première idée en rappelle une seconde; ces deux-là une troisième; toutes les trois une quatrième, et ainsi de suite, sans qu'on puisse fixer la limite des idées réveillées, enchaînées, du philosophe qui médite ou qui s'écoute dans le silence et l'obscurité. Cet instrument a des sauts étonnants; et une idée réveillée va faire quelquefois frémir une harmonique qui en est à un intervalle incompréhensible. Si le phénomène s'observe entre des cordes sonores, inertes, et séparées, — comment n'aurait-il pas lieu entre des points vivants et liés, — entre des fibres continues et sensibles?

D'ALEMBERT. — Si cela n'est pas vrai, — cela est au moins très ingénieux. Mais on serait tenté de croire que vous tombez imperceptiblement dans l'inconvénient que vous vouliez éviter.

DIDEROT. — Quel?

D'ALEMBERT. — Vous en voulez à la distinction des deux substances.

DIDEROT. — Je ne m'en cache pas.

D'ALEMBERT. — Et si vous y regardez de près, vous faites de l'entendement du philosophe un être distinct de l'instrument, une espèce de musicien qui prête l'oreille aux cordes vibrantes, et qui prononce sur leur consonance ou leur dissonance.

DIDEROT. — Il se peut que j'aie donné lieu à cette objection que peut-être vous ne m'eussiez pas faite, si vous eussiez considéré la différence de l'instrument philosophe et de l'instrument clavecin. L'instrument philosophe est sensible; il est en même temps le musicien et l'instrument. Comme sensible, il a la conscience momentanée du son qu'il rend; comme animal, il en a la mémoire; cette faculté organique, en liant les sons en lui-même, y produit et conserve la mélodie. Supposez au clavecin de la sensibilité et de la mémoire, et dites-moi s'il ne saura pas, s'il ne se répétera pas de lui-même, les airs que vous aurez exécutés sur ses touches. Nous sommes des instruments doués de sensibilité et de mémoire. Nos sens sont autant de touches qui sont pincées par la nature qui nous environne, et qui se pincent souvent elles-mêmes. Et voici, à mon jugement, tout ce qui se passe dans un clavecin organisé comme vous et moi. Il y a une impression qui a sa cause au dedans ou au dehors de l'instrument, une sensation qui naît de cette impression, une sensation qui dure; car il est impossible d'imaginer qu'elle se fasse et qu'elle s'éteigne dans un instant indivisible; une autre impression qui lui succède et qui a pareillement sa cause au dedans ou au dehors de l'animal; une seconde sensation et des voix qui les désignent par des sons naturels ou conventionnels.

D'ALEMBERT. — J'entends. Ainsi donc si ce clavecin sensible et animé était encore doué de la faculté de se nourrir et de se reproduire, il vivrait, et engendrerait de lui-même ou avec sa femelle, de petits clavecins vivants et résonnants.

DIDEROT. — Sans doute. A votre avis, qu'est-ce autre chose qu'un pinson, un rossignol, un musicien, — un homme? et quelle autre différence trouvez-vous entre le serin et la serinette. Voyez-vous cet œuf? c'est avec cela qu'on renverse toutes les écoles de théologie, et tous les temples de la terre. Qu'est-ce que cet œuf? une masse insensible, avant que le germe y soit introduit; et après que le germe y est introduit, qu'est-ce encore? une masse insensible, car ce germe n'est lui-même qu'un fluide inerte et grossier. Comment cette masse passera-t-elle à une autre organisation, à la sensibilité, à la vie? Par la chaleur. Qu'y produira la chaleur? le mouvement. Quels seront les effets successifs du mouvement? Au lieu de me répondre, asseyez-vous, et suivons-les de l'œil, de moment en moment. D'abord c'est un point qui oscille; un filet qui s'étend et qui se colore; de la chair qui se forme; un bec, des bouts d'ailes, des yeux, des pattes, qui paraissent; une matière jaunâtre qui se dévide et produit des intestins; c'est un animal. Cet animal se meut, s'agite, crie. J'entends ses cris à travers la coque; il se couvre de duvet; il voit; la pesanteur de sa tête, qui oscille, porte sans cesse son bec contre la paroi intérieure de sa prison; la voilà brisée; il en sort, il marche, il vole, il s'irrite, il fuit, il approche, il se plaint, il souffre, il aime, il désire, il jouit, il a toutes vos affec-

tions, toutes vos actions, il les fait. Prétendrez-vous avec
Descartes, que c'est une pure machine imitative? mais
les petits enfants se moqueront de vous; et les philosophes vous répliqueront que, si c'est là une machine,
vous en êtes une autre. Si vous avouez qu'entre l'animal
et vous, il n'y a de différence que dans l'organisation,
vous montrerez du sens et de la raison, — vous serez de
bonne foi; mais on en conclura comme vous qu'avec
une matière inerte, disposée d'une certaine manière,
imprégnée d'une autre matière inerte, de la chaleur, et
du mouvement, on obtient de la sensibilité, de la vie,
de la mémoire, de la conscience, des passions, de la
pensée. Il ne vous reste qu'un de ces deux partis à
prendre, c'est d'imaginer dans la masse inerte de l'œuf
un élément caché qui en attendait le développement
pour manifester sa présence, — ou de supposer que cet
élément imperceptible s'y est insinué à travers la coque,
dans un instant déterminé du développement. Mais
qu'est-ce que cet élément? Occupait-il de l'espace, ou
n'en occupait-il point? Comment est-il venu ou s'est-il
échappé, sans se mouvoir? Où était-il? Que faisait-il
là ou ailleurs? A-t-il été créé à l'instant du besoin?
Existait-il, attendait-il un domicile? Était-il homogène
ou hétérogène à ce domicile? Homogène il était matériel. Hétérogène, on ne conçoit ni son inertie avant le
développement, ni son énergie dans l'animal développé.
Écoutez-vous, et vous aurez pitié de vous-même; vous
sentirez que, pour ne pas admettre une supposition
simple qui explique tout, la sensibilité, propriété générale de la matière, ou produit de l'organisation, vous

renoncez au sens commun, et vous précipitez dans un
abîme de mystères, de contradictions et d'absurdités.

D'ALEMBERT. — Une supposition? cela vous plaît à
dire. Mais si c'était une qualité essentiellement incompatible avec la matière?

DIDEROT. — Et d'où savez-vous que la sensibilité est
essentiellement incompatible avec la matière, vous qui
ne connaissez l'essence de quoi que ce soit, ni de la
matière, ni de la sensibilité? Entendez-vous mieux la
nature du mouvement, son existence dans un corps et sa
communication d'un corps à un autre?

D'ALEMBERT. — Sans concevoir la nature de la sensibilité ni celle de la matière, je vois que la sensibilité est
une qualité, simple, une, indivisible, et incompatible
avec un sujet ou suppôt divisible.

DIDEROT. — Galimatias métaphysico-théologique. Quoi!
est-ce que vous ne voyez pas que toutes les qualités,
toutes les formes sensibles dont la matière est revê-
tue sont essentiellement indivisibles? Il n'y a ni plus
ni moins d'impénétrabilité. Il y a la moitié d'un corps
rond; mais il n'y a pas la moitié de la rondeur. Il y a
plus ou moins de mouvement; mais il n'y a ni plus ni
moins mouvement; il n'y a ni la moitié, ni le tiers, ni le
quart d'une tête, d'une oreille, d'un doigt, pas plus que
la moitié, le tiers, le quart d'une pensée. Si dans l'univers, il n'y a pas une molécule qui ressemble à une
autre, — dans une molécule, pas un point qui ressemble
à un autre point, — convenez que l'atome même est
doué d'une qualité, — d'une forme indivisible. Convenez
que la division est incompatible avec les essences des

formes, puisqu'elle les détruit. Soyez physicien, — et convenez de la production d'un effet, lorsque vous le voyez produit, quoique vous ne puissiez expliquer la liaison de la cause à l'effet. Soyez logicien, — et ne substituez pas à une cause qui est, et qui explique tout, une autre cause qui ne se conçoit pas, dont la liaison avec l'effet se conçoit encore moins, qui engendre une multitude infinie de difficultés et qui n'en résout aucune.

D'ALEMBERT. — Mais si je me dépars de cette cause?

DIDEROT. — Il n'y a plus qu'une substance dans l'univers, dans l'homme, dans l'animal. La serinette est de bois, l'homme est de chair. Le serin est de chair; le musicien est d'une chair diversement organisée. Mais l'un et l'autre ont une même origine, une même formation, les mêmes fonctions et la même fin.

D'ALEMBERT. — Et comment s'établit la convention des sons entre vos deux clavecins?

DIDEROT. — Un animal étant un instrument sensible parfaitement semblable à un autre, doué de la même conformation, monté des mêmes cordes, pincé de la même manière par la joie, par la douleur, par la faim, par la soif, par la colique, par l'admiration, par l'effroi, il est impossible qu'au pôle et sous la ligne il rende des sons différents. Aussi trouverez-vous les interjections à peu près les mêmes dans toutes les langues, mortes ou vivantes. Il faut tirer du besoin et de la proximité l'origine des sons conventionnels. L'instrument sensible ou l'animal a éprouvé qu'en rendant tel son il s'ensuivait tel effet hors de lui, — que d'autres instruments sensibles pareils à lui ou d'autres animaux semblables s'approchaient, s'éloignaient, demandaient, offraient, blessaient, caressaient, — et ces effets se sont liés dans sa mémoire et dans celles des autres à la formation de ces sons. Et remarquez qu'il n'y a dans le commerce des hommes que des bruits et des actions. Et pour donner à mon système toute sa force, remarquez encore qu'il est sujet à la même difficulté insurmontable que Berkeley a proposée contre l'existence des corps. Il y a un moment de délire où le clavecin sensible a pensé qu'il était le seul clavecin qu'il y eût au monde, et que toute l'harmonie de l'univers se passait en lui.

D'ALEMBERT. — Il y a bien des choses à dire là-dessus.

DIDEROT. — Cela est vrai.

D'ALEMBERT. — Par exemple, on ne conçoit pas trop d'après votre système comment nous formons des syllogismes ni comment nous tirons des conséquences.

DIDEROT. — C'est que nous n'en tirons point; elles sont toutes tirées par la nature. Nous ne faisons qu'énoncer des phénomènes conjoints dont la liaison est ou nécessaire ou contingente, — phénomènes qui nous sont connus par l'expérience; nécessaires en mathématiques, en physique et autres sciences rigoureuses; contingents en morale, en politique et autres sciences conjecturales.

D'ALEMBERT. — Est-ce que la liaison des phénomènes est moins nécessaire dans un cas que dans un autre?

DIDEROT. — Non. Mais la cause subit trop de vicissitudes particulières qui nous échappent, pour que nous puissions compter infailliblement sur l'effet qui s'ensuivra. La certitude que nous avons qu'un homme violent s'irritera d'une injure n'est pas la même que celle qu'un corps qui en frappe un plus petit le mettra en mouvement.

D'ALEMBERT. — Et l'analogie?

DIDEROT. — L'analogie dans les cas les plus composés n'est qu'une règle de trois qui s'exécute dans l'instrument sensible. Si tel phénomène connu en nature est suivi de tel autre phénomène connu en nature, quel sera le quatrième phénomène conséquent à un troisième ou donné par la nature ou imaginé à l'imitation de nature? Si la lance d'un guerrier ordinaire a dix pieds de long, quelle sera la lance d'Ajax? Si je puis lancer une pierre de quatre livres, Diomède doit remuer un quartier de rocher; les enjambées des dieux et les bonds de leurs chevaux seront dans le rapport imaginé des dieux à l'homme. C'est une quatrième corde harmonique et proportionnelle à trois autres dont l'animal attend la résonance qui se fait toujours en lui-même, mais qui ne se fait pas toujours en nature. Peu importe au poète. Il n'en est pas moins vrai. C'est autre chose pour le philosophe. Il faut qu'il interroge ensuite la nature qui lui donnant souvent un phénomène tout à fait différent de celui qu'il avait présumé, alors il s'aperçoit que l'analogie l'a séduit.

D'ALEMBERT. — Adieu, mon ami; bonsoir et bonne nuit.

DIDEROT. — Vous plaisantez; mais vous rêverez sur votre oreiller à cet entretien; et s'il n'y prend pas de la consistance, tant pis pour vous; car vous serez forcé d'embrasser des hypothèses bien autrement ridicules.

D'ALEMBERT. — Vous vous trompez. Sceptique, je me serai couché, — sceptique, je me lèverai.

DIDEROT. — Sceptique! Est-ce qu'on est sceptique?

D'ALEMBERT. — En voici bien d'une autre! N'allez-vous pas me soutenir que je ne suis pas sceptique? Et qui le sait mieux que moi?

DIDEROT. — Attendez un moment.

D'ALEMBERT. — Dépêchez-vous, — car je suis pressé de dormir.

DIDEROT. — Je serai court. Croyez-vous qu'il y ait une seule question discutée sur laquelle un homme reste avec une égale et rigoureuse mesure de raison pour et contre?

D'ALEMBERT. — Non. Ce serait l'âne de Buridan.

DIDEROT. — En ce cas, il n'y a donc point de sceptique; puisqu'à l'exception des questions de mathématiques qui ne comportent pas la moindre incertitude, il y a du pour et du contre dans toutes les autres. La balance n'est donc jamais égale; et il est impossible qu'elle ne penche pas du côté où nous croyons le plus de vraisemblance.

D'ALEMBERT. — Mais je vois le matin la vraisemblance à ma droite, — et l'après-midi elle est à ma gauche.

DIDEROT. — C'est-à-dire que vous êtes dogmatique pour le matin, et dogmatique contre, l'après-midi.

D'ALEMBERT. — Et le soir, quand je me rappelle cette [inconstance] si rapide de mes jugements, je ne crois rien ni du matin ni de l'après-midi.

DIDEROT. — C'est-à-dire que vous ne vous rappelez plus la prépondérance des deux opinions entre lesquelles vous avez oscillé; que cette prépondérance vous paraît trop légère pour asseoir un sentiment fixe, et que vous prenez le parti de ne plus vous occuper de sujets aussi problématiques, d'en abandonner la discussion aux autres, et de n'en pas disputer davantage.

D'ALEMBERT. — Cela se peut.

DIDEROT. — Mais si quelqu'un vous tirait à l'écart et vous questionnant d'amitié, vous demandait en conscience des deux partis quel est celui où vous trouvez le moins de difficultés, — de bonne foi, seriez-vous embarrassé de répondre, et réaliseriez-vous l'âne de Buridan?

D'ALEMBERT. — Je crois que non.

DIDEROT. — Tenez, mon ami, si vous y pensez bien, vous trouverez qu'en tout, notre véritable sentiment, n'est pas celui dans lequel nous n'avons jamais vacillé, mais celui auquel nous sommes le plus habituellement revenus.

D'ALEMBERT. — Je crois que vous avez raison.

DIDEROT. — Et moi aussi. Bonsoir, mon ami; et *memento quia pulvis es, et in pulverem reverteris**.

D'ALEMBERT. — Cela est triste.

DIDEROT. — Et nécessaire. Accordez à l'homme, je ne dis pas l'immortalité, mais seulement le double de sa durée, et vous verrez ce qui en arrivera.

D'ALEMBERT. — Et que voulez-vous qu'il en arrive? Mais qu'est-ce que cela me fait? Qu'il en arrive ce qui pourra. Je veux dormir. Bonsoir.

---

* Rappelle-toi que tu es poussière et que tu retourneras à la poussière.

LE RÊVE DE D'ALEMBERT

Interlocuteurs :

D'ALEMBERT, MADEMOISELLE DE L'ESPINASSE,
LE MÉDECIN BORDEU.

BORDEU. — Eh bien! qu'est-ce qu'il y a de nouveau? Est-ce qu'il est malade?

MADEMOISELLE DE L'ESPINASSE. — Je le crains; il a eu la nuit la plus agitée.

BORDEU. — Est-il éveillé?

MADEMOISELLE DE L'ESPINASSE. — Pas encore.

BORDEU, *après s'être approché du lit de d'Alembert, et lui avoir tâté le pouls et la peau.* — Ce ne sera rien.

MADEMOISELLE DE L'ESPINASSE. — Vous croyez?

BORDEU. — J'en réponds. Le pouls est bon... un peu faible... la peau moite... la respiration facile.

MADEMOISELLE DE L'ESPINASSE. — N'y a-t-il rien à lui faire?

BORDEU. — Rien.

MADEMOISELLE DE L'ESPINASSE. — Tant mieux, — car il déteste les remèdes.

BORDEU. — Et moi aussi. Qu'a-t-il mangé à souper?

MADEMOISELLE DE L'ESPINASSE. — Il n'a rien voulu prendre. Je ne sais où il avait passé la soirée, — mais il est revenu soucieux.

BORDEU. — C'est un petit mouvement fébrile qui n'aura point de suite.

MADEMOISELLE DE L'ESPINASSE. — En rentrant, il a pris sa robe de chambre, son bonnet de nuit, et s'est jeté dans son fauteuil où il s'est assoupi.

BORDEU. — Le sommeil est bon partout. Mais il eût été mieux dans son lit.

MADEMOISELLE DE L'ESPINASSE. — Il s'est fâché contre Antoine qui le lui disait; et il a fallu le tirailler une demi-heure pour le faire coucher.

BORDEU. — C'est ce qui m'arrive tous les jours, quoique je me porte bien.

MADEMOISELLE DE L'ESPINASSE. — Quand il a été couché, au lieu de reposer comme à son ordinaire, car il dort comme un enfant, il s'est mis à se tourner, à se retourner, à tirer ses bras, à écarter ses couvertures et à parler haut.

BORDEU. — Et qu'est-ce qu'il disait? de la géométrie?

MADEMOISELLE DE L'ESPINASSE. — Non. Cela avait tout l'air du délire. C'était en commençant un galimatias de cordes vibrantes et de fibres sensibles. Cela m'a paru si fou que, résolue de ne le pas quitter de la nuit et ne sachant que faire, j'ai approché une petite table du pied de son lit, et je me suis mise à écrire tout ce que j'ai pu attraper de sa rêvasserie.

BORDEU. — Bon tour de tête qui est bien de vous; et peut-on voir cela?

MADEMOISELLE DE L'ESPINASSE. — Sans difficulté. Mais je veux mourir, si vous y comprenez quelque chose.

BORDEU. — Peut-être.

MADEMOISELLE DE L'ESPINASSE. — Docteur, êtes-vous prêt?

BORDEU. — Oui.

MADEMOISELLE DE L'ESPINASSE. — Écoutez... Un point vivant... Non, je me trompe. Rien d'abord, — puis un point vivant... A ce point vivant, il s'en applique un autre, encore un autre; et par ces applications successives, il résulte un être un, — car je suis bien un, — je n'en saurais douter... (en disant cela, il se tâtait partout)... Mais comment cette unité s'est-elle faite?... (Eh! mon ami, lui ai-je dit, qu'est-ce que cela vous fait? Dormez... Il s'est tu. Après un moment de silence, il a repris comme s'il s'adressait à quelqu'un)... Tenez, philosophe — je vois bien un agrégat, un tissu de petits êtres sensibles, — mais un animal?... un tout?... un système un, lui, ayant la conscience de son unité? je ne le vois pas... non, je ne le vois pas... (Docteur, y entendez-vous quelque chose?)

BORDEU. — A merveilles.

MADEMOISELLE DE L'ESPINASSE. — Vous êtes bien heureux... Ma difficulté vient peut être d'une fausse idée.

BORDEU. — Est-ce vous qui parlez?

MADEMOISELLE DE L'ESPINASSE. — Non. C'est le rêveur.

BORDEU. — Continuez.

MADEMOISELLE DE L'ESPINASSE. — Je continue. Il a ajouté, en s'apostrophant lui-même : ... Mon ami, d'Alembert, prenez-y garde; vous ne supposez que de la

contiguïté où il y a continuité... Oui... il est assez malin
pour me dire cela... Et la formation de cette continuité?...
elle ne l'embarrassera guère... Comme une goutte de
mercure se fond dans une autre goutte de mercure, une
molécule sensible et vivante se fond dans une molécule
sensible et vivante... D'abord, il y avait deux gouttes;
après le contact, il n'y en a plus qu'une... Avant l'assimilation il y avait deux molécules; après l'assimilation,
il n'y en a plus qu'une... La sensibilité devient commune à la masse commune... En effet, pourquoi non?...
Je distinguerai par la pensée sur la longueur de la fibre
animale tant de parties qu'il me plaira; mais la fibre
sera continue, une... oui, une... Le contact de deux molécules homogènes, parfaitement homogènes forme la
continuité... et c'est le cas de l'union, de la cohésion,
de la combinaison, de l'identité, la plus complète qu'on
puisse imaginer... Oui, philosophe, si ces molécules sont
élémentaires et simples; mais si ce sont des agrégats;
si ce sont des composés... La combinaison ne s'en fera
pas moins, et en conséquence l'identité, la continuité...
et puis l'action et la réaction habituelles... Il est certain
que le contact de deux molécules vivantes est tout autre
chose que la contiguïté de deux masses inertes... Passons, passons... on pourrait peut-être vous chicaner;
mais je ne m'en soucie pas. Je n'épilogue jamais...
Cependant reprenons... Un fil d'or très pur. Je m'en
souviens; c'est une comparaison qu'il m'a faite. Un
réseau homogène, entre les molécules duquel d'autres
s'interposent et forment peut-être un autre réseau homogène, — un tissu de matière sensible, — un contact qui

assimile, — de la sensibilité, active ici, inerte là, qui se communique comme le mouvement; sans compter, comme il l'a très bien dit, qu'il doit y avoir de la différence entre le contact de deux molécules sensibles, et le contact de deux molécules qui ne le seraient pas; et cette différence? quelle peut-elle être?... une action, une réaction habituelles... et cette action et cette réaction avec un caractère particulier... tout concourt donc à produire une sorte d'unité qui n'existe que dans l'animal... Ma foi, si cela n'est pas de la vérité, cela y ressemble fort... (Vous riez, Docteur; est-ce que vous trouvez du sens à cela?)

BORDEU. — Beaucoup.

MADEMOISELLE DE L'ESPINASSE. — Il n'est donc pas fou?

BORDEU. — Nullement.

MADEMOISELLE DE L'ESPINASSE. — Après ce préambule, il s'est mis à crier : Mademoiselle de l'Espinasse! Mademoiselle de l'Espinasse! — Que voulez-vous? — Avez-vous quelquefois vu un essaim d'abeilles s'échapper de leur ruche?... Le monde ou la masse générale de la matière est la ruche... Les avez-vous vues s'en aller former à l'extrémité de la branche d'un arbre, une longue grappe de petits animaux ailés, tous accrochés les uns aux autres par les pattes?... Cette grappe est un être, un individu, un animal quelconque... Mais ces grappes devraient se ressembler toutes... Oui, s'il n'admettait qu'une seule matière homogène... Les avez-vous vues? — Oui, je les ai vues — Vous les avez vues? — Oui, mon ami; je vous dis qu'oui. — Si l'une de ces abeilles s'avise

de pincer d'une façon quelconque, l'abeille à laquelle
elle s'est accrochée, que croyez-vous qu'il en arrive?
Dites donc! — Je n'en sais rien. — Dites toujours... Vous
l'ignorez donc, — mais le philosophe ne l'ignore pas, —
lui. Si vous le voyez jamais, — et vous le verrez ou vous
ne le verrez pas, — car il me l'a promis, — il vous dira
que celle-ci pincera la suivante; qu'il s'excitera dans
toute la grappe autant de sensations qu'il y a de petits
animaux; que le tout s'agitera, se remuera, changera de
situation et de forme; qu'il s'élèvera du bruit, de petits
cris; et que celui qui n'aurait jamais vu une pareille
grappe s'arranger, serait tenté de la prendre pour un
animal à cinq ou six cents têtes, et à mille ou douze
cents ailes... (Eh bien, Docteur?)

BORDEU. — Eh bien, savez-vous que ce rêve est fort
beau, et que vous avez bien fait de l'écrire.

MADEMOISELLE DE L'ESPINASSE. — Rêvez-vous aussi?

BORDEU. — Si peu que je m'engagerais presque à vous
dire la suite.

MADEMOISELLE DE L'ESPINASSE. — Je vous en défie.

BORDEU. — Vous m'en défiez?

MADEMOISELLE DE L'ESPINASSE. — Oui.

BORDEU. — Et si je rencontre?

MADEMOISELLE DE L'ESPINASSE. — Si vous rencontrez,
je vous promets... Je vous promets de vous tenir pour
le plus grand fou qu'il y ait au monde.

BORDEU. — Regardez sur votre papier et écoutez-moi.
L'homme qui prendrait cette grappe pour un animal se
tromperait; mais, Mademoiselle, je présume qu'il a
continué de vous adresser la parole, voulez-vous qu'il

juge plus sainement? voulez-vous transformer la grappe
d'abeilles en un seul et unique animal? Amollissez les
pattes par lesquelles elles se tiennent; de contiguës
qu'elles étaient, rendez-les continues. Entre ce nouvel
état de la grappe et le précédent, il y a certainement une
différence marquée; et quelle peut être cette différence,
sinon qu'à présent c'est un tout, un animal, un, et qu'auparavant, ce n'était qu'un assemblage d'animaux... Tous
nos organes...

MADEMOISELLE DE L'ESPINASSE. — Tous nos organes!

BORDEU. — Pour celui qui a exercé la médecine et fait
quelques observations...

MADEMOISELLE DE L'ESPINASSE. — Après.

BORDEU. — Après? ne sont que des animaux distincts
que la loi de continuité tient dans une sympathie, une
unité, une identité générale.

MADEMOISELLE DE L'ESPINASSE. — J'en suis confondue.
C'est cela, et presque mot pour mot. Je puis donc assurer à présent à toute la terre qu'il n'y a aucune différence entre un médecin qui veille et un philosophe qui
rêve.

BORDEU. — On s'en doutait. Est-ce là tout?

MADEMOISELLE DE L'ESPINASSE. — Oh que non. Vous
n'y êtes pas. Après votre radotage ou le sien, — il m'a
dit : Mademoiselle? — Mon ami. — Approchez-vous...
encore... encore... J'aurais une chose à vous proposer.
— Qu'est-ce?... Tenez cette grappe, la voilà, — vous la
voyez bien? Là, là. Faisons une expérience. — Quelle? —
Prenez vos ciseaux. Coupent-ils bien? — A ravir. —
Approchez doucement, — tout doucement, — et séparez-

moi ces abeilles, — mais prenez garde de les diviser par
la moitié du corps. Coupez juste à l'endroit où elles se
sont assimilées par les pattes. Ne craignez rien, — vous
les blesserez un peu, — mais vous ne les tuerez pas...
Fort bien; vous êtes adroite comme une fée... Voyez-
vous comme elles s'envolent, chacune de son côté? elles
s'envolent, une à une, deux à deux, trois à trois; combien il y en a... Si vous m'avez bien compris, — vous
m'avez bien compris?... Fort bien... Supposez maintenant... supposez... (Ma foi, Docteur, — j'entendais si
peu ce que j'écrivais, — il parlait si bas, — cet endroit de
mon papier est si barbouillé que je ne le saurais lire.)

BORDEU. — J'y suppléerai, si vous voulez.

MADEMOISELLE DE L'ESPINASSE. — Si vous pouvez.

BORDEU. — Rien de plus facile. Supposez ces abeilles
si petites, si petites que leur organisation échappât toujours au tranchant grossier de votre ciseau; vous pous-
serez la division si loin qu'il vous plaira, sans en faire
mourir aucune; et ce tout formé d'abeilles imperceptibles sera un véritable polype que vous ne détruirez
qu'en l'écrasant. La différence de la grappe d'abeilles
continues et de la grappe d'abeilles contiguës est précisément celle des animaux ordinaires, tels que nous, les
poissons, et des vers, des serpents et des animaux poly-
peux; encore toute cette théorie souffre-t-elle quelques
modifications. *(Ici Mademoiselle de l'Espinasse se lève brusquement et va tirer le cordon de la sonnette.)* Doucement,
doucement, Mademoiselle; vous l'éveillerez, et il a besoin
de repos.

MADEMOISELLE DE L'ESPINASSE. — Je n'y pensais pas,

tant je suis étourdie. *(Au domestique qui entre)* Qui de vous a été chez le Docteur?

LE DOMESTIQUE. — C'est moi, Mademoiselle.

MADEMOISELLE DE L'ESPINASSE. — Y a-t-il longtemps?

LE DOMESTIQUE. — Il n'y a pas une heure que j'en suis revenu.

MADEMOISELLE DE L'ESPINASSE. — N'y avez-vous rien porté?

LE DOMESTIQUE. — Rien.

MADEMOISELLE DE L'ESPINASSE. — Point de papier?

LE DOMESTIQUE. — Aucun.

MADEMOISELLE DE L'ESPINASSE. — Voilà qui est bien, allez... Je n'en reviens pas. Tenez, Docteur, — j'ai soupçonné quelqu'un d'eux de vous avoir communiqué mon griffonnage.

BORDEU. — Je vous assure qu'il n'en est rien.

MADEMOISELLE DE L'ESPINASSE. — A présent que je connais votre talent, vous me serez d'un grand secours dans la société. Sa rêvasserie n'en est pas demeurée là.

BORDEU. — Tant mieux.

MADEMOISELLE DE L'ESPINASSE. — Vous n'y voyez donc rien de fâcheux?

BORDEU. — Pas la moindre chose.

MADEMOISELLE DE L'ESPINASSE. — Il a continué... Eh bien, philosophe, vous concevez donc des polypes de toute espèce, même des polypes humains?... Mais la nature ne nous en offre point.

BORDEU. — Il n'avait pas connaissance de ces deux filles qui se tenaient par la tête, les épaules, le dos, les fesses et les cuisses, qui ont vécu ainsi accolées jusqu'à l'âge de vingt-deux ans et qui sont mortes à quelques minutes l'une de l'autre. Ensuite, il a dit...

MADEMOISELLE DE L'ESPINASSE. — Des folies qui ne s'entendent qu'aux Petites-Maisons; il a dit : Cela est passé ou cela viendra; et puis qui sait l'état des choses dans les autres planètes?

BORDEU. — Peut-être ne faut-il pas aller si loin.

MADEMOISELLE DE L'ESPINASSE. — Dans Jupiter ou dans Saturne, des polypes humains! Les mâles se résolvant en mâles, les femelles en femelles; cela est plaisant... (Là il s'est mis à faire des éclats de rire à m'effrayer.)... L'homme se résolvant en une infinité d'hommes atomiques qu'on renferme entre des feuilles de papier comme des œufs d'insectes qui filent leurs coques, qui restent un certain temps en chrysalides, qui percent leurs coques et qui s'échappent en papillons, une société d'hommes formée, une province entière peuplée des débris d'un seul; cela est tout à fait agréable à imaginer... (et puis les éclats de rire ont repris)... Si l'homme se résout quelque part en une infinité d'hommes animalcules, — on y doit avoir moins de répugnance à mourir; on y répare si facilement la perte d'un homme qu'elle y doit causer peu de regret.

BORDEU. — Cette extravagante supposition est presque l'histoire réelle de toutes les espèces d'animaux subsistants et à venir. Si l'homme ne se résout pas en une infinité d'hommes, — il se résout du moins en une infinité d'animalcules dont il est impossible de prévoir les métamorphoses et l'organisation future et dernière. Qui sait si ce n'est pas la pépinière d'une seconde génération d'êtres séparée de celle-ci par un intervalle incompréhensible de siècles et de développements successifs?

MADEMOISELLE DE L'ESPINASSE. — Que marmottez-vous là tout bas, Docteur?

BORDEU. — Rien, rien. Je rêvais de mon côté. Mademoiselle, continuez de lire.

MADEMOISELLE DE L'ESPINASSE. — Tout bien considéré, pourtant, j'aime mieux notre façon de repeupler, a-t-il ajouté... Philosophe, vous qui savez ce qui se passe là ou ailleurs, — dites-moi, la dissolution de différentes parties n'y donne-t-elle pas des hommes de différents caractères? La cervelle, le cœur, la poitrine, les pieds, les mains, les testicules... Oh, comme cela simplifie la morale... Un homme né... une femme provenue... Docteur, vous me permettrez de passer ceci... Une chambre chaude tapissée de petits cornets, — et sur chacun de ces cornets une étiquette, guerriers, magistrats, philosophes, poètes, cornet de courtisans, cornet de catins, cornet de rois.

BORDEU. — Cela est bien gai et bien fou. Voilà ce qui s'appelle rêver, et une vision qui me ramène à quelques phénomènes assez singuliers...

MADEMOISELLE DE L'ESPINASSE. — Ensuite il s'est mis à marmotter je ne sais quoi de graines, de lambeaux de chair mis en macération dans de l'eau, de différentes races d'animaux successifs qu'il voyait naître et passer. Il avait imité avec sa main droite le tube d'un microscope, et avec sa gauche, je crois, l'orifice d'un vase; il regardait dans le vase par ce tube; et il disait : Vol-

taire en plaisantera tant qu'il voudra, — mais l'Anguil-
lard a raison. J'en crois mes yeux. Je les vois. Combien
il y en a! Comme ils vont! Comme ils viennent! Comme
ils frétillent! Le vase où il apercevait tant de générations
momentanées, il le comparaît à l'univers. Il voyait dans
une goutte d'eau l'histoire du monde. Cette idée lui
paraissait grande. Il la trouvait tout à fait conforme à
la bonne philosophie qui étudie les grands corps dans
les petits. Il disait : Dans la goutte d'eau de Needham
tout s'exécute et se passe en un clin d'œil. Dans le
monde, le même phénomène dure un peu davantage;
mais qu'est-ce que notre durée en comparaison de l'éternité des temps? moins que la goutte que j'ai prise avec
la pointe d'une aiguille en comparaison de l'espace
illimité qui m'environne. Suite indéfinie d'animalcules
dans l'atome qui fermente. Même suite indéfinie d'animalcules dans l'autre atome qu'on appelle la Terre. Qui
sait les races d'animaux qui nous ont précédés? qui sait
les races d'animaux qui succéderont aux nôtres? Tout
change. Tout passe. Il n'y a que le Tout qui reste. Le
monde commence et finit sans cesse. Il est à chaque
instant à son commencement et à sa fin. Il n'en a jamais
eu d'autre et n'en aura jamais d'autre... Dans cet
immense océan de matière, pas une molécule qui ressemble à une molécule; pas une molécule qui se ressemble à elle-même un instant, *Rerum novus nascitur ordo**,
voilà son inscription éternelle... Puis il ajoutait en soupi-
rant : Ô vanité de nos pensées! ô pauvreté de la gloire

* Il naît un nouvel ordre de choses.

et de nos travaux! ô misère, ô petitesse de nos vues!
Il n'y a rien de solide, que de boire, manger, vivre,
aimer et dormir... Mademoiselle de l'Espinasse! où êtes-
vous? — Me voilà. — Alors son visage s'est coloré. J'ai
voulu lui tâter le pouls; mais je ne sais où il avait caché
sa main. Il paraissait éprouver une convulsion. Sa
bouche s'était entr'ouverte. Son haleine était pressée.
Il a poussé un profond soupir; et puis un soupir plus
faible et plus profond encore. Il a retourné sa tête sur
son oreiller; et s'est endormi. Je le regardais avec attention, et j'étais toute émue sans savoir pourquoi. Le cœur
me battait, et ce n'était pas de peur. Au bout de quelques
moments, j'ai vu un léger sourire errer sur ses lèvres.
Il disait tout bas : ... Dans une planète où les hommes
se multiplieraient à la manière des poissons, où le frai
d'un homme pressé sur le frai d'une femme... J'y aurais
moins de regret. Il ne faut rien perdre de ce qui peut
avoir son utilité. Mademoiselle, si cela pouvait se
recueillir, être enfermé dans un flacon et envoyé de
grand matin à Needham... (Docteur, et vous n'appelez
pas cela de la déraison?)

BORDEU. — Auprès de vous, assurément.

MADEMOISELLE DE L'ESPINASSE. — Auprès de moi, loin
de moi, c'est tout un, et vous ne savez ce que vous
dites. J'avais espéré que le reste de la nuit serait tranquille.

BORDEU. — Cela produit ordinairement cet effet.

MADEMOISELLE DE L'ESPINASSE. — Point du tout; sur
les deux heures du matin il en est revenu à sa goutte
d'eau, qu'il appelait un mi... cro...

BORDEU. — Un microcosme.

MADEMOISELLE DE L'ESPINASSE. — C'est son mot. Il admirait la sagacité des anciens philosophes. Il disait ou faisait dire à son philosophe, je ne sais lequel des deux : Si lorsque Épicure assurait que la terre contenait les germes de tout, et que l'espèce animale était le produit de la fermentation, il avait proposé de montrer une image en petit, de ce qui s'était fait en grand à l'origine des temps, que lui aurait-on répondu?... Et vous l'avez sous vos yeux cette image, et elle ne vous apprend rien... Qui sait si la fermentation, et ses produits sont épuisés? Qui sait à quel instant de la succession de ces générations animales nous en sommes? Qui sait si ce bipède déformé qui n'a que quatre pieds de hauteur, qu'on appelle encore, dans le voisinage du pôle, un homme, et qui ne tarderait pas à perdre ce nom, en se déformant un peu davantage, n'est pas l'image d'une espèce qui passe? Qui sait s'il n'en est pas ainsi de toutes les espèces d'animaux? Qui sait si tout ne tend pas à se réduire à un grand sédiment inerte et immobile? Qui sait quelle sera la durée de cette inertie? Qui sait quelle race nouvelle peut résulter derechef d'un amas aussi grand de points sensibles et vivants? Pourquoi pas un seul animal? Qu'était l'éléphant dans son origine? Peut-être l'animal énorme, tel qu'il nous paraît; peut-être un atome, car tous les deux sont également possibles; ils ne supposent que le mouvement et les propriétés diverses de la matière... L'éléphant, cette masse énorme, organisée, le produit subit de la fermentation? Pourquoi non? Le rapport de ce grand quadrupède à sa matrice

première est moindre que celui du vermisseau à la molécule de farine qui l'a produit... Mais le vermisseau n'est
qu'un vermisseau... C'est-à-dire que la petitesse qui
vous dérobe son organisation, lui ôte son merveilleux...
Le prodige, c'est la vie; c'est la sensibilité; et ce prodige
n'en est plus un... Lorsque j'ai vu la matière inerte
passer à l'état sensible, rien ne doit plus m'étonner...
Quelle comparaison d'un petit nombre d'éléments mis
en fermentation dans le creux de ma main, et de ce
réservoir immense d'éléments divers, épars dans les
entrailles de la terre, à sa surface, au sein des mers, dans
le vague des airs... Cependant puisque les mêmes causes
subsistent, pourquoi les effets ont-ils cessé? Pourquoi
ne voyons-nous plus le taureau percer la terre de sa
corne, appuyer ses pieds contre le sol, et faire effort
pour en dégager son corps pesant?... Laissez passer la
race présente des animaux subsistants. Laissez agir le
grand sédiment inerte quelques millions de siècles. Peut-
être faut-il pour renouveler les espèces dix fois plus de
temps qu'il n'en est accordé à leur durée. Attendez, et
ne vous hâtez pas de prononcer sur le grand travail de
nature. Vous avez deux grands phénomènes, le passage
de l'état d'inertie à l'état de sensibilité, — et les générations spontanées; qu'ils vous suffisent. Tirez en de justes
conséquences; et dans un ordre de choses où il n'y a ni
grand ni petit, ni durable ni passager, absolus, garan-
tissez-vous du sophisme de l'éphémère... (Docteur,
qu'est-ce que c'est que le sophisme de l'éphémère?)

BORDEU. — C'est celui d'un être passager qui croit à
l'immutabilité des choses.

MADEMOISELLE DE L'ESPINASSE. — La rose de Fontenelle qui disait que de mémoire de rose on n'avait vu mourir un jardinier.

BORDEU. — Précisément. Cela est léger et profond.

MADEMOISELLE DE L'ESPINASSE. — Pourquoi vos philosophes ne s'expriment-ils pas avec la grâce de celui-ci? nous les entendrions.

BORDEU. — Franchement, je ne sais si ce ton frivole convient aux sujets graves.

MADEMOISELLE DE L'ESPINASSE. — Qu'appelez-vous un sujet grave?

BORDEU. — Mais la sensibilité générale, la formation de l'être sentant, son unité, l'origine des animaux, leur durée, et toutes les questions auxquelles cela tient.

MADEMOISELLE DE L'ESPINASSE. — Moi, j'appelle cela des folies auxquelles je permets de rêver, quand on dort, — mais dont un homme de bon sens qui veille ne s'occupera jamais.

BORDEU. — Et pourquoi cela, s'il vous plaît?

MADEMOISELLE DE L'ESPINASSE. — C'est que les unes sont si claires qu'il est inutile d'en chercher la raison, d'autres si obscures qu'on n'y voit goutte, et toutes de la plus parfaite inutilité.

BORDEU. — Croyez-vous, Mademoiselle, qu'il soit indifférent de nier ou d'admettre une intelligence suprême?

MADEMOISELLE DE L'ESPINASSE. — Non.

BORDEU. — Croyez-vous qu'on puisse prendre parti sur l'intelligence suprême, sans savoir à quoi s'en tenir sur l'éternité de la matière et ses propriétés, la distinction des deux substances, la nature de l'homme, et la production des animaux?

MADEMOISELLE DE L'ESPINASSE. — Non.

BORDEU. — Ces questions ne sont donc pas aussi oiseuses que vous les disiez.

MADEMOISELLE DE L'ESPINASSE. — Mais que me fait à moi leur importance, si je ne saurais les éclaircir?

BORDEU. — Et comment le saurez-vous, si vous ne les examinez point? Mais pourrais-je vous demander celles que vous trouvez si claires que l'examen vous en paraît superflu?

MADEMOISELLE DE L'ESPINASSE. — Celles de mon unité, de mon moi, par exemple. Pardi, il me semble qu'il ne faut pas tant verbiager pour savoir que je suis moi, que j'ai toujours été moi, et que je ne serai jamais une autre.

BORDEU. — Sans doute le fait est clair, — mais la raison du fait ne l'est aucunement; surtout dans l'hypothèse de ceux qui n'admettent qu'une substance et qui explique la formation de l'homme ou de l'animal en général par l'apposition successive de plusieurs molécules sensibles. Chaque molécule sensible avait son moi avant l'application; mais comment l'a-t-elle perdu, et comment de toutes ces pertes en est-il résulté la conscience d'un tout?

MADEMOISELLE DE L'ESPINASSE. — Il me semble que le contact seul suffit. Voici une expérience que j'ai faite cent fois... mais attendez... il faut que j'aille voir ce qui se passe entre ces rideaux... il dort... Lorsque je pose ma main sur ma cuisse, je sens bien d'abord que ma main n'est pas ma cuisse; mais quelque temps après, lorsque la chaleur est égale dans l'une et l'autre, je ne les distingue plus. Les limites des deux parties se confondent, et n'en font plus qu'une.

BORDEU. — Oui, jusqu'à ce qu'on vous pique l'une ou l'autre. Alors la distinction renaît. Il y a donc en vous quelque chose qui n'ignore pas si c'est votre main ou votre cuisse qu'on a piquée; et ce quelque chose-là, ce n'est pas votre pied; ce n'est pas même votre main piquée; c'est elle qui souffre, — mais c'est autre chose qui le sait, et qui ne souffre pas.

MADEMOISELLE DE L'ESPINASSE. — Mais je crois que c'est ma tête.

BORDEU. — Toute votre tête?

MADEMOISELLE DE L'ESPINASSE. — Non; mais tenez, Docteur, je vais m'expliquer par une comparaison. Les comparaisons sont presque toute la raison des femmes et des poètes. Imaginez une araignée...

D'ALEMBERT. — Qui est-ce qui est là?... Est-ce vous, Mademoiselle de l'Espinasse?...

MADEMOISELLE DE L'ESPINASSE. — Paix, paix... *(Mademoiselle de l'Espinasse et le Docteur gardent le silence, pendant quelque temps; ensuite Mademoiselle de l'Espinasse dit à voix basse).* Je le crois rendormi.

BORDEU. — Non. Il me semble que j'entends quelque chose.

MADEMOISELLE DE L'ESPINASSE. — Vous avez raison. Est-ce qu'il reprendrait son rêve?

BORDEU. — Écoutons.

D'ALEMBERT. — Pourquoi suis-je tel? c'est qu'il a fallu que je fusse tel... Ici, oui. Mais ailleurs? au pôle? mais sous la ligne? mais dans Saturne?... Si une distance de quelques mille lieues change mon espèce, que ne fera point l'intervalle de quelques milliers de diamètres terrestres?... Et si tout est en flux général, comme le spectacle de l'univers me le montre partout, que ne produiront point ici et ailleurs la durée et les vicissitudes de quelques millions de siècles?... Qui sait ce qu'est l'être pensant et sentant en Saturne?... mais y a-t-il en Saturne du sentiment et de la pensée?... pourquoi non?... L'être sentant et pensant en Saturne aurait-il plus de sens que je n'en ai?... Si cela est, ah! qu'il est malheureux le Saturnien!... Plus de sens, — plus de besoins.

BORDEU. — Il a raison. Les organes produisent les besoins, et réciproquement les besoins produisent les organes.

MADEMOISELLE DE L'ESPINASSE. — Docteur, délirez-vous aussi?

BORDEU. — Pourquoi non? J'ai vu deux moignons devenir à la longue deux bras.

MADEMOISELLE DE L'ESPINASSE. Vous mentez

BORDEU. — Il est vrai; mais au défaut de deux bras qui manquaient; j'ai vu deux omoplates s'allonger, se mouvoir en pince, et devenir deux moignons.

MADEMOISELLE DE L'ESPINASSE. — Quelle folie!

BORDEU. — C'est un fait. Supposez une longue suite de générations manchotes, — supposez des efforts continus, — et vous verrez les deux côtés de cette pincette s'étendre, s'étendre de plus en plus, se croiser sur le dos, revenir par devant, — peut-être se digiter à leurs extrémités, et refaire des bras et des mains. La conformation originelle s'altère ou se perfectionne par la nécessité et les fonctions habituelles. Nous marchons si peu, nous travaillons si peu, et nous pensons tant que je ne désespère pas que l'homme ne finisse par n'être qu'une tête.

MADEMOISELLE DE L'ESPINASSE. — Une tête! une tête, — c'est bien peu de chose; j'espère que la galanterie effrénée... Vous me faites venir des idées bien ridicules.

BORDEU. — Paix.

D'ALEMBERT. — Je suis donc tel, parce qu'il a fallu que je fusse tel. Changez le tout, vous me changez nécessairement; mais le tout change sans cesse... L'homme n'est qu'un effet commun, — le monstre qu'un effet rare; tous les deux également naturels, également nécessaires; également dans l'ordre universel et général... Et qu'est-ce qu'il y a d'étonnant à cela?... tous les êtres circulent les uns dans les autres, — par conséquent toutes les espèces... tout est en un flux perpétuel... tout animal est plus ou moins homme; tout minéral est plus ou moins plante; toute plante est plus ou moins animal. Il n'y a rien de précis en nature... Le ruban du Père Castel... Oui, Père Castel, — c'est votre ruban et ce n'est que cela. Toute chose est plus ou moins une chose quelconque, plus ou moins terre, plus ou moins eau, — plus ou moins air, — plus ou moins feu; plus ou moins d'un règne ou d'un autre... Donc rien n'est de l'essence d'un être particulier... Non, sans doute, puisqu'il n'y a aucune qualité dont aucun être ne soit participant... Et que c'est le rapport plus ou moins grand de cette qualité qui nous la fait attribuer à un être exclusi-

vement à un autre... Et vous parlez d'individus, pauvres
philosophes; laissez là vos individus; répondez-moi. Y
a-t-il un atome en nature rigoureusement semblable à
un autre atome?... Non... Ne convenez-vous pas que
tout tient en nature et qu'il est impossible qu'il y ait un
vide dans la chaîne?... Que voulez-vous donc dire avec
vos individus?... Il n'y en a point. Non, il n'y en a
point... Il n'y a qu'un seul grand individu; c'est le tout.
Dans ce tout, comme dans une machine, dans un animal
quelconque, il y a une partie que vous appellerez telle
ou telle; mais quand vous donnerez le nom d'individu
à cette partie du tout, c'est par un concept aussi faux
que si, dans un oiseau, vous donniez le nom d'individu
à l'aile, à une plume de l'aile... Et vous parlez d'essences,
pauvres philosophes; laissez là vos essences. Voyez la
masse générale; ou si pour l'embrasser, vous avez l'imagination trop étroite, voyez votre première origine et
votre fin dernière... Ô Archytas, vous qui avez mesuré
le globe, qu'êtes-vous? un peu de cendre... Qu'est-ce
qu'un être?... la somme d'un certain nombre de tendances... Est-ce que je puis être autre chose qu'une tendance?... non. Je vais à un terme... Et les espèces?...
Les espèces ne sont que des tendances à un terme commun qui leur est propre... Et la vie?... La vie? une suite
d'actions et de réactions... Vivant, j'agis et je réagis en
masse... mort, j'agis et je réagis en molécules... Je ne
meurs donc point... Non, sans doute je ne meurs point
en ce sens, ni moi ni quoi que ce soit... Naître, vivre
et passer, c'est changer de formes... Et qu'importe
une forme ou une autre? Chaque forme a le bonheur

et le malheur qui lui est propre... Depuis l'éléphant jusqu'au puceron... depuis le puceron, jusqu'à la molécule sensible et vivante, l'origine de tout... pas un
point dans la nature entière qui ne souffre ou qui ne
jouisse.

MADEMOISELLE DE L'ESPINASSE. — Il ne dit plus rien.

BORDEU. — Non. Il a fait une assez belle excursion.
Voilà de la philosophie bien haute; systématique dans
ce moment; je crois que plus les connaissances de
l'homme feront de progrès, plus elle se vérifiera.

MADEMOISELLE DE L'ESPINASSE. — Et nous, où en étions-
nous?

BORDEU. — Ma foi, je ne m'en souviens plus. Il
m'a rappelé tant de phénomènes, tandis que je l'écoutais!

MADEMOISELLE DE L'ESPINASSE. — Attendez, attendez...
j'en étais à mon araignée.

BORDEU. — Oui, oui.

MADEMOISELLE DE L'ESPINASSE. — Docteur, approchez-
vous. Imaginez une araignée au centre de sa toile.
Ébranlez un fil, — et vous verrez l'animal alerte accourir.
Eh bien, si les fils que l'insecte tire de ses intestins, et
y rappelle, quand il lui plaît, faisaient partie sensible
de lui-même?...

BORDEU. — Je vous entends. Vous imaginez en vous,
quelque part, dans un recoin de votre tête, celui, par
exemple, qu'on appelle les méninges, un ou plusieurs
points où se rapportent toutes les sensations excitées
sur la longueur des fils.

MADEMOISELLE DE L'ESPINASSE. — C'est cela.

BORDEU. — Votre idée est on ne saurait plus juste; mais ne voyez-vous pas que c'est à peu près la même qu'une certaine grappe d'abeilles?

MADEMOISELLE DE L'ESPINASSE. — Ah, cela est vrai. J'ai fait de la prose sans m'en douter.

BORDEU. — Et de la très bonne prose, comme vous allez voir. Celui qui ne connaît l'homme que sous la forme qu'il nous présente en naissant n'en a pas la moindre idée. Sa tête, ses pieds, ses mains, tous ses membres, tous ses viscères, tous ses organes, son nez, ses yeux, ses oreilles, son cœur, ses poumons, ses intestins, ses muscles, ses os, ses nerfs, ses membranes, ne sont à proprement parler que les développements grossiers d'un réseau qui se forme, s'accroît, s'étend, jette une multitude de fils imperceptibles.

MADEMOISELLE DE L'ESPINASSE. — Voilà ma toile. Et le point originaire de tous ces fils, c'est mon araignée.

BORDEU. — A merveille.

MADEMOISELLE DE L'ESPINASSE. — Où sont les fils? où est placée l'araignée?

BORDEU. — Les fils sont partout. Il n'y a pas un point à la surface de votre corps auquel ils n'aboutissent; et l'araignée est nichée dans une partie de votre tête, que je vous ai nommée, les méninges, à laquelle on ne saurait presque toucher, sans frapper de torpeur toute la machine.

MADEMOISELLE DE L'ESPINASSE. — Mais si un atome fait osciller un des fils de la toile de l'araignée, alors elle prend l'alarme, elle s'inquiète, elle fuit ou elle accourt.

Au centre, elle est instruite de tout ce qui se passe en quelque endroit que ce soit de l'appartement immense qu'elle a tapissé. Pourquoi est-ce que je ne sais pas ce qui se passe dans le mien, ou le monde, puisque je suis un peloton de points sensibles, que tout presse sur moi et que je presse sur tout ?

BORDEU. — C'est que les impressions s'affaiblissent en raison de la distance d'où elles partent.

MADEMOISELLE DE L'ESPINASSE. — Si l'on frappe du coup le plus léger à l'extrémité d'une longue poutre, j'entends ce coup, si j'ai mon oreille placée à l'autre extrémité. Cette poutre toucherait d'un bout sur la terre et de l'autre bout dans Sirius, que le même effet serait produit. Pourquoi tout étant lié, contigu, c'est-à-dire la poutre existante et réelle, n'entends-je pas ce qui se passe dans l'espace immense qui m'environne, surtout si j'y prête l'oreille ?

BORDEU. — Et qui est-ce qui vous a dit que vous ne l'entendiez pas plus ou moins ? Mais il y a si loin, l'impression est si faible, si croisée sur la route ; vous êtes entourée et assourdie de bruits si violents et si divers. C'est qu'entre Saturne et vous, il n'y a que des corps contigus, au lieu qu'il y faudrait de la continuité.

MADEMOISELLE DE L'ESPINASSE. — C'est bien dommage.

BORDEU. — Il est vrai, car vous seriez Dieu. Par votre identité avec tous les êtres de la nature, vous sauriez tout ce qui se fait. Par votre mémoire, vous sauriez tout ce qui s'y est fait.

MADEMOISELLE DE L'ESPINASSE. — Et ce qui s'y fera.

BORDEU. — Vous formeriez sur l'avenir des conjectures vraisemblables, mais sujettes à erreur. C'est précisément comme si vous cherchiez à deviner ce qui va se passer au dedans de vous à l'extrémité de votre pied, ou de votre main.

MADEMOISELLE DE L'ESPINASSE. — Et qui est-ce qui vous a dit que ce monde n'avait pas aussi ses méninges, ou qu'il ne réside pas dans quelque recoin de l'espace une grosse ou petite araignée dont les fils s'étendent à tout?

BORDEU. — Personne. Moins encore si elle n'a pas été, ou si elle ne sera pas.

MADEMOISELLE DE L'ESPINASSE. — Comment cette espèce de Dieu-là...

BORDEU. — La seule qui se conçoive...

MADEMOISELLE DE L'ESPINASSE. — Pourrait avoir été ou venir et passer?

BORDEU. — Sans doute; mais puisqu'il serait matière, dans l'univers, portion de l'univers, sujet à vicissitudes, il vieillirait, — il mourrait.

MADEMOISELLE DE L'ESPINASSE. — Mais voici bien une autre extravagance qui me vient.

BORDEU. — Je vous dispense de la dire, je la sais.

MADEMOISELLE DE L'ESPINASSE. — Voyons, quelle est-elle?

BORDEU. — Vous voyez l'intelligence unie à des portions de matière très énergiques et la possibilité de toutes sortes de prodiges imaginables. D'autres l'ont pensé comme vous.

MADEMOISELLE DE L'ESPINASSE. — Vous m'avez devi-

née, — et je ne vous en estime pas davantage. Il faut que
vous ayez un merveilleux penchant à la folie.

BORDEU. — D'accord. Mais que cette idée a-t-elle d'effrayant? Ce serait une épidémie de bons et de mauvais
génies. Les lois les plus constantes de la nature seraient
interrompues par des agents naturels; notre physique
générale en deviendrait plus difficile; mais il n'y aurait
point de miracles.

MADEMOISELLE DE L'ESPINASSE. — En vérité, il faut
être bien circonspect sur ce qu'on assure et sur ce qu'on
nie.

BORDEU. — Allez, celui qui vous raconterait un phénomène de ce genre aurait l'air d'un grand menteur; mais
laissons là tous ces êtres imaginaires, sans en excepter
votre araignée à réseaux infinis. Revenons au vôtre et à
sa formation.

MADEMOISELLE DE L'ESPINASSE. — J'y consens.

D'ALEMBERT. — Mademoiselle, vous êtes avec quelqu'un.
Qui est-ce qui cause là avec vous?

MADEMOISELLE DE L'ESPINASSE. — C'est le Docteur.

D'ALEMBERT. — Bonjour, Docteur; que faites-vous ici
si matin?

BORDEU. — Vous le saurez. Dormez.

D'ALEMBERT. — Ma foi, j'en ai besoin. Je ne crois pas
avoir passé une autre nuit aussi agitée que celle-ci. Vous
ne vous en irez pas que je ne sois levé.

BORDEU. — Non. Je gage, Mademoiselle, que vous
avez cru qu'ayant été, à l'âge de douze ans, une femme la
moitié plus petite, à l'âge de quatre ans encore une
femme la moitié plus petite, fœtus une petite femme,

dans les testicules de votre mère une femme très petite,
vous avez pensé que vous aviez toujours été une femme,
sous la forme que vous avez, en sorte que les seuls
accroissements successifs que vous avez pris ont fait toute
la différence de vous à votre origine, et de vous telle que
vous voilà.

MADEMOISELLE DE L'ESPINASSE. — J'en conviens.

BORDEU. — Rien cependant n'est plus faux que cette
idée. D'abord vous n'étiez rien. Vous fûtes en commençant, un point imperceptible, formé de molécules plus
petites éparses dans le sang, la lymphe de votre père
ou de votre mère; ce point devint un fil délié; puis un
faisceau de fils. Jusque-là, pas le moindre vestige de cette
forme agréable que vous avez. Vos yeux, ces beaux
yeux, ne ressemblaient non plus à des yeux, que l'extrémité d'une griffe d'anémone ne ressemble à une anémone. Chacun des brins du faisceau de fils se trans-
forma par la seule nutrition et par sa conformation, en
un organe particulier. Abstraction faite des organes
dans lesquels les brins du faisceau se métamorphosent
et auxquels ils donnent naissance, le faisceau est un
système purement sensible. S'il persistait sous cette
forme, il serait susceptible de toutes les impressions
relatives à la sensibilité, pure, comme le froid, le chaud,
le doux, le rude. Ces impressions successives, variées
entre elles et variées chacune dans leur intensité, y
produiraient peut-être la mémoire, la conscience du
soi, une raison très bornée. Mais cette sensibilité pure
et simple, ce toucher se diversifie par les organes
émanés de chacun des brins; un brin formant une

oreille donne naissance à une espèce de toucher que nous appelons bruit ou son; un autre formant le palais donne naissance à une seconde espèce de toucher que nous appelons saveur; un troisième formant le nez et le tapissant donne naissance à une troisième espèce de toucher que nous appelons odeur; un quatrième formant un œil donne naissance à une quatrième espèce de toucher que nous appelons couleur.

MADEMOISELLE DE L'ESPINASSE. — Mais si je vous ai bien compris, ceux qui nient la possibilité d'un sixième sens, un véritable hermaphrodite, sont des étourdis. Qui est-ce qui leur a dit que nature ne pourrait former un faisceau avec un brin singulier, qui donnerait naissance à un organe qui nous est inconnu?

BORDEU. — Ou avec les deux brins qui caractérisent les deux sexes? Vous avez raison. Il y a plaisir à causer avec vous. Vous ne saisissez pas seulement ce qu'on vous dit, vous en tirez encore des conséquences d'une justesse qui m'étonne.

MADEMOISELLE DE L'ESPINASSE. — Docteur, vous m'encouragez.

BORDEU. — Non, ma foi; je vous dis ce que je pense.

MADEMOISELLE DE L'ESPINASSE. — Je vois bien l'emploi de quelques-uns des brins du faisceau; mais les autres que deviennent-ils?

BORDEU. — Et vous croyez qu'une autre que vous aurait songé à cette question?

MADEMOISELLE DE L'ESPINASSE. — Certainement.

BORDEU. — Vous n'êtes pas vaine. Le reste des brins

va former autant d'autres espèces de toucher qu'il y a
de diversité entre les organes et les parties du corps.

MADEMOISELLE DE L'ESPINASSE. — Et comment les
appelle-t-on? Je n'en ai jamais entendu parler.

BORDEU. — Ils n'ont pas de nom.

MADEMOISELLE DE L'ESPINASSE. — Et pourquoi?

BORDEU. — C'est qu'il n'y a pas autant de différence
entre les sensations excitées par leur moyen, qu'il y en a
entre les sensations excitées par le moyen des autres
organes.

MADEMOISELLE DE L'ESPINASSE. — Très sérieusement, vous
pensez que le pied, la main, les cuisses, le ventre, l'estomac, la poitrine, le poumon, le cœur, ont leurs sensations particulières.

BORDEU. — Je le pense. Si j'osais, je vous demanderais
si parmi ces sensations qu'on ne nomme pas...

MADEMOISELLE DE L'ESPINASSE. — Je vous entends.
Non. Celle-là est toute seule de son espèce; et c'est
dommage. Mais quelle raison avez-vous de cette multiplicité de sensations plus douloureuses qu'agréables
dont il vous plaît de nous gratifier?

BORDEU. — La raison? c'est que nous les discernons
en grande partie. Si cette infinie diversité de toucher
n'existait pas, on saurait qu'on éprouve du plaisir ou de
la douleur, mais on ne saurait où les rapporter. Il faudrait le secours de la vue. Ce ne serait plus une affaire
de sensation; ce serait une affaire d'expérience et d'observation.

MADEMOISELLE DE L'ESPINASSE. — Quand je dirais que
j'ai mal au doigt, — si l'on me demandait pourquoi

j'assure que c'est au doigt que j'ai mal, — il faudrait
que je répondisse non pas que je le sens, — mais que je
sens du mal et que je vois que mon doigt est malade.

BORDEU. — C'est cela. Venez que je vous embrasse.

MADEMOISELLE DE L'ESPINASSE. — Très volontiers.

D'ALEMBERT. — Docteur, vous embrassez Mademoiselle. C'est fort bien fait à vous.

BORDEU. — J'y ai beaucoup réfléchi, et il m'a semblé
que la direction et le lieu de la secousse ne suffiraient
pas pour déterminer le jugement si subit de l'origine du
faisceau.

MADEMOISELLE DE L'ESPINASSE. — Je n'en sais rien.

BORDEU. — Votre doute me plaît. Il est si commun de
prendre des qualités naturelles pour les habitudes
acquises et presque aussi vieilles que nous.

MADEMOISELLE DE L'ESPINASSE. — Et réciproquement.

BORDEU. — Quoi qu'il en soit, vous voyez que dans
une question où il s'agit de la formation première de
l'animal, c'est s'y prendre trop tard que d'attacher son
regard et ses réflexions sur l'animal formé; qu'il faut
remonter à ses premiers rudiments, et qu'il est à propos
de vous dépouiller de votre organisation actuelle, et de
devenir à un instant où vous n'étiez qu'une substance
molle, filamenteuse, — informe, vermiculaire, plus analogue au bulbe et à la racine d'une plante qu'à un
animal.

MADEMOISELLE DE L'ESPINASSE. — Si c'était l'usage
d'aller toute nue dans les rues, je ne serais ni la première ni la dernière à m'y conformer. Ainsi faites de moi
tout ce qu'il vous plaira, pourvu que je m'instruise.

Vous m'avez dit que chaque brin du faisceau formait un organe particulier; et quelle preuve que cela est ainsi?

BORDEU. — Faites par la pensée ce que nature fait quelquefois! Mutilez le faisceau d'un de ses brins, par exemple du brin qui formera les yeux; que croyez-vous qu'il en arrive?

MADEMOISELLE DE L'ESPINASSE. — Que l'animal n'aura point d'yeux, peut-être.

BORDEU. — Ou n'en aura qu'un placé au milieu du front.

MADEMOISELLE DE L'ESPINASSE. — Ce sera un Cyclope.

BORDEU. — Un Cyclope.

MADEMOISELLE DE L'ESPINASSE. — Le Cylope pourrait donc bien ne pas être un être fabuleux.

BORDEU. — Si peu que je vous en ferai voir un, quand vous voudrez.

MADEMOISELLE DE L'ESPINASSE. — Et qui sait la cause de cette diversité?

BORDEU. — Celui qui a disséqué ce monstre et qui ne lui a trouvé qu'un filet optique. Faites par la pensée ce que nature fait quelquefois. Supprimez un autre brin du faisceau, le brin qui doit former le nez, — l'animal sera sans nez. Supprimez le brin qui doit former l'oreille, — l'animal sera sans oreilles, ou n'en aura qu'une, — et l'anatomiste ne trouvera dans la dissection, ni les filets olfactifs, ni les filets auditifs, ou ne trouvera qu'un de ceux-ci. Continuez la suppression des brins, et l'animal sera sans tête, sans pieds, sans mains; sa durée sera courte, mais il aura vécu.

MADEMOISELLE DE L'ESPINASSE. — Et il y a des exemples de cela?

BORDEU. — Assurément. Ce n'est pas tout. Doublez quelques-uns des brins du faisceau, et l'animal aura deux têtes, quatre yeux, quatre oreilles, trois testicules, trois pieds, quatre bras, six doigts à chaque main. Dérangez les brins du faisceau, et les organes seront déplacés : la tête occupera le milieu de la poitrine, les poumons seront à gauche, le cœur à droite. Collez ensemble deux brins, et les organes se confondront; les bras s'attacheront au corps; les cuisses, les jambes et les pieds se réuniront, et vous aurez toutes les sortes de monstres imaginables.

MADEMOISELLE DE L'ESPINASSE. — Mais il me semble qu'une machine aussi composée qu'un animal, — une machine qui naît d'un point, d'un fluide agité, peut-être de deux fluides brouillés au hasard, car on ne sait guère alors ce qu'on fait, une machine qui s'avance à sa perfection par une infinité de développements successifs, une machine dont la conformation régulière ou irrégulière dépend d'un paquet de fils minces, déliés et flexibles, d'une espèce d'écheveau où le moindre brin ne peut être cassé, rompu, déplacé, manquant, sans conséquence fâcheuse pour le tout, devrait se nouer, s'embarrasser encore plus souvent dans le lieu de sa formation que mes soies sur ma tournette.

BORDEU. — Aussi en souffre-t-elle beaucoup plus qu'on ne pense, — on ne dissèque pas assez, — et les idées sur sa formation sont-elles bien éloignées de la vérité.

MADEMOISELLE DE L'ESPINASSE. — A-t-on des exemples remarquables de ces difformités originelles autres que les bossus et les boiteux, dont on pourrait attribuer l'état maléficié à quelque vice héréditaire?

BORDEU. — Il y en a sans nombre; et tout nouvellement il vient de mourir à la Charité de Paris, à l'âge de vingt-cinq ans, des suites d'une fluxion de poitrine, un charpentier né à Troyes, appelé Jean-Baptiste Macé, qui avait les viscères intérieurs de la poitrine et de l'abdomen dans une situation renversée, le cœur à droite précisément comme vous l'avez à gauche, le foie à gauche; l'estomac, la rate, le pancréas, à l'hypocondre droit; la veine-porte au foie du côté gauche, ce qu'elle est au foie du côté droit; même transposition au long canal des intestins; les reins adossés l'un à l'autre sur les vertèbres des lombes, imitaient la figure d'un fer à cheval. Et qu'on vienne après cela nous parler de causes finales!

MADEMOISELLE DE L'ESPINASSE. — Cela est singulier.

BORDEU. — Si Jean-Baptiste Macé a été marié et qu'il ait eu des enfants...

MADEMOISELLE DE L'ESPINASSE. — Eh bien, Docteur, ces enfants...

BORDEU. — Suivront la conformation générale; mais quelqu'un des enfants de leurs enfants, au bout d'une centaine d'années, car ces irrégularités ont des sauts, reviendra à la conformation bizarre de son aïeul.

MADEMOISELLE DE L'ESPINASSE. — Et d'où viennent ces sauts?

BORDEU. — Qui le sait? Pour faire un enfant on est deux, comme vous savez. Peut-être qu'un des agents répare le vice de l'autre, et que le réseau défectueux ne renaît que dans le moment où le descendant de la race monstrueuse prédomine, et donne la loi à la formation du réseau. Le faisceau de fils constitue la différence originelle et première de toutes les espèces d'animaux. Les variétés du faisceau d'une espèce font toutes les variétés monstrueuses de cette espèce.

(Après un long silence, Mademoiselle de l'Espinasse sortit de sa rêverie et tira le docteur de la sienne par la question suivante) :

— Il me vient une idée bien folle.

BORDEU. — Quelle?

MADEMOISELLE DE L'ESPINASSE. — L'homme n'est peut-être que le monstre de la femme, ou la femme le monstre de l'homme.

BORDEU. — Cette idée vous serait venue bien plus vite encore, si vous eussiez su que la femme a toutes les parties de l'homme, et que la seule différence qu'il y ait, est celle d'une bourse pendante en dehors, ou d'une bourse retournée en dedans; qu'un fœtus femelle ressemble, à s'y tromper, à un fœtus mâle; que la partie qui occasionne l'erreur s'affaise dans le fœtus femelle à mesure que la bourse intérieure s'étend; qu'elle ne s'oblitère jamais au point de perdre sa première forme; qu'elle garde cette forme en petit; qu'elle est susceptible des mêmes mouvements; qu'elle est aussi le mobile de la volupté; qu'elle a son gland, — son prépuce, — et qu'on remarque à son extrémité un point qui paraîtrait avoir été l'orifice d'un canal urinaire qui s'est fermé; qu'il y a dans l'homme depuis l'anus, jusqu'au scrotum, intervalle qu'on appelle le périnée, et du scrotum jusqu'à l'extrémité de la verge, une couture qui semble être la reprise d'une vulve faufilée; que les femmes qui ont le clitoris excessif ont de la barbe; que les eunuques n'en ont point; que leurs cuisses se fortifient; que leurs hanches s'évasent; que leurs genoux s'arrondissent, et qu'en perdant l'organisation caractéristique d'un sexe, ils semblent s'en retourner à la conformation caractéristique de l'autre. Ceux d'entre les Arabes que l'équitation habituelle a châtrés perdent la barbe, prennent une voix grêle, s'habillent en femmes, se rangent parmi elles sur les chariots, s'accroupissent pour pisser, et en affectent les mœurs et les usages... Mais nous voilà bien loin de notre objet. Revenons à notre faisceau de filaments animés et vivants.

D'ALEMBERT. — Je crois que vous dites des ordures à Mademoiselle de l'Espinasse.

BORDEU. — Quand on parle science, il faut se servir des mots techniques.

D'ALEMBERT. — Vous avez raison; alors ils perdent le cortège d'idées accessoires qui les rendraient malhonnêtes. Continuez, Docteur. Vous disiez donc à Mademoiselle, que la matrice n'est autre chose qu'un scrotum retourné de dehors en dedans, mouvement dans lequel les testicules ont été jetés hors de la bourse qui les renfermait, et dispersés de droite et de gauche dans la cavité du corps; que le clitoris est un membre viril en petit; que ce membre viril de femme va toujours en diminuant à mesure que la matrice, ou le scrotum retourné s'étend, et que...

MADEMOISELLE DE L'ESPINASSE. — Oui, oui, taisez-vous; et ne vous mêlez pas de nos affaires...

BORDEU. — Vous voyez, Mademoiselle, que dans la question de nos sensations en général, qui ne sont toutes qu'un toucher diversifié, il faut laisser là les formes successives que le réseau prend, et s'en tenir au réseau seul.

MADEMOISELLE DE L'ESPINASSE. — Chaque fil du réseau sensible peut être blessé ou chatouillé sur toute sa longueur. Le plaisir ou la douleur est là, ou là, dans un endroit ou dans un autre de quelqu'une des longues pattes de mon araignée, — car j'en reviens toujours à mon araignée, — que c'est l'araignée qui est à l'origine commune de toutes les pattes, et qui rapporte à tel ou tel endroit la douleur ou le plaisir, sans l'éprouver.

BORDEU. — Que c'est le rapport constant, invariable de toutes les impressions à cette origine commune qui constitue l'unité de l'animal.

MADEMOISELLE DE L'ESPINASSE. — Que c'est la mémoire de toutes ces impressions successives qui fait pour chaque animal l'histoire de sa vie et de son soi.

BORDEU. — Et que c'est la mémoire et la comparaison qui s'ensuivent nécessairement de toutes ces impressions qui font la pensée et le raisonnement.

MADEMOISELLE DE L'ESPINASSE. — Et cette comparaison se fait, où?

BORDEU. — A l'origine du réseau.

MADEMOISELLE DE L'ESPINASSE. — Et ce réseau?

BORDEU. — N'a à son origine aucun sens qui lui soit propre; ne voit point; n'entend point, ne souffre point. Il est produit, nourri; il émane d'une substance molle, insensible, inerte, qui lui sert d'oreiller, et sur laquelle il siège, écoute, juge et prononce.

MADEMOISELLE DE L'ESPINASSE. — Il ne souffre point?

BORDEU. — Non. L'impression la plus légère suspend son audience, et l'animal tombe dans l'état de mort. Faites cesser l'impression, il revient à ses fonctions, et l'animal renaît.

MADEMOISELLE DE L'ESPINASSE. — Et d'où savez-vous cela? Est-ce qu'on a jamais fait renaître et mourir un homme à discrétion?

BORDEU. — Oui.

MADEMOISELLE DE L'ESPINASSE. — Et comment cela?

BORDEU. — Je vais vous le dire; c'est un fait curieux. La Peyronie, que vous pouvez avoir connu, fut appelé auprès d'un malade qui avait reçu un coup violent à la tête. Ce malade y sentait de la pulsation. Le chirurgien ne doutait pas que l'abcès au cerveau ne fût formé, et qu'il n'y avait pas un moment à perdre. Il rase le malade, — et le trépane. La pointe de l'instrument tombe précisément au centre de l'abcès. Le pus était fait. Il vide le pus. Il nettoie l'abcès avec une seringue. Lorsqu'il pousse l'injection dans l'abcès, le malade ferme les yeux; ses membres restent sans action, sans mouvement, sans le moindre signe de vie. Lorsqu'il repompe l'injection et qu'il soulage l'origine du faisceau du poids et de la pression du fluide injecté, le malade rouvre les yeux, se meut, parle, sent, renaît et vit.

MADEMOISELLE DE L'ESPINASSE. — Cela est singulier. Et ce malade guérit-il?

BORDEU. — Il guérit; et quand il fut guéri, il réfléchit, il pensa, il raisonna, il eut le même esprit, le même bon sens, la même pénétration, avec une bonne portion de moins de sa cervelle.

MADEMOISELLE DE L'ESPINASSE. — Ce juge-là est un être bien extraordinaire.

BORDEU. — Il se trompe quelquefois lui-même; il est sujet à des préventions d'habitude : on sent du mal à un membre qu'on n'a plus; on le trompe, quand on veut : croisez deux de vos doigts l'un sur l'autre, — touchez une petite boule, et il prononcera qu'il en a deux.

MADEMOISELLE DE L'ESPINASSE. — C'est qu'il est comme tous les juges du monde et qu'il a besoin d'expérience; sans quoi il prendra la sensation de la glace, pour celle du feu.

BORDEU. — Il fait bien autre chose : il donne un volume presqu'infini à l'individu, ou il se concentre presque dans un point.

MADEMOISELLE DE L'ESPINASSE. — Je ne vous entends pas.

BORDEU. — Qu'est-ce qui circonscrit votre étendue réelle? la vraie sphère de votre sensibilité?

MADEMOISELLE DE L'ESPINASSE. — Ma vue et mon toucher.

BORDEU. — De jour; mais la nuit, dans les ténèbres, — lorsque vous rêvez surtout à quelque chose d'abstrait, — le jour même, lorsque votre esprit est occupé?

MADEMOISELLE DE L'ESPINASSE. — Rien. J'existe comme en un point. Je cesse presque d'être matière. Je ne sens que ma pensée. Il n'y a plus ni lieu, ni mouvement, ni corps, ni distance, ni espace pour moi. L'univers est anéanti pour moi, — et je suis nulle pour lui.

BORDEU. — Voilà le dernier terme de la concentration de votre existence, mais sa dilatation idéale peut être sans bornes. Lorsque la vraie limite de votre sensibilité est franchie, soit en vous rapprochant, en vous condensant en vous-même, soit en vous étendant au dehors, on ne sait plus ce que cela peut devenir.

MADEMOISELLE DE L'ESPINASSE. — Docteur, vous avez raison. Il m'a semblé plusieurs fois en rêve...

BORDEU. — Et aux malades, dans une attaque de goutte...

MADEMOISELLE DE L'ESPINASSE. — Que je devenais immense.

BORDEU. — Que leur pied touchait au ciel de leur lit.

MADEMOISELLE DE L'ESPINASSE. — Que mes bras et mes jambes s'allongeaient à l'infini, que le reste de mon corps prenait un volume proportionné, que l'Encelade de la fable n'était qu'un pygmée; que l'Amphitrite d'Ovide dont les longs bras allaient former une ceinture immense à la terre n'était qu'une naine en comparaison de moi et que j'escaladais le ciel et que j'enlaçais les deux hémisphères.

BORDEU. — Fort bien; et moi j'ai connu une femme en qui le phénomène s'exécutait en sens contraire.

MADEMOISELLE DE L'ESPINASSE. — Quoi? elle se rapetissait par degrés, et rentrait en elle-même?

BORDEU. — Au point de se sentir aussi menue qu'une aiguille. Elle voyait, — elle entendait, elle raisonnait, elle jugeait, elle avait un effroi mortel de se perdre; elle frémissait à l'approche des moindres objets. Elle n'osait bouger de sa place.

MADEMOISELLE DE L'ESPINASSE. — Voilà un singulier rêve, bien fâcheux, bien incommode.

BORDEU. — Elle ne rêvait point. C'était un des accidents de la cessation de l'écoulement périodique.

MADEMOISELLE DE L'ESPINASSE. — Et demeurait-elle longtemps sous cette menue, imperceptible forme de petite femme?

BORDEU. — Une heure, deux heures, après lesquelles elle revenait successivement à son volume naturel.

MADEMOISELLE DE L'ESPINASSE. — Et la raison de ces sensations bizarres?

BORDEU. — Dans leur état naturel et tranquille, les brins du faisceau ont une certaine tension, un ton, une énergie habituelle qui circonscrit l'étendue réelle ou imaginaire du corps. Je dis réelle ou imaginaire, — car cette tension, ce ton, cette énergie étant variables. notre corps n'est pas toujours d'un même volume.

MADEMOISELLE DE L'ESPINASSE. — Ainsi c'est au physique, comme au moral que nous sommes sujets à nous croire plus grands que nous ne le sommes?

BORDEU. — Le froid nous rapetisse. La chaleur nous

étend ; et tel individu peut se croire, toute sa vie, plus petit ou plus grand qu'il ne l'est réellement. S'il arrive à la masse du faisceau d'entrer en un éréthisme violent, aux brins de se mettre en érection, à la multitude infinie de leurs extrémités de s'élancer au delà de leur limite accoutumée, alors la tête, les pieds, les autres membres, tous les points de la surface du corps seront portés à une distance immense, — et l'individu se sentira gigantesque. Ce sera le phénomène contraire, si l'insensibilité, l'apathie, l'inertie gagne de l'extrémité des brins, et s'achemine peu à peu vers l'origine du faisceau.

MADEMOISELLE DE L'ESPINASSE. — Je conçois que cette expansion ne saurait se mesurer ; et je conçois encore que cette insensibilité, cette apathie, cette inertie de l'extrémité des brins, cet engourdissement, après avoir fait un certain progrès, peut se fixer, s'arrêter...

BORDEU. — Comme il est arrivé à La Condamine. Alors l'individu sent comme des ballons sous ses pieds.

MADEMOISELLE DE L'ESPINASSE. — Il existe au delà du terme de sa sensibilité ; et s'il était enveloppé de cette apathie en tout sens, — il nous offrirait un petit homme vivant sous un homme mort.

BORDEU. — Concluez de là que l'animal qui dans son origine n'était qu'un point, ne sait encore s'il est réellement quelque chose de plus. Mais revenons.

MADEMOISELLE DE L'ESPINASSE. — Où ?

BORDEU. — Où ! au trépan de La Peyronie... Voilà bien, je crois, ce que vous me demandiez, l'exemple d'un homme qui vécut et mourut alternativement. Mais il y a mieux.

MADEMOISELLE DE L'ESPINASSE. — Et qu'est-ce que ce peut être?

BORDEU. — La fable de Castor et Pollux réalisée; deux enfants dont la vie de l'un était aussitôt suivie de la mort de l'autre, — et la vie de celui-ci aussitôt suivie de la mort du premier.

MADEMOISELLE DE L'ESPINASSE. — Oh le bon conte! Et cela dura-t-il longtemps?

BORDEU. — La durée de cette existence fut de deux jours qu'ils se partagèrent également et à différentes reprises, en sorte que chacun eut pour sa part un jour de vie et un jour de mort.

MADEMOISELLE DE L'ESPINASSE. — Je crains, Docteur, que vous n'abusiez un peu de ma crédulité. Prenez-y garde; si vous me trompez une fois, je ne vous croirai plus.

BORDEU. — Lisez-vous quelquefois la Gazette de France?

MADEMOISELLE DE L'ESPINASSE. — Jamais, quoique ce soit le chef-d'œuvre de deux hommes d'esprit.

BORDEU. — Faites-vous prêter la feuille du 4 de ce mois de septembre, et vous verrez qu'à Rabastens, diocèse d'Albi, deux filles naquirent dos à dos, unies par leurs dernières vertèbres lombaires, leurs fesses et la région hypogastrique. L'on ne pouvait tenir l'une debout que l'autre n'eût la tête en bas. Couchées, elles se regardaient. Leurs cuisses étaient fléchies entre leurs troncs, et leurs jambes élevées; sur le milieu de la ligne

circulaire commune qui les attachait par leurs hypo-
gastres, on discernait leur sexe, et entre la cuisse droite
de l'une qui correspondait à la cuisse gauche de sa
sœur, dans une cavité, il y avait un petit anus par lequel
s'écoulait le méconium.

MADEMOISELLE DE L'ESPINASSE. — Voilà une espèce
assez bizarre.

BORDEU. — Elles prirent du lait qu'on leur donna
dans une cuiller. Elles vécurent douze heures comme
je vous l'ai dit, l'une tombant en défaillance lorsque
l'autre en sortait; l'une morte, tandis que l'autre vivait;
la première défaillance de l'une et la première vie
de l'autre fut de quatre heures. Les défaillances et
les retours alternatifs à la vie qui succédèrent furent
moins longs. Elles expirèrent dans le même instant. On
remarqua que leurs nombrils avaient aussi un mouvement alternatif de sortie et de rentrée. Il rentrait à
celle qui défaillait, et sortait à celle qui revenait à la
vie.

MADEMOISELLE DE L'ESPINASSE. — Et que dites-vous de
ces alternatives de vie et de mort?

BORDEU. — Peut-être rien qui vaille; mais comme on
voit tout à travers la lunette de son système, et que je
ne veux pas faire exception à la règle, je dis que c'est
le phénomène du trépané de La Peyronie doublé en
deux êtres conjoints; que les réseaux de ces deux enfants
s'étaient si bien mêlés qu'ils agissaient et réagissaient
l'un sur l'autre; lorsque l'origine du réseau de l'une pré-
valait, il entraînait le réseau de l'autre qui défaillait à
l'instant. C'était le contraire, si c'était le réseau de

celle-ci qui dominât le système commun. Dans le trépané
de La Peyronie la pression se faisait de haut en bas, par
le poids d'un fluide; dans les deux jumelles de Rabastens, elle se faisait de bas en haut, par la traction d'un
certain nombre des fils du réseau. Conjecture appuyée
par la rentrée et la sortie alternative des nombrils, sortie
dans celle qui revenait à la vie, rentrée dans celle qui
mourait.

MADEMOISELLE DE L'ESPINASSE. — Et voilà deux âmes
liées.

BORDEU. — Un animal avec le principe de deux sens
et de deux consciences.

MADEMOISELLE DE L'ESPINASSE. — N'ayant cependant
dans le même moment que la jouissance d'une seule;
mais qui sait ce qui serait arrivé, si cet animal eût vécu!

BORDEU. — Quelle sorte de correspondance, l'expérience de tous les moments de la vie, la plus forte des
habitudes, qu'on puisse imaginer, aurait établie entre
ces deux cerveaux?

MADEMOISELLE DE L'ESPINASSE. — Des sens doubles,
une mémoire double, une imagination double, une
double application, la moitié d'un être qui observe, lit,
médite, tandis que son autre moitié repose. Cette moi-
tié-ci reprenant les mêmes fonctions, quand sa compagne est lasse; la vie doublée d'un être doublé.

BORDEU. — Cela est possible; et la nature amenant
avec le temps tout ce qui est possible, elle formera
quelque étrange composé.

MADEMOISELLE DE L'ESPINASSE. — Que nous serions
pauvres en comparaison d'un pareil être!

BORDEU. — Et pourquoi? Il y a déjà tant d'incertitudes, de contradictions, de folies dans un entendement simple, que je ne sais plus ce que cela deviendrait avec un entendement double... Mais il est dix heures et demie, et j'entends du faubourg jusqu'ici un malade qui m'appelle.

MADEMOISELLE DE L'ESPINASSE. — Y aurait-il bien du danger pour lui, à ce que vous ne le vissiez pas?

BORDEU. — Moins peut-être qu'à le voir. Si la nature ne fait pas la besogne sans moi, — nous aurons bien de la peine à la faire ensemble; et à coup sûr je ne la ferai pas sans elle.

MADEMOISELLE DE L'ESPINASSE. — Restez donc.

D'ALEMBERT. — Docteur, encore un mot, et je vous envoie à votre patient. A travers toutes les vicissitudes que je subis dans le cours de ma durée, n'ayant peut-être pas à présent une des molécules que j'apportai en naissant, comment suis-je resté moi pour les autres et pour moi?

BORDEU. — Vous nous l'avez dit en rêvant.

D'ALEMBERT. — Est-ce que j'ai rêvé?

MADEMOISELLE DE L'ESPINASSE. — Toute la nuit, et cela ressemblait tellement à du délire, que j'ai envoyé chercher le Docteur ce matin.

D'ALEMBERT. — Et cela pour des pattes d'araignées qui s'agitaient d'elles-mêmes, qui tenaient alerte l'araignée et qui faisaient parler l'animal; et l'animal, que disait-il?

BORDEU. — Que c'était par la mémoire qu'il était lui pour les autres et pour lui; et j'ajouterais par la lenteur des vicissitudes. Si vous eussiez passé en un clin d'œil de la jeunesse à la décrépitude, vous auriez été jeté dans ce monde, comme au premier moment de votre naissance. Vous n'auriez plus été vous ni pour les autres ni pour vous, pour les autres qui n'auraient point été eux pour vous. Tous les rapports auraient été anéantis. Toute l'histoire de votre vie pour moi, toute l'histoire de la mienne pour vous, brouillée. Comment auriez-vous pu savoir que cet homme courbé sur un bâton, dont les yeux s'étaient éteints, qui se traînait avec peine, — plus différent encore de lui-même au dedans qu'à l'exté-rieur, — était le même qui la veille marchait si légère-ment, remuait des fardeaux assez lourds, pouvait se livrer aux méditations les plus profondes, aux exer-cices les plus doux et les plus violents? Vous n'eussiez pas entendu vos propres ouvrages, vous ne vous fussiez pas reconnu vous-même; vous n'eussiez reconnu per-sonne; personne ne vous eût reconnu. Toute la scène du monde aurait changé. Songez qu'il y eut moins de différence encore entre vous naissant et vous jeune, qu'il n'y en aurait eu entre vous jeune et vous devenu subitement décrépit. Songez que quoique votre nais-sance ait été liée à votre jeunesse par une suite de sen-sations ininterrompues, les trois premières années de votre naissance n'ont jamais été de l'histoire de votre vie. Qu'aurait donc été pour vous le temps de votre jeu-nesse que rien n'eût lié au moment de votre décrépi-tude? D'Alembert décrépit n'eût pas eu le moindre sou-venir de d'Alembert jeune.

MADEMOISELLE DE L'ESPINASSE. — Dans la grappe

d'abeilles, il n'y en aurait pas une qui eût le temps de
prendre l'esprit du corps.

D'ALEMBERT. — Qu'est-ce que vous dites là ?

MADEMOISELLE DE L'ESPINASSE. — Je dis que l'esprit
monastique se conserve, parce que le monastère se refait
peu à peu, et quand il entre un moine nouveau, il en
trouve une centaine de vieux qui l'entraînent à penser
et à sentir comme eux. Une abeille s'en va; il en succède
dans la grappe une autre qui se met bientôt au courant.

D'ALEMBERT. — Allez, vous extravaguez avec vos moines, vos abeilles, votre grappe et votre couvent.

BORDEU. — Pas tant que vous croiriez bien. S'il n'y a
qu'une conscience dans l'animal, il y a une infinité de
volontés; chaque organe a la sienne.

MADEMOISELLE DE L'ESPINASSE. — Comment avez-vous
dit ?

BORDEU. — J'ai dit que l'estomac veut des aliments,
que le palais n'en veut point, et que la différence du
palais et de l'estomac, avec l'animal entier, c'est que l'animal sait qu'il veut, et que l'estomac et le palais veulent
sans le savoir; c'est que l'estomac ou le palais sont l'un
à l'autre à peu près comme l'homme et la brute. Les
abeilles perdent leurs consciences et retiennent leurs
appétits, ou volontés. La fibre est un animal simple;
l'homme est un animal composé. Mais gardons ce texte
pour une autre fois. Il faut un événement bien moindre
qu'une décrépitude, pour ôter à l'homme la conscience
du soi. Un moribond reçoit les sacrements avec une
piété profonde; il s'accuse de ses fautes; il demande pardon à sa femme; il embrasse ses enfants; il appelle ses

amis; il parle à son médecin; il commande à ses domestiques; il dicte ses dernières volontés; il met ordre à ses
affaires; et tout cela avec le jugement le plus sain, la présence d'esprit la plus entière; il guérit; il est convales-
cent; et il n'a pas la moindre idée de ce qu'il a dit ou fait
dans sa maladie. Cet intervalle, quelquefois très long, a
disparu de sa vie. Il y a même des exemples de personnes qui ont repris la conversation ou l'action que
l'attaque subite du mal avait interrompue.

d'alembert. — Je me souviens que dans un exercice
public, un pédant de collège, tout gonflé de son savoir,
fut mis ce qu'ils appellent au sac par un capucin qu'il
avait méprisé. Lui! mis au sac! Et par qui! par un capucin! Et sur quelle question! Sur le futur contingent! sur
la science moyenne qu'il a méditée toute sa vie! Et en
quelle circonstance! devant une assemblée nombreuse!
devant ses élèves! Le voilà perdu d'honneur. Sa tête tra-
vaille si bien sur ces idées qu'il en tombe dans une
léthargie qui lui enlève toutes les connaissances qu'il
avait acquises.

mademoiselle de l'espinasse. — Mais c'était un
bonheur.

d'alembert. — Ma foi, vous avez raison. Le bon
sens lui était resté, mais il avait tout oublié. On lui
rapprit à parler et à lire. Et il mourut lorsqu'il commençait à épeler très passablement. Cet homme n'était
point un inepte. On lui accordait même quelque éloquence.

mademoiselle de l'espinasse. — Puisque le Docteur
a entendu votre conte, il faut qu'il entende aussi le mien.

Un jeune homme de dix-huit ans à vingt ans dont je ne me rappelle pas le nom.

BORDEU. — C'est un M. de Schullemberg de Winterthour. Il n'avait que quinze à seize ans.

MADEMOISELLE DE L'ESPINASSE. — Ce jeune homme fit une chute dans laquelle il reçut une commotion violente à la tête.

BORDEU. — Qu'appelez-vous, commotion violente? Il tomba du haut d'une grange; il eut la tête fracassée, et resta six semaines sans connaissance.

MADEMOISELLE DE L'ESPINASSE. — Quoi qu'il en soit, savez-vous quelle fut la suite de cet accident? la même qu'à votre pédant. Il oublia tout ce qu'il savait. Il fut restitué à son bas âge. Il eut une seconde enfance et qui dura. Il était craintif et pusillanime. Il s'amusait à des joujoux. S'il avait mal fait et qu'on le grondât, — il allait se cacher dans un coin. Il demandait à faire son petit tour et son grand tour. On lui apprit à lire et à écrire. Mais j'oubliais de vous dire qu'il fallut lui rapprendre à marcher. Il redevint homme et habile homme; et il a laissé un ouvrage d'histoire naturelle.

BORDEU. — Ce sont des gravures, les planches de M. Sulzer sur les insectes, d'après le système de Linnœus. Je connaissais ce fait. Il est arrivé dans le canton de Zurich, en Suisse; et il y a nombre d'exemples pareils. Dérangez l'origine du faisceau, vous changez l'animal. Il semble qu'il soit là tout entier, tantôt dominant les ramifications, tantôt dominé par elles.

MADEMOISELLE DE L'ESPINASSE. — Et l'animal est sous le despotisme ou sous l'anarchie.

BORDEU. — Sous le despotisme, c'est fort bien dit. L'origine du faisceau commande et tout le reste obéit. L'animal est maître de soi, *mentis compos*.

MADEMOISELLE DE L'ESPINASSE. — Sous l'anarchie, où tous les filets du réseau sont soulevés contre leur chef et où il n'y a plus d'autorité suprême.

BORDEU. — A merveille. Dans les grands accès de passion, dans les délires, dans les périls imminents, si le maître porte toutes les forces de ses sujets vers un point, l'animal le plus faible montre une force incroyable.

MADEMOISELLE DE L'ESPINASSE. — Dans les vapeurs, sorte d'anarchie qui nous est si particulière.

BORDEU. — C'est l'image d'une administration faible, où chacun tire à soi l'autorité du maître. Je ne connais qu'un moyen de guérir. Il est difficile, mais sûr. C'est que l'origine du réseau sensible, cette partie qui constitue le soi, puisse être affectée d'un motif violent de recouvrer son autorité.

MADEMOISELLE DE L'ESPINASSE. — Et qu'en arrive-t-il?

BORDEU. — Il en arrive qu'il la recouvre en effet, ou que l'animal périt. Si j'en avais le temps, je vous dirais là-dessus deux faits singuliers.

MADEMOISELLE DE L'ESPINASSE. — Mais, Docteur, l'heure de votre visite est passée, et votre malade ne vous attend plus.

BORDEU. — Il ne faut venir ici que quand on n'a rien à faire; car on ne saurait s'en tirer.

MADEMOISELLE DE L'ESPINASSE. — Voilà une bouffée d'humeur tout à fait honnête; mais vos histoires?

BORDEU. — Pour aujourd'hui, vous vous contenterez de celle-ci. Une femme tomba à la suite d'une couche dans l'état vaporeux le plus effrayant : c'étaient des pleurs et des ris involontaires, des étouffements, des convulsions, des gonflements de gorge, du silence morne, des cris aigus, tout ce qu'il y a de pis. Cela dura plusieurs années. Elle aimait passionnément, et elle crut s'apercevoir que son amant fatigué de sa maladie commençait à se détacher : alors elle résolut de guérir ou de périr. Il s'établit en elle une guerre civile, dans laquelle c'était tantôt le maître qui l'emportait, tantôt c'étaient les sujets. S'il arrivait que l'action des filets du réseau fût égale à la réaction de leur origine, elle tombait comme morte. On la portait sur son lit où elle restait des heures entières sans mouvement et presque sans vie. D'autres fois elle en était quitte pour des lassitudes, une défaillance générale, une extinction qui semblait devoir être finale. Elle persista six mois dans cet état de lutte. La révolte commençait toujours par les filets; elle la sentait arriver. Au premier symptôme, elle se levait, elle courait, elle se livrait aux exercices les plus violents; elle montait, elle descendait ses escaliers; elle sciait du bois, elle bêchait la terre. L'organe de sa volonté, — l'origine du faisceau se raidissait; elle se disait à elle-même : vaincre ou mourir. Après un nombre infini de victoires et de défaites, le chef resta le maître, et les sujets devinrent si soumis que, quoique cette femme ait éprouvé toutes sortes de peines domestiques, et qu'elle ait essuyé différentes maladies, il n'a plus été question de vapeurs.

MADEMOISELLE DE L'ESPINASSE. — Cela est brave; mais je crois que j'en aurais bien fait autant.

BORDEU. — C'est que vous aimeriez bien, si vous aimiez, et que vous êtes ferme.

MADEMOISELLE DE L'ESPINASSE. — J'entends. On est ferme, si d'éducation, d'habitude ou d'organisation, l'origine du faisceau domine les filets; faible au contraire, si elle en est dominée.

BORDEU. — Il y a bien d'autres conséquences à tirer de là.

MADEMOISELLE DE L'ESPINASSE. — Mais votre autre histoire, et vous les tirerez après.

BORDEU. — Une jeune femme avait donné dans quelques écarts. Elle prit un jour le parti de fermer sa porte au plaisir. La voilà seule. La voilà mélancolique et vaporeuse. Elle me fit appeler. Je lui conseillai de prendre l'habit de paysanne, de bêcher la terre toute la journée, de coucher sur la paille et de vivre de pain dur. Ce régime ne lui plut pas. Voyagez donc, lui dis-je. Elle fit le tour de l'Europe, et retrouva la santé sur les grands chemins.

MADEMOISELLE DE L'ESPINASSE. — Ce n'est pas là ce que vous aviez à dire; n'importe. Venons à vos conséquences.

BORDEU. — Cela ne finirait point.

MADEMOISELLE DE L'ESPINASSE. — Tant mieux. Dites toujours.

BORDEU. — je n'en ai point le courage.

MADEMOISELLE DE L'ESPINASSE. — Et pourquoi?

BORDEU. — C'est que du train dont nous y allons, on effleure tout, et l'on n'approfondit rien.

MADEMOISELLE DE L'ESPINASSE. — Qu'importe? nous ne composons pas. Nous causons.

BORDEU. — Par exemple, si l'origine du faisceau rappelle toutes les forces à lui, si le système entier se meut, pour ainsi dire à rebours, comme je crois qu'il arrive dans l'homme qui médite profondément, dans le fanatique qui voit les cieux ouverts, dans le sauvage qui chante au milieu des flammes, dans l'extase, dans l'aliénation volontaire ou involontaire...

MADEMOISELLE DE L'ESPINASSE. — Eh bien?

BORDEU. — Eh bien, l'animal se rend impassible, il n'existe qu'en un point. Je n'ai pas vu ce prêtre de Calame dont parle saint Augustin qui s'aliénait au point de ne plus sentir des charbons ardents. Je n'ai pas vu dans le cadre ces sauvages qui sourient à leurs ennemis, qui les insultent et qui leur suggèrent des tourments plus exquis que ceux qu'on leur fait souffrir. Je n'ai pas vu dans le cirque ces gladiateurs qui se rappelaient en expirant la grâce et les leçons de la gymnastique, mais je crois tous ces faits, parce que j'ai vu, mais vu de mes propres yeux un effort aussi extraordinaire qu'aucun de ceux-là.

MADEMOISELLE DE L'ESPINASSE. — Docteur, racontez le-moi. Je suis comme les enfants. J'aime les faits merveilleux. Et quand ils font honneur à l'espèce humaine, il m'arrive rarement d'en disputer la vérité.

BORDEU. — Il y avait dans une petite ville de Champagne, Langres, un bon curé, appelé le ou de Moni, bien pénétré, bien imbu de la vérité de la religion. Il fut attaqué de la pierre. Il fallut le tailler. Le jour est

pris. Le chirurgien, ses aides et moi nous nous rendons
chez lui. Il nous reçoit d'un air serein. Il se déshabille.
Il se couche. On veut le lier. Il s'y refuse. Placez-moi
seulement, dit-il, comme il convient. On le place. Alors
il demande un grand crucifix qui était au pied de son
lit. On le lui donne. Il le serre entre ses bras. Il y colle
sa bouche. On opère. Il reste immobile. Il ne lui
échappe ni larmes ni soupirs; et il était délivré de la
pierre qu'il l'ignorait.

MADEMOISELLE DE L'ESPINASSE. — Cela est beau; et puis
doutez après cela que celui à qui l'on brisait les os
de la poitrine avec des cailloux, ne vît les cieux ouverts.

BORDEU. — Savez-vous ce que c'est que le mal d'oreille?

MADEMOISELLE DE L'ESPINASSE. — Non.

BORDEU. — Tant mieux pour vous. C'est le plus cruel
de tous les maux.

MADEMOISELLE DE L'ESPINASSE. — Plus que le mal de
dents que je connais malheureusement?

BORDEU. — Sans comparaison. Un philosophe de vos
amis en était tourmenté depuis quinze jours, lorsqu'un
matin il dit à sa femme : Je ne me sens pas assez de
courage pour toute la journée. Il pensa que son unique
ressource était de tromper artificiellement la douleur.
Peu à peu, il s'enfonça si bien dans une question de
métaphysique ou de géométrie qu'il oublia son oreille.
On lui servit à manger; il mangea, sans s'en apercevoir.
Il gagna l'heure de son coucher, sans avoir souffert.
L'horrible douleur ne le reprit que lorsque la conten-
tion d'esprit cessa; mais ce fut avec une fureur inouïe,

soit qu'en effet la fatigue eût irrité le mal, soit que la faiblesse la rendît plus insupportable.

MADEMOISELLE DE L'ESPINASSE. — Au sortir de cet état, on doit en effet être épuisé de lassitude. C'est ce qui arrive quelquefois à cet homme qui est là.

BORDEU. — Cela est dangereux. Qu'il y prenne garde.

MADEMOISELLE DE L'ESPINASSE. — Je ne cesse de le lui dire. Mais il n'en tient compte.

BORDEU. — Il n'en est plus le maître. C'est sa vie, il faut qu'il en périsse.

MADEMOISELLE DE L'ESPINASSE. — Cette sentence me fait peur.

BORDEU. — Que prouvent cet épuisement, cette lassitude? Que les brins du faisceau ne sont pas restés oisifs, et qu'il y avait dans tout le système une tension violente vers un centre commun.

MADEMOISELLE DE L'ESPINASSE. — Si cette tension ou tendance violente dure, — si elle devient habituelle?

BORDEU. — C'est un tic de l'origine du faisceau. L'animal est fou, et fou presque sans ressource.

MADEMOISELLE DE L'ESPINASSE. — Et pourquoi?

BORDEU. — C'est qu'il n'en est pas du tic de l'origine, comme du tic d'un des brins. La tête peut bien commander aux pieds, — mais non pas le pied à la tête. L'origine à un des brins, mais non pas le brin, à l'origine.

MADEMOISELLE DE L'ESPINASSE. — Et la différence, s'il vous plaît? En effet pourquoi ne pensé-je pas partout? C'est une question qui aurait dû me venir plus tôt.

BORDEU. — C'est que la conscience n'est qu'en un endroit.

MADEMOISELLE DE L'ESPINASSE. — Voilà qui est bientôt dit.

BORDEU. — C'est qu'elle ne peut être que dans un endroit, au centre commun de toutes les sensations, là où est la mémoire, là où se font les comparaisons. Chaque brin n'est susceptible que d'un certain nombre déterminé d'impressions, de sensations successives, isolées, sans mémoire. L'origine est susceptible de toutes, elle en est le registre; elle en garde la mémoire ou une sensation continue, et l'animal est entraîné dès sa formation première à s'y rapporter soi, à s'y fixer tout entier, à y exister.

MADEMOISELLE DE L'ESPINASSE. — Et si mon doigt pouvait avoir de la mémoire...

BORDEU. — Votre doigt penserait.

MADEMOISELLE DE L'ESPINASSE. — Et qu'est-ce donc que la mémoire?

BORDEU. — La propriété du centre. Le sens spécifique de l'origine du réseau, — comme la vue est la propriété de l'œil; et il n'est pas plus étonnant que la mémoire ne soit pas dans l'œil, — qu'il ne l'est que la vue ne soit pas dans l'oreille.

MADEMOISELLE DE L'ESPINASSE. — Docteur, vous éludez plutôt mes questions que vous n'y satisfaites.

BORDEU. — Je n'élude rien. Je vous dis ce que je sais; et j'en saurais davantage, si l'organisation de l'origine du réseau m'était aussi connue que celle de ses brins; si j'avais eu la même facilité de l'observer. Mais si je suis faible sur les phénomènes particuliers, en revanche, je triomphe sur les phénomènes généraux.

MADEMOISELLE DE L'ESPINASSE. — Et ces phénomènes généraux sont?

BORDEU. — La raison, le jugement, l'imagination, la folie, l'imbécillité, la férocité, l'instinct.

MADEMOISELLE DE L'ESPINASSE. — J'entends. Toutes ces qualités ne sont que des conséquences du rapport originel ou contracté par l'habitude de l'origine du faisceau à ses ramifications.

BORDEU. — A merveille. Le principe ou le troc est-il trop vigoureux relativement aux branches? De là les poètes, les artistes, les gens à imagination, les hommes pusillanimes, les enthousiastes, les fous. Trop faible? De là, ce que nous appelons les brutes, les bêtes féroces. Le système entier, lâche, mou, sans énergie? De là les imbéciles. Le système entier énergique, bien d'accord, bien ordonné? De là, les bons penseurs, les philosophes, les sages.

MADEMOISELLE DE L'ESPINASSE. — Et selon la branche tyrannique qui prédomine, l'instinct qui se diversifie dans les animaux, — le génie qui se diversifie dans les hommes; le chien a l'odorat, le poisson l'ouïe, l'aigle la vue; d'Alembert est géomètre; Vaucanson machiniste; Grétry musicien, Voltaire poète; effets variés d'un brin de faisceau plus vigoureux en eux qu'aucun autre, et que le brin semblable dans les êtres de leur espèce.

BORDEU. — Et les habitudes qui subjuguent. Le vieillard qui aime les femmes; et Voltaire qui fait encore des tragédies.

(En cet endroit le Docteur se mit à rêver et Mademoiselle de l'Espinasse lui dit :)

MADEMOISELLE DE L'ESPINASSE. — Docteur, vous rêvez.

BORDEU. — Il est vrai.

MADEMOISELLE DE L'ESPINASSE. — A quoi rêvez-vous?

BORDEU. — A propos de Voltaire.

MADEMOISELLE DE L'ESPINASSE. — Eh bien?

BORDEU. — Je rêve à la manière dont se font les grands hommes.

MADEMOISELLE DE L'ESPINASSE. — Et comment se font-ils?

BORDEU. — Comment? La sensibilité...

MADEMOISELLE DE L'ESPINASSE. — La sensibilité!

BORDEU. — Ou l'extrême mobilité de certains filets du réseau est la qualité dominante des êtres médiocres.

MADEMOISELLE DE L'ESPINASSE. — Ah! Docteur, quel blasphème...

BORDEU. — Je m'y attendais. Mais qu'est-ce qu'un être sensible? Un être abandonné à la discrétion du diaphragme. Un mot touchant a-t-il frappé l'oreille? un phénomène singulier a-t-il frappé l'œil? et voilà tout à coup le tumulte intérieur qui s'élève, tous les brins du faisceau qui s'agitent, le frisson qui se répand, l'horreur qui saisit, les larmes qui coulent, les soupirs qui suffoquent, la voix qui s'interrompt, l'origine du faisceau qui ne sait ce qu'il devient; plus de sang-froid, plus de raison, plus de jugement, plus d'instinct, plus de ressource.

MADEMOISELLE DE L'ESPINASSE. — Je me reconnais.

BORDEU. — Le grand homme, s'il a malheureusement

reçu cette disposition naturelle, s'occupera sans relâche à l'affaiblir, à la dominer, à se rendre maître de ses mouvements, et à conserver à l'origine du faisceau tout son empire. Alors il se possédera au milieu des plus grands dangers; il jugera froidement, mais sainement. Rien de ce qui peut servir à ses vues, concourir à son but ne lui échappera. On l'étonnera difficilement. Il aura quarante-cinq ans. Il sera grand roi, grand ministre, grand politique, grand artiste, surtout grand comédien, grand philosophe, grand poète, grand musicien, grand médecin. Il régnera sur lui-même et sur tout ce qui l'environne. Il ne craindra pas la mort, peur, comme a dit sublimement le stoïcien, qui est une anse que saisit le robuste pour mener le faible partout où il veut. Il aura cassé l'anse, et se sera en même temps affranchi de toutes les tyrannies du monde. Les êtres sensibles ou les fous sont en scène. Il est au parterre. C'est lui qui est le sage.

MADEMOISELLE DE L'ESPINASSE. — Dieu me garde de la société de ce sage-là.

BORDEU. — C'est pour n'avoir pas travaillé à lui ressembler que vous aurez alternativement des peines et des plaisirs violents; que vous passerez votre vie à rire et à pleurer. Et que vous ne serez jamais qu'un enfant.

MADEMOISELLE DE L'ESPINASSE. — Je m'y résous.

BORDEU. — Et vous espérez en être plus heureuse?

MADEMOISELLE DE L'ESPINASSE. — Je n'en sais rien.

BORDEU. — Mademoiselle, cette qualité si prisée qui ne conduit à rien de grand ne s'exerce presque jamais fortement sans douleur, ou faiblement sans ennui;

ou l'on bâille ou l'on est ivre. Vous vous prêtez sans
mesure à la sensation d'une musique délicieuse; vous
vous laissez entraîner au charme d'une scène pathétique; votre diaphragme se serre. Le plaisir est passé,
et il ne vous reste qu'un étouffement qui dure toute la
soirée.

MADEMOISELLE DE L'ESPINASSE. — Mais si je ne puis jouir
de la musique sublime ni de la scène touchante qu'à
cette condition?

BORDEU. — Erreur. Je sais jouir aussi. Je sais admirer;
et je ne souffre jamais, si ce n'est de la colique. J'ai du
plaisir pur. Ma censure en est beaucoup plus sévère;
mon éloge plus flatteur et plus réfléchi. Est-ce qu'il y a
une mauvaise tragédie pour des âmes aussi mobiles que
la vôtre? Combien de fois n'avez-vous pas rougi, à la
lecture, des transports que vous aviez éprouvés au spectacle, et réciproquement?

MADEMOISELLE DE L'ESPINASSE. — Cela m'est arrivé.

BORDEU. — Ce n'est donc pas à l'être sensible comme
vous, — c'est à l'être tranquille et froid comme moi qu'il
appartient de dire : Cela est vrai, cela est bon, cela est
beau. Fortifions l'origine du réseau; c'est tout ce que
nous avons de mieux à faire. Savez-vous qu'il y va de la
vie?

MADEMOISELLE DE L'ESPINASSE. — De la vie! Docteur,
cela est grave.

BORDEU. — Oui, de la vie. Il n'est personne qui n'en
ait eu quelquefois le dégoût. Un seul événement suffit
pour rendre cette sensation involontaire et habituelle.
Alors, en dépit des distractions, de la variété des

amusements, des conseils des amis, de ses propres efforts, les brins portent opiniâtrement des secousses funestes à l'origine du faisceau; le malheureux a beau se débattre, le spectacle de l'univers se noircit pour lui; il marche avec un cortège d'idées lugubres qui ne le quittent point; et il finit par se délivrer de lui-même.

MADEMOISELLE DE L'ESPINASSE. — Docteur, vous me faites peur.

D'ALEMBERT *(levé, en robe de chambre et en bonnet de nuit)*. — Et du sommeil, Docteur, qu'en dites-vous? C'est une bonne chose.

BORDEU. — Le sommeil, cet état où, soit lassitude, soit habitude, tout le réseau se relâche et reste immobile, où, comme dans la maladie, chaque filet du réseau s'agite, se meut, transmet à l'origine commune une foule de sensations souvent disparates, décousues, troublées, — d'autres fois si liées, si suivies, si bien ordonnées que l'homme éveillé n'aurait ni plus de raison, ni plus d'éloquence, ni plus d'imagination, — quelquefois si violentes, si vive que l'homme éveillé reste incertain sur la réalité de la chose...

MADEMOISELLE DE L'ESPINASSE. — Eh bien, le sommeil?

BORDEU. — Est un état de l'animal où il n'y a plus d'ensemble; tout concert, toute subordination cesse. Le maître est abandonné à la discrétion de ses vassaux, et à l'énergie effrénée de sa propre activité. Le fil optique s'est-il agité, l'origine du réseau voit; il entend, si c'est le fil auditif qui le sollicite. L'action et la réaction sont les seules choses qui subsistent entre eux. C'est une consé-

quence de la propriété centrale, de la loi de continuité et
de l'habitude. Si l'action commence par le brin voluptueux que la nature a destiné au plaisir de l'amour, et à
la propagation de l'espèce, l'image réveillée de l'objet
aimé sera l'effet de la réaction à l'origine du faisceau. Si
cette image au contraire se réveille d'abord à l'origine du
faisceau, la tension du brin voluptueux, l'effervescence
et l'effusion du fluide séminal seront les suites de la réaction.

D'ALEMBERT. — Ainsi il y a le rêve en montant, et le
rêve en descendant. J'en ai eu un de ceux-là cette nuit;
pour le chemin qu'il a pris je l'ignore.

BORDEU. — Dans la veille, le réseau obéit aux impressions de l'objet extérieur. Dans le sommeil, c'est de
l'exercice de sa propre sensibilité qu'émane tout ce qui
se passe en lui. Il n'y a point de distraction dans le
rêve. De là sa vivacité. C'est presque toujours la suite
d'un éréthisme, un accès passager de maladie. L'origine
du réseau y est alternativement active et passive d'une
infinité de manières; de là son désordre; les concepts y
sont quelquefois aussi liés, aussi distincts que dans l'animal exposé au spectacle de la nature. Ce n'est que
le tableau de ce spectacle réexcité. De là, sa vérité;
de là l'impossibilité de le discerner de l'état de veille.
Nulle probabilité d'un de ces états plutôt que de
l'autre. Nul moyen de reconnaître l'erreur que l'expérience.

MADEMOISELLE DE L'ESPINASSE. — Et l'expérience, se
peut-elle toujours?

BORDEU. — Non.

MADEMOISELLE DE L'ESPINASSE. — Si le rêve m'offre le spectre d'un ami que j'ai perdu, et me l'offre aussi vrai que si cet ami existait, s'il me parle, et que je l'entende; si je le touche et qu'il fasse l'impression de la solidité sur mes mains; si à mon réveil, j'ai l'âme pleine de tendresse, et de douleur, et mes yeux inondés de larmes; si mes bras sont encore portés vers l'endroit où il m'est apparu, — qui me répondra que je ne l'ai pas vu, entendu, touché réellement?

BORDEU. — Son absence. Mais s'il est impossible de discerner la veille du sommeil, qui est-ce qui en apprécie la durée? Tranquille, c'est un intervalle étouffé entre le moment du coucher et celui du lever. Trouble, il dure quelquefois des années. Dans le premier cas du moins, la conscience du soi cesse entièrement. Un rêve qu'on n'a jamais fait et qu'on ne fera jamais, me le diriez-vous bien?

MADEMOISELLE DE L'ESPINASSE. — Oui, c'est qu'on est un autre.

D'ALEMBERT. — Et dans le second cas, on n'a pas seulement la conscience du soi, — mais on a encore celle de sa volonté et de sa liberté. Qu'est-ce que cette liberté, qu'est-ce que cette volonté de l'homme qui rêve?

BORDEU. — Qu'est-ce? c'est la même que celle de l'homme qui veille : la dernière impulsion du désir et de l'aversion; le dernier résultat de tout ce qu'on a été depuis sa naissance, jusqu'au moment où l'on est; et je défie l'esprit le plus délié d'y apercevoir la moindre différence.

D'ALEMBERT. — Vous croyez?

BORDEU. — Et c'est vous qui me faites cette question! vous qui, livré à des spéculations profondes, avez passé les deux tiers de votre vie à rêver les yeux ouverts, et à agir sans vouloir. Oui, sans vouloir, bien moins que dans votre rêve. Dans votre rêve, vous commandiez, vous ordonniez, on vous obéissait, vous étiez mécontent ou satisfait, vous éprouviez de la contradiction, vous trouviez des obstacles, vous vous irritiez, vous aimiez, vous haïssiez, vous blâmiez, vous approuviez, vous riiez, vous pleuriez, vous alliez, vous veniez. Dans le cours de vos méditations, à peine vos yeux s'ouvraient le matin que, ressaisi de l'idée qui vous avait occupé la veille, vous vous vêtiez, vous vous asseyiez à votre table, vous méditiez, vous traciez des figures, vous suiviez des calculs, vous dîniez, vous repreniez vos combinaisons, quelquefois vous quittiez la table pour les vérifier, vous parliez à d'autres, vous donniez des ordres à votre domestique, vous soupiez, vous vous couchiez, vous vous endormiez sans avoir fait le moindre acte de volonté. Vous n'avez été qu'un point. Vous avez agi, — mais vous n'avez pas voulu. Est-ce qu'on veut de soi? La volonté naît toujours de quelque motif intérieur ou extérieur, de quelque impression présente, de quelque réminiscence du passé; de quelque passion, de quelque projet dans l'avenir. Après cela, je ne vous dirai de la liberté qu'un mot, — c'est que la dernière de nos actions est l'effet nécessaire d'une cause une, nous, très compliquée, mais une.

MADEMOISELLE DE L'ESPINASSE. — Nécessaire?

BORDEU. — Sans doute. Tâchez de concevoir la production d'une autre action, en supposant que l'être agissant soit le même.

MADEMOISELLE DE L'ESPINASSE. — Il a raison. Puisque j'agis ainsi, celui qui peut agir autrement n'est plus moi; et assurer qu'au moment où je fais ou dis une chose, j'en puis dire ou faire une autre, c'est assurer que je suis moi et que je suis un autre. Mais, Docteur, et le vice et la vertu? La vertu, ce mot si saint dans toutes les langues, — cette idée si sacrée chez toutes les nations!

BORDEU. — Il faut le transformer en celui de bienfaisance, et son opposé en celui de malfaisance. On est heureusement ou malheureusement né. On est irrésistiblement entraîné par le torrent général qui conduit l'un à la gloire, l'autre à l'ignominie.

MADEMOISELLE DE L'ESPINASSE. — Et l'estime de soi? et la honte? et le remords?

BORDEU. — Puérilité fondée sur l'ignorance et la vanité d'un être qui s'impute à lui-même le mérite ou le démérite d'un instant nécessaire.

MADEMOISELLE DE L'ESPINASSE. — Et les récompenses et les châtiments?

BORDEU. — Des moyens de corriger l'être modifiable qu'on appelle méchant et d'encourager celui qu'on appelle bon.

MADEMOISELLE DE L'ESPINASSE. — Et toute cette doctrine n'a-t-elle rien de dangereux?

BORDEU. — Est-elle vraie? ou est-elle fausse?

MADEMOISELLE DE L'ESPINASSE. — Je la crois vraie.

BORDEU. — C'est-à-dire que vous pensez que le mensonge a ses avantages et la vérité ses inconvénients.

MADEMOISELLE DE L'ESPINASSE. — Je le pense.

BORDEU. — Et moi aussi. Mais les avantages du mensonge sont d'un moment; et ceux de la vérité sont éternels. Mais les suites fâcheuses de la vérité, quand elle en a, passent vite, et celles du mensonge ne finissent qu'avec lui. Examinez les effets du mensonge dans la tête de l'homme, et ses effets dans sa conduite. Dans sa tête, où le mensonge s'est lié, tellement quellement, avec la vérité, et là tête est fausse, — où il est bien et conséquemment lié avec le mensonge et la tête est erronée. Or quelle conduite pouvez-vous attendre d'une tête ou inconséquente dans ses raisonnements, ou conséquente dans ses erreurs?

MADEMOISELLE DE L'ESPINASSE. — Le dernier de ces vices, moins méprisable, est peut-être plus à redouter que le premier.

D'ALEMBERT. — Fort bien. Voilà donc tout ramené à de la sensibilité, de la mémoire, des mouvements organiques. Cela me convient assez. Mais l'imagination? mais les abstractions?

BORDEU. — L'imagination...

MADEMOISELLE DE L'ESPINASSE. — Un moment, Docteur; récapitulons. D'après vos principes, il me semble que par suite d'opérations purement mécaniques, je réduirais le premier génie de la terre, à une masse de chair inorganisée, à laquelle on ne laisserait que la sensibilité du moment, et que l'on ramènerait cette masse informe de l'état de stupidité le plus profond qu'on

puisse imaginer, à la condition de l'homme de génie.
L'un de ces deux phénomènes consisterait à mutiler
l'écheveau primitif, d'un certain nombre de ses brins, et
à bien brouiller le reste. Et le phénomène inverse, à restituer à l'écheveau les brins qu'on en aurait détachés et à
l'abandonner le tout à un heureux développement.
Exemple : J'ôte à Newton les deux brins auditifs, et plus
de sensations de sons; les brins olfactifs, et plus de sensations d'odeurs; les brins optiques, et plus de sensations
de couleurs; les brins palatins, et plus de sensations de
saveurs; je supprime ou brouille les autres, — et adieu
l'organisation du cerveau, la mémoire, le jugement, les
désirs, les aversions, les passions, la volonté, la conscience du soi. Et voilà une masse informe qui n'a rete-
nu que la vie et la sensibilité.

BORDEU. — Deux qualités presque identiques; la vie
est de l'agrégat, — la sensibilité est de l'élément.

MADEMOISELLE DE L'ESPINASSE. — Je reprends cette
masse, et je lui restitue les brins olfactifs, elle flaire; les
brins auditifs, et elle entend; les brins optiques, et elle
voit; les brins palatins, et elle goûte. En démêlant le reste
de l'écheveau, je permets aux autres brins de se dévelop-
per; et je vois renaître la mémoire, les comparaisons, le
jugement, la raison, les désirs, les aversions, les passions,
l'aptitude naturelle, le talent, et je retrouve mon homme
de génie; et cela, sans l'entremise d'aucun agent hétérogène et inintelligible.

BORDEU. — A merveille. Tenez-vous-en là, le reste n'est
que du galimatias. Mais les abstractions? mais l'imagination? L'imagination, c'est la mémoire des formes

et des couleurs. Le spectacle d'une scène, d'un objet, monte nécessairement l'instrument sensible d'une certaine manière. Il se remonte ou de lui-même, ou il est remonté par quelque cause étrangère. Alors il frémit au dedans, — ou il résonne au dehors. Il se recorde en silence les impressions qu'il a reçues, ou il les fait éclater par des sons convenus.

D'ALEMBERT. — Mais son récit exagère, omet des circonstances, en ajoute, défigure le fait ou l'embellit; et les instruments sensibles adjacents conçoivent des impressions qui sont bien celles de l'instrument qui résonne, mais non celle de la chose qui s'est passée.

BORDEU. — Il est vrai. Ce récit est historique ou poétique.

D'ALEMBERT. — Mais comment s'introduit cette poésie ou ce mensonge dans le récit?

BORDEU. — Par les idées qui se réveillent les unes les autres, — et elles se réveillent parce qu'elles ont toujours été liées. Si vous avez pris la liberté de comparer l'animal à un clavecin, vous me permettrez bien de comparer le récit du poète au chant.

D'ALEMBERT. — Cela est juste.

BORDEU. — Il y a dans tout chant une gamme. Cette gamme a ses intervalles. Chacune de ses cordes a ses harmoniques, et ces harmoniques ont les leurs. C'est ainsi qu'il s'introduit des modulations de passage dans la mélodie, et que le chant s'enrichit, et s'étend. Le fait est un motif donné que chaque musicien sent à sa guise.

MADEMOISELLE DE L'ESPINASSE. — Et pourquoi embrouiller la question par ce style figuré? Je dirais que chacun ayant ses yeux, chacun voit et raconte diversement. Je dirais que chaque idée en réveille d'autres, et que selon son tour de tête ou son caractère, on s'en tient aux idées qui représentent le fait rigoureusement, ou l'on y introduit les idées réveillées; je dirais qu'entre ces idées, il y a du choix; je dirais... que ce seul sujet traité à fond fournirait un livre.

D'ALEMBERT. — Vous avez raison; ce qui ne m'empêchera pas de demander au Docteur s'il est bien persuadé qu'une forme qui ne ressemblerait à rien, ne s'engendrerait jamais dans l'imagination, et ne se produirait point dans le récit.

BORDEU. — Je le crois. Tout le délire de cette faculté se réduit au talent de ces charlatans qui de plusieurs animaux dépecés, en composent un bizarre qu'on n'a jamais vu en nature.

D'ALEMBERT. — Et les abstractions?

BORDEU. — Il n'y en a point. Il n'y a que des réticences habituelles, des ellipses qui rendent les propositions plus générales et le langage plus rapide et plus commode. Ce sont les signes du langage qui ont donné naissance aux sciences abstraites. Une qualité commune à plusieurs actions a engendré les mots vice et vertu. Une qualité commune à plusieurs êtres a engendré les mots laideur et beauté. On a dit un homme, un cheval, deux animaux; ensuite on a dit un, deux, trois, et toute la science des nombres a pris naissance. On n'a nulle idée d'un mot abstrait. On a remarqué dans tous les corps,

trois dimensions, la longueur, la largeur, la profondeur;
on s'est occupé de chacune de ces dimensions, et de là
toutes les sciences mathématiques. Toute abstraction
n'est qu'un signe vide d'idée. Toute science abstraite
n'est qu'une combinaison de signes. On a exclu l'idée,
en séparant le signe de l'objet physique; et ce n'est qu'en
rattachant le signe à l'objet physique que la science
redevient une science d'idées. De là, le besoin si fréquent
dans la conversation, dans les ouvrages, d'en venir à
des exemples; lorsque, après une longue combinaison
de signes, vous demandez un exemple, vous n'exigez
autre chose de celui qui parle, sinon de donner du
corps, de la forme, de la réalité, de l'idée, au bruit suc-
cessif de ses accents, en y appliquant des sensations
éprouvées.

D'ALEMBERT. — Cela est-il bien clair pour vous, mademoiselle?

MADEMOISELLE DE L'ESPINASSE. — Pas infiniment, — mais
le Docteur va s'expliquer.

BORDEU. — Cela vous plaît à dire. Ce n'est pas qu'il
n'y ait peut-être quelque chose à rectifier et beaucoup à
ajouter à ce que j'ai dit; mais il est onze heures et
demie... et j'ai à midi une consultation au Marais.

D'ALEMBERT. — Le langage plus rapide et plus commode! Docteur, est-ce qu'on s'entend? est-ce qu'on est
entendu?

BORDEU. — Presque toutes les conversations sont des
comptes faits... Je ne sais plus où est ma canne... On n'y
a aucune idée présente à l'esprit... Et mon chapeau... Et
par la raison seule qu'aucun homme ne ressemble par-

faitement à un autre nous n'entendons jamais précisément, nous ne sommes jamais précisément entendus. Il y a du plus ou du moins en tout. Notre discours est toujours en deçà, ou au delà de la sensation. On aperçoit bien de la diversité dans les jugements, il y en a mille fois davantage qu'on n'aperçoit pas et qu'heureusement on ne saurait apercevoir... Adieu. Adieu.

MADEMOISELLE DE L'ESPINASSE. — Encore un mot, de grâce.

BORDEU. — Dites donc vite.

MADEMOISELLE DE L'ESPINASSE. — Vous souvenez-vous de ces sauts dont vous m'avez parlé?

BORDEU. — Oui.

MADEMOISELLE DE L'ESPINASSE. — Croyez-vous que les sots et les gens d'esprit aient de ces sauts-là dans les races?

BORDEU. — Pourquoi non?

MADEMOISELLE DE L'ESPINASSE. — Tant mieux pour nos arrière-neveux; peut-être reviendra-t-il un Henri IV.

BORDEU. — Peut-être est-il tout revenu.

MADEMOISELLE DE L'ESPINASSE. — Docteur, vous devriez venir dîner avec nous.

BORDEU. — Je ferai ce que je pourrai; je ne promets pas. Vous me prendrez, si je viens.

MADEMOISELLE DE L'ESPINASSE. — Nous vous attendrons jusqu'à deux heures.

BORDEU. — J'y consens.

SUITE
DE L'ENTRETIEN PRÉCÉDENT

Interlocuteurs

(Sur les deux heures le Docteur revint. D'Alembert était allé dîner dehors; et le Docteur se trouva en tête-à-tête avec Mademoiselle de l'Espinasse. On servit. Ils parlèrent de choses assez indifférentes jusqu'au dessert; mais lorsque les domestiques furent éloignés, Mademoiselle de l'Espinasse dit au Docteur :)

MADEMOISELLE DE L'ESPINASSE. — Allons, Docteur, buvez un verre de malaga, et vous me répondrez ensuite à une question qui m'a passé cent fois par la tête et que je n'oserais faire qu'à vous?

BORDEU. — Il est excellent ce malaga... Et votre question?

MADEMOISELLE DE L'ESPINASSE. — Que pensez-vous du mélange des espèces?

BORDEU. — Ma foi, la question est bonne aussi. Je pense que les hommes ont mis beaucoup d'importance à l'acte de la génération, et qu'ils ont eu raison; mais je suis mécontent de leurs lois tant civiles que religieuses.

MADEMOISELLE DE L'ESPINASSE. — Et qu'y trouvez-vous à redire?

BORDEU. — Qu'on les a faites sans équité, sans but, et sans aucun égard à la nature des choses et à l'utilité publique.

MADEMOISELLE DE L'ESPINASSE. — Tâchez de vous expliquer.

BORDEU. — C'est mon dessein... Mais attendez... *(Il regarde à sa montre.)* J'ai encore une bonne heure à vous donner. J'irai vite et cela nous suffira... Nous sommes seuls. Vous n'êtes pas une bégueule. Vous n'imaginerez pas que je veuille manquer au respect que je vous dois; et quel que soit le jugement que vous portiez de mes idées, j'espère de mon côté que vous n'en conclurez rien contre l'honnêteté de mes mœurs.

MADEMOISELLE DE L'ESPINASSE. — Très assurément; mais votre début me chiffonne.

BORDEU. — En ce cas changeons de propos.

MADEMOISELLE DE L'ESPINASSE. — Non, non, allez votre train. Un de vos amis qui nous cherchait des époux à moi et à mes deux sœurs, donnait un sylphe à la cadette, un grand ange d'annonciation à l'aînée, et à moi un disciple de Diogène. Il nous connaissait bien toutes trois. Cependant, Docteur, de la gaze, un peu de gaze.

BORDEU. — Cela va sans dire, autant que le sujet et mon état en comportent.

MADEMOISELLE DE L'ESPINASSE. — Cela ne vous mettra pas en frais... Mais voilà votre café... prenez votre café...

BORDEU *(après avoir pris son café).* — Votre question est de physique, de morale et de poétique.

MADEMOISELLE DE L'ESPINASSE. — De poétique!

BORDEU. — Sans doute. L'art de créer des êtres qui ne sont pas, à l'imitation de ceux qui sont, est de la vraie poésie. Cette fois-ci, au lieu d'Hippocrate, vous me permettrez donc de citer Horace. Ce poète ou faiseur dit quelque part : *Omne tulit punctum, qui miscuit utile dulci.* Le mérite suprême est d'avoir réuni l'agréable à l'utile. La perfection consiste à concilier ces deux points. L'action agréable et utile doit occuper la première place dans l'ordre esthétique; nous ne pouvons refuser la seconde à l'utile. La troisième sera pour l'agréable; et nous reléguerons au rang infime celle qui ne rend ni plaisir ni profit.

MADEMOISELLE DE L'ESPINASSE. — Jusque-là je puis être de votre avis, sans rougir; où cela nous mènera-t-il?

BORDEU. — Vous l'allez voir. Mademoiselle, pourriez-vous m'apprendre quel profit ou quel plaisir la chasteté et la continence rigoureuse rendent soit à l'individu qui les pratique, soit à la société?

MADEMOISELLE DE L'ESPINASSE. — Ma foi, aucun.

BORDEU. — Donc en dépit des magnifiques éloges que le fanatisme leur a prodigués, en dépit des lois civiles qui les protègent, nous les rayerons du catalogue des vertus. Et nous conviendrons qu'il n'y a rien de si puéril, de si ridicule, de si absurde, de si nuisible, de si méprisable, rien de pire, à l'exception du mal positif, que ces deux rares qualités.

MADEMOISELLE DE L'ESPINASSE. — On peut accorder cela.

BORDEU. — Prenez y garde; je vous en préviens. Tout à l'heure vous reculerez.

MADEMOISELLE DE L'ESPINASSE. — Nous ne reculons jamais.

BORDEU. — Et les actions solitaires?

MADEMOISELLE DE L'ESPINASSE. — Eh bien?

BORDEU. — Eh bien? elles rendent du moins du plaisir à l'individu, et notre principe est faux, ou...

MADEMOISELLE DE L'ESPINASSE. — Quoi, Docteur?

BORDEU. — Oui, Mademoiselle, oui; et par la raison qu'elles sont aussi indifférentes et qu'elles ne sont pas aussi stériles. C'est un besoin; et quand on n'y serait pas sollicité par le besoin, c'est toujours une chose douce. Je veux qu'on se porte bien. Je le veux absolument, entendez-vous? Je blâme tout excès; mais dans un état de société tel que le nôtre, — il y a cent considérations raisonnables pour une, sans compter le tempérament, et les suites funestes d'une continence rigoureuse, surtout pour les jeunes personnes, le peu de fortune, la crainte parmi les hommes d'un repentir cuisant, chez les femmes celle du déshonneur, qui réduisent une malheureuse créature qui périt de langueur et d'ennui, un pauvre diable qui ne sait à qui s'adresser, à s'expédier à la façon du cynique. Caton qui disait à un jeune homme sur le point d'entrer chez une courtisane : Courage, mon fils, — lui tiendrait-il le même propos aujourd'hui? S'il le surprenait au contraire, seul, en flagrant délit, n'ajouterait-il pas : cela est mieux que de corrompre la femme d'autrui, ou que d'exposer son honneur et sa santé? Et quoi, parce que les circonstances me privent du plus grand bonheur qu'on puisse imaginer, celui de confondre mes sens avec les sens, mon ivresse avec l'ivresse, mon âme avec l'âme d'une compagne que mon cœur se choisirait, et de me reproduire en elle et avec elle, — parce que je ne puis consacrer mon action par le sceau de l'utilité, je m'interdirai un instant nécessaire et délicieux! On se fait saigner dans la pléthore; et qu'importe la nature de l'humeur surabondante, et sa couleur, et la manière de s'en délivrer? Elle est tout aussi superflue dans une de ces indispositions que dans l'autre; et si, repompée de ses réservoirs, distribuée dans toute la machine, elle s'évacue par une autre voie plus longue, plus pénible et dangereuse, en sera-t-elle moins perdue? La nature ne souffre rien d'inutile. Et comment serais-je coupable de l'aider, lorsqu'elle appelle mon secours par les symptômes les moins équivoques? Ne la provoquons jamais; mais prêtons-lui la main dans l'occasion. Je ne vois au refus et à l'oisiveté que de la sottise et du plaisir manqué. Vivez sobre, — me dira-t-on. Excédez-vous de fatigue. Je vous entends. Que je me prive d'un plaisir, — que je me donne de la peine pour éloigner un autre plaisir. Bien imaginé!

MADEMOISELLE DE L'ESPINASSE. — Voilà une doctrine qui n'est pas bonne à prêcher aux enfants.

BORDEU. — Ni aux autres. Cependant me permettez-vous une supposition? Vous avez une fille sage, trop sage, innocente, trop innocente. Elle est dans l'âge où le tempérament se développe. Sa tête s'embarrasse; la nature ne la secourt point. Vous m'appelez. Je m'aperçois tout à coup que tous les symptômes qui vous effraient, naissent de la surabondance et de la rétention du fluide séminal. Je vous avertis qu'elle est menacée d'une folie qu'il est facile de prévenir et qui quelquefois est impossible à guérir. Je vous en indique le remède. Que ferez-vous?

MADEMOISELLE DE L'ESPINASSE. — A vous parler vrai, je crois... mais ce cas n'arrive point...

BORDEU. — Détrompez-vous. Il n'est pas rare, et il serait fréquent, si la licence de nos mœurs n'y obviait... Quoi qu'il en soit, ce serait fouler aux pieds toute décence, attirer sur moi les soupçons les plus odieux, et commettre un crime de lèse-société, que de divulguer ces principes. Vous rêvez?

MADEMOISELLE DE L'ESPINASSE. — Oui. Je balançais à vous demander, s'il vous était jamais arrivé d'avoir une pareille confidence à faire à des mères.

BORDEU. — Assurément.

MADEMOISELLE DE L'ESPINASSE. — Et quel parti ces mères ont-elles pris?

BORDEU. — Toutes, sans exception le bon parti, le parti sensé... Je n'ôterais pas mon chapeau dans la rue à l'homme suspecté de pratiquer ma doctrine : il me suffirait qu'on l'appelât un infâme. Mais nous causons sans témoins et sans conséquence; et je vous dirai de ma philosophie ce que Diogène tout nu disait au jeune et pudique Athénien contre lequel il se préparait à lutter : Mon fils, ne crains rien; je ne suis pas si méchant que celui-là.

MADEMOISELLE DE L'ESPINASSE, *en se couvrant les yeux*. — Docteur, je vous vois arriver, et je gage...

BORDEU. — Je ne gage pas; vous gagneriez. Oui, Mademoiselle, c'est mon avis.

MADEMOISELLE DE L'ESPINASSE. — Comment! soit qu'on se renferme dans l'enceinte de son espèce, soit qu'on en sorte?

BORDEU. — Il est vrai.

MADEMOISELLE DE L'ESPINASSE. — Vous êtes monstrueux.

BORDEU. — Ce n'est pas moi, c'est la nature ou la société. Écoutez, Mademoiselle, — je ne m'en laisse point imposer par des mots; et je m'explique d'autant plus librement que je suis net et que la pureté de mes mœurs ne laisse prise d'aucun côté. Je vous demanderai donc, de deux actions également restreintes à la volupté, qui ne peuvent rendre que du plaisir, sans utilité, mais dont l'une n'en rend qu'à celui qui la fait et l'autre le partage avec un être semblable, mâle ou femelle, — car le sexe ici, ni même l'emploi du sexe n'y fait rien, — en faveur de laquelle le sens commun prononcera-t-il?

MADEMOISELLE DE L'ESPINASSE. — Ces questions-là sont trop sublimes pour moi.

BORDEU. — Ah! après avoir été un homme pendant quatre minutes, voilà que vous reprenez votre cornette et vos cotillons et que vous redevenez femme. A la bonne heure. Eh bien! il faut vous traiter comme telle... Voilà qui est fait, on ne dit plus mot de Madame du Barry... Vous voyez, tout s'arrange. On croyait que la cour allait être bouleversée. Le maître a fait en homme sensé *Omne tulit punctum*. Il a gardé la femme qui lui fait plaisir, et le ministre qui lui est utile... Mais vous ne m'écoutez pas... Où en êtes-vous?

MADEMOISELLE DE L'ESPINASSE. — J'en suis à ces combinaisons qui me semblent toutes contre nature.

BORDEU. — Tout ce qui est ne peut être ni contre nature ni hors de nature. Je n'en excepte même pas la chasteté et la continence volontaires qui seraient les premiers des crimes contre nature, si l'on pouvait pécher contre nature, et les premiers des crimes contre les lois sociales d'un pays où l'on pèserait les actions dans une autre balance que celle du fanatisme et du préjugé.

MADEMOISELLE DE L'ESPINASSE. — Je reviens sur vos maudits syllogismes, et je n'y vois point de milieu; il faut ou tout nier ou tout accorder... Mais tenez, Docteur, le plus honnête et le plus court est de sauter par-dessus le bourbier et d'en revenir à ma première question : Que pensez-vous du mélange des espèces?

BORDEU. — Il n'y a point à sauter pour cela. Nous y étions. Votre question est-elle de physique ou de morale?

MADEMOISELLE DE L'ESPINASSE. — De physique, de physique.

BORDEU. — Tant mieux. La question de morale marchait la première, et vous la décidez. Ainsi donc...

MADEMOISELLE DE L'ESPINASSE. — D'accord... sans doute, c'est un préliminaire... mais je voudrais... que vous séparassiez la cause de l'effet. Laissons la vilaine cause de côté.

BORDEU. — C'est m'ordonner de commencer par la fin; mais puisque vous le voulez, je vous dirai que, grâce à notre pusillanimité, à nos répugnances, à nos lois, à nos préjugés, il y a très peu d'expériences faites; qu'on ignore quelles seraient les copulations tout à fait infructueuses; les cas où l'utile se réunirait à l'agréable; quelles sortes d'espèces on se pourrait promettre de tentatives variées et suivies; si les faunes sont réels ou fabuleux; si l'on ne multiplierait pas en cent façons diverses les races de mulets; et si celles que nous connaissons sont vraiment stériles. Mais un fait singulier qu'une infinité de gens instruits vous attesteront comme vrai, et qui est faux, c'est qu'ils ont vu dans la basse-cour de l'archiduc un infâme lapin qui servait de coq à une vingtaine de poules infâmes qui s'en accommodaient. Ils ajouteront qu'on leur a montré des poulets couverts de poils et provenus de cette bestialité. Croyez qu'on s'est moqué d'eux.

MADEMOISELLE DE L'ESPINASSE. — Mais qu'entendez-vous par des tentatives suivies?

BORDEU. — J'entends que la circulation des êtres est graduelle, — que les assimilations des êtres veulent être préparées, et que pour réussir dans ces sortes d'expériences, il faudrait s'y prendre de loin et travailler d'abord à rapprocher les animaux par un régime analogue.

MADEMOISELLE DE L'ESPINASSE. — On réduira difficilement un homme à brouter.

BORDEU. — Mais non à prendre souvent du lait de chèvre; et l'on amènera facilement la chèvre à se nourrir de pain. J'ai choisi la chèvre par des considérations qui me sont particulières.

MADEMOISELLE DE L'ESPINASSE. — Et ces considérations?

BORDEU. — Vous êtes bien hardie... C'est que... c'est que nous en tirerions une race vigoureuse, intelligente, infatigable et véloce dont nous ferions d'excellents domestiques.

MADEMOISELLE DE L'ESPINASSE. — Fort bien, Docteur. Il me semble déjà que je vois derrière la voiture de nos duchesses cinq à six grands insolents chèvre-pieds; et cela me réjouit.

BORDEU. — C'est que nous ne dégraderions plus nos frères en les assujettissant à des fonctions indignes d'eux et de nous.

MADEMOISELLE DE L'ESPINASSE. — Encore mieux.

BORDEU. — C'est que nous ne réduirions plus l'homme dans nos colonies, à la condition de la bête de somme.

MADEMOISELLE DE L'ESPINASSE. — Vite, vite, Docteur; mettez-vous à la besogne, et faites-nous des chèvre-pieds.

BORDEU. — Et vous le permettez sans scrupule?

MADEMOISELLE DE L'ESPINASSE. — Mais arrêtez, il m'en vient un. Vos chèvre-pieds seraient d'effrénés dissolus.

BORDEU. — Je ne vous les garantis pas bien moraux.

MADEMOISELLE DE L'ESPINASSE. — Il n'y aura plus de sûreté pour les femmes honnêtes. Ils multiplieront sans fin. A la longue il faudra les assommer ou leur obéir. Je n'en veux plus. Je n'en veux plus. Tenez-vous en repos.

BORDEU, *en s'en allant*. — Et la question de leur baptême?

MADEMOISELLE DE L'ESPINASSE. — Ferait un beau charivari en Sorbonne.

BORDEU. — Avez-vous vu au Jardin du Roi, sous une cage de verre, un orang-outang qui a l'air d'un saint Jean qui prêche au désert?

MADEMOISELLE DE L'ESPINASSE. — Oui, je l'ai vu.

BORDEU. — Le cardinal de Polignac lui disait un jour : Parle et je te baptise.

MADEMOISELLE DE L'ESPINASSE. — Adieu donc, Docteur. Ne nous délaissez pas des siècles, comme vous faites; et pensez quelquefois que je vous aime à la folie. Si l'on savait tout ce que vous m'avez conté d'horreurs!

BORDEU. — Je suis bien sûr que vous vous en tairez.

MADEMOISELLE DE L'ESPINASSE. — Ne vous y fiez pas, je n'écoute que pour le plaisir de redire. Mais encore un mot, et je n'y reviens de ma vie.

BORDEU. — Qu'est-ce?

MADEMOISELLE DE L'ESPINASSE. — Ces goûts abominables, d'où viennent-ils?

BORDEU. — Partout d'une pauvreté d'organisation dans les jeunes gens, et de la corruption de la tête dans les vieillards. De l'attrait de la beauté dans Athènes, — de la disette des femmes dans Rome, — de la crainte de la vérole à Paris. Adieu. Adieu.

CECI N'EST PAS UN CONTE

———

MADAME DE LA CARLIÈRE

———

SUPPLÉMENT AU VOYAGE DE BOUGAINVILLE

NOTICE

CES trois récits dialogués forment un ensemble homogène.
L'interlocuteur A du Supplément parle en effet des personnages des deux autres dialogues comme s'ils étaient bien
connus de lui et de son partenaire. La fin de Mme de la Carlière renvoie au Supplément (« Et puis j'ai mes idées [...].
Cela n'est pas trop clair, mais cela s'éclaircira peut-être une
autre fois »). Au reste, les deux derniers récits ont le même
cadre fictif : les deux interlocuteurs du second se séparent à la
nuit tombante, ils se retrouvent le lendemain au début du
troisième (« Cette superbe voûte étoilée, [etc.] »).

   Cependant l'ordre dans lequel se présentent traditionnelle-
ment les trois panneaux du triptyque ne permet pas de préjuger
de celui dans lequel ils ont été conçus, et nous ne savons pas à
quel moment Diderot a commencé à y travailler. Une chose est
sûre : Ceci n'est pas un conte et Mme de la Carlière
étaient terminés au début d'octobre 1772 et le Supplément
— dans une version en quatre chapitres attestée par l'édition
Naigeon de 1798 et par deux des copies du fonds Vandeul —
occupait déjà la dernière place dans l'ensemble. Ce qui est sûr
aussi, c'est que le Voyage autour du monde, de Bougain-

ville, était paru au début de 1771, et que le Tout-Paris avait pu voir et interroger « son » Tahitien, Aotourou, en 1769-1770. Diderot rédigea à la fin de 1771 un compte rendu critique du Voyage, *sans doute pour la* Correspondance littéraire *de* Grimm, *qui ne le publia pas. Le* Supplément *paraît bien s'inscrire à la suite de cette lecture.*

*Mais les thèmes « naturistes » et « anticolonialistes » qu'il aborde sont aussi très proches de ceux qui le préoccupaient en 1772. C'est cette année-là qu'il commença à collaborer active-ment à l'*Histoire des deux Indes *de l'abbé Raynal. L'édition de l'*Histoire *datée de 1780 contient par exemple une forme de l'épisode de Polly Baker très proche de celle de la version en cinq chapitres du* Supplément, *attestée par une copie de Leningrad et une troisième copie du fonds Vandeul.*

Ceci n'est pas un conte fut publié en avril 1773 dans la Correspondance littéraire. *La copie conservée à Stockholm en donne la version la plus satisfaisante, et c'est elle qui est reproduite ici.*

Mme de la Carlière *fut également publiée par Grimm en mai 1773, avec un titre développé qu'atteste aussi l'édition Naigeon de 1798 : « Sur l'inconséquence du jugement public de nos actions particulières. » Il en existe plusieurs copies, dont la meilleure est celle de Leningrad, qui doit servir de base à toute bonne édition.*

Le Supplément *parut dans la* Correspondance littéraire *de septembre 1773 à avril 1774. Les copies qui en présentent une version en cinq chapitres sont préférables aux autres et parmi elles, comme il arrive souvent, celle de Leningrad est la plus satisfaisante. Gilbert Chinard l'avait prise pour base de son édition de 1935 (Droz éditeur) que nous reproduisons.*

CECI N'EST PAS UN CONTE

Lorsqu'on fait un conte, c'est à quelqu'un qui l'écoute; et pour peu que le conte dure, il est rare que le conteur ne soit interrompu quelquefois par son auditeur. Voilà pourquoi j'ai introduit dans le récit qu'on va lire, et qui n'est pas un conte ou qui est un mauvais conte, si vous vous en doutez, un personnage qui fasse à peu près le rôle du lecteur, et je commence.

*
* *

— Et vous concluez de là?

— Qu'un sujet aussi intéressant devrait mettre toutes les têtes en l'air, défrayer pendant un mois tous les cercles de la ville, y être tourné et retourné jusqu'à l'insipidité, fournir à mille disputes, à vingt brochures au moins et à quelques centaines de pièces en vers pour et contre; et qu'en dépit de toute la finesse, de toutes les connaissances, de tout l'esprit de l'auteur, puisque son ouvrage n'a excité aucune fermentation violente, il est médiocre et très médiocre.

— Mais il me semble que nous lui devons pourtant une soirée assez agréable, et que cette lecture a amené...

— Quoi? Une litanie d'historiettes usées qu'on se décochait de part et d'autre, et qui ne disaient qu'une chose connue de toute éternité, c'est que l'homme et la femme sont deux bêtes très malfaisantes.

— Cependant l'épidémie vous a gagné, et vous avez payé votre écot tout comme un autre.

— C'est que bon gré, malgré qu'on en ait, on se prête au ton donné; qu'en entrant dans une société, on arrange à la porte d'un appartement jusqu'à sa physiono-mie sur celles qu'on voit; qu'on contrefait le plaisant quand on est triste; le triste quand on serait tenté d'être plaisant; qu'on ne veut être étranger à qui que ce soit; que le littérateur politique; que le politique métaphysique; que le métaphysicien moralise; que le moraliste parle finance; le financier, belles lettres ou géométrie; que plutôt que d'écouter ou se taire, cha-cun bavarde de ce qu'il ignore, et que tous s'ennuient par sotte vanité ou par politesse.

— Vous avez de l'humeur.

— A mon ordinaire.

— Et je crois qu'il est à propos que je réserve mon historiette pour un moment plus favorable.

— C'est-à-dire que vous attendrez que je n'y sois pas.

— Ce n'est pas cela.

— Ou que vous craignez que je n'aie moins d'indulgence pour vous tête à tête que je n'en aurais pour un indifférent en société.

— Ce n'est pas cela.

— Ayez donc pour agréable de me dire ce que c'est.

— C'est que mon historiette ne prouve pas plus que celles qui vous ont excédé.

— Eh, dites toujours.

— Non, non, vous en avez assez.

— Savez-vous que de toutes les manières qu'ils ont de me faire enrager la vôtre m'est la plus antipathique?

— Et quelle est la mienne?

— Celle d'être prié de la chose que vous mourez de faire. Eh bien, mon ami, je vous prie, je vous supplie de vouloir bien vous satisfaire.

— Me satisfaire!

— Commencez, pour dieu, commencez.

— Je tâcherai d'être court.

— Cela n'en sera pas plus mal.

— Ici, un peu par malice, je toussai, je crachai, je pris mon mouchoir, je me mouchai, j'ouvris ma tabatière, je pris une prise de tabac, et j'entendais mon homme qui disait entre ses dents : « Si l'histoire est courte, les préliminaires sont longs. » Il me prit envie d'appeler un domestique sous prétexte de quelque commission; mais je n'en fis rien et je dis.

CECI N'EST PAS UN CONTE

— Il faut avouer qu'il y a des hommes bien bons et des femmes bien méchantes.

— *C'est ce qu'on voit tous les jours et quelquefois sans sortir de chez soi. Après*.*

— Après? J'ai connu une Alsacienne belle, mais belle à faire accourir les vieillards et à arrêter tout court les jeunes gens.

— *Et moi aussi je l'ai connue, elle s'appelait Mme Reymer.*

— Il est vrai. Un nouveau débarqué de Nancy, appelé Tanié, en devint éperdument amoureux. Il était pauvre. C'était un de ces enfants perdus que la dureté des parents qui ont une famille nombreuse chasse de la maison et qui se jettent dans le monde, sans savoir ce qu'ils deviendront, par un instinct qui leur dit qu'ils n'y auront pas un destin pire que celui qu'ils fuient. Tanié, amoureux de Mme Reymer, exalté par une passion qui soutenait son courage et ennoblissait à ses yeux toutes ses actions, se soumettait sans répugnance aux plus pénibles et aux plus viles, pour soulager la misère de son amie. Le jour il allait travailler sur les ports; à la chute du jour il mendiait dans les rues.

— *Cela était fort beau, mais cela ne pouvait durer.*

— Aussi Tanié, las ou de lutter contre le besoin ou plutôt de retenir dans le besoin une femme charmante

---

* Les répliques du « lecteur » sont imprimées en italique (note de l'Éditeur).

obsédée d'hommes opulents qui la pressaient de chasser ce gueux de Tanié...

— *Ce qu'elle aurait fait quinze jours, un mois plus tard.*

— ... et d'accepter leurs richesses, résolut de la quitter et d'aller tenter la fortune au loin. Il sollicite, il obtient son passage sur un vaisseau du roi. Le moment de son départ est venu; il va prendre congé de Mme Reymer. « Mon amie, lui dit-il, je ne saurais abuser plus long-temps de votre tendresse. J'ai pris mon parti, je m'en vais. — Vous vous en allez. — Oui. — Et où allez-vous? — Aux Iles. — Vous êtes digne d'un autre sort, et je ne saurais l'éloigner plus longtemps. »

— *Le bon Tanié!*

— « Et que voulez-vous que je devienne? »

— *La traîtresse!*

— « Vous êtes environnée de gens qui cherchent à vous plaire. Je vous rends vos promesses. Je vous rends vos serments. Voyez quel est celui de ces pré-tendants qui vous est le plus agréable. Acceptez-le, c'est moi qui vous en conjure. — Ah, Tanié, c'est vous qui me proposez »

— *Je vous dispense de la pantomime de Madame Reymer; je la vois, je la sais.*

— « En m'éloignant, la seule grâce que j'exige de vous, c'est de ne former aucun engagement qui nous sépare à jamais. Jurez-le-moi, ma belle amie. Quelle que soit la contrée de la terre que j'habiterai, il faudra que j'y sois bien malheureux s'il se passe une année sans vous donner des preuves certaines de mon tendre attache-ment. Ne pleurez pas.

— *Elles pleurent toutes quand elles veulent.*

— « Et ne combattez pas un projet que les reproches de mon cœur m'ont enfin inspiré, et auquel ils ne tarderaient pas à me ramener. » Et voilà Tanié parti pour Saint-Domingue.

— *Et parti tout à temps pour Mme Reymer et pour lui.*

— Qu'en savez-vous ?

— *Je sais tout aussi bien qu'on peut le savoir que quand Tanié lui conseilla de faire un choix, il était fait.*

— Bon !

— *Continuez votre récit.*

— Tanié avait de l'esprit et une grande aptitude aux affaires. Il ne tarda pas d'être connu. Il entra au conseil souverain du Cap. Il s'y distingua par ses lumières et par son équité. Il n'ambitionnait pas une grande fortune, il ne la désirait qu'honnête et rapide. Chaque année il en envoyait une portion à Mme Reymer. Il revint au bout...

— *De neuf à dix ans. Non, je ne crois pas que son absence ait été plus longue.*

— Présenter à son amie un petit portefeuille qui renfermait le produit de ses vertus et de ses travaux.

— *Et heureusement pour Tanié, ce fut au moment où elle venait de se séparer du dernier des successeurs de Tanié.*

— Du dernier ?

— *Oui.*

— Elle en avait donc eu plusieurs ?

— *Assurément. Allez, allez.*

— Mais je n'ai peut-être rien à vous dire que vous ne sachiez mieux que moi.

— *Qu'importe; allez toujours.*

— Mme Reymer et Tanié occupaient un assez beau logement rue Sainte-Marguerite, à ma porte. Je faisais grand cas de Tanié, et je fréquentais sa maison qui était sinon opulente, du moins fort aisée.

— *Je puis vous assurer, moi, sans avoir compté avec la Reymer, qu'elle avait mieux de quinze mille livres de rente avant le retour de Tanié.*

— A qui elle dissimulait sa fortune?

— *Oui.*

— Et pourquoi?

— *Parce qu'elle était avare et rapace.*

— Passe pour rapace, mais avare! Une courtisane avare! Il y avait cinq à six ans que ces deux amants vivaient dans la meilleure intelligence.

— *Grâce à l'extrême finesse de l'un et à la confiance sans borne de l'autre.*

— Oh! il est vrai qu'il était impossible à l'ombre d'un soupçon d'entrer dans une âme aussi pure que celle de Tanié. La seule chose dont je me sois quelquefois aperçu, c'est que Mme Reymer avait bientôt oublié sa première indigence; qu'elle était tourmentée de l'amour du faste et de la richesse; qu'elle était humiliée qu'une aussi belle femme allât à pied.

— *Que n'allait-elle en carrosse?*

— Et que l'éclat du vice lui en dérobait la bassesse. Vous riez?... Ce fut alors que M. de Maurepas forma le projet d'établir au Nord une maison de commerce. Le succès de cette entreprise demandait un homme actif et intelligent. Il jeta les yeux sur Tanié à qui il avait confié la conduite de plusieurs affaires importantes pendant son séjour au Cap, et qui s'en était toujours acquitté à la satisfaction du ministre. Tanié fut désolé de cette marque de distinction; il était si content, si heureux à côté de sa belle amie; il était ou se croyait aimé.

— *C'est bien dit.*

— Qu'est-ce que l'or pouvait ajouter à son bonheur? Rien. Cependant le ministre insistait; il fallait se déterminer, il fallait s'ouvrir à Mme Reymer. J'arrivai chez lui précisément sur la fin de cette scène fâcheuse. Le pauvre Tanié fondait en larmes. « Qu'avez-vous donc, lui dis-je, mon ami? » Il me dit en sanglotant : « C'est cette femme. » Mme Reymer travaillait tranquillement à un métier de tapisserie. Tanié se leva brusquement et sortit. Je restai seul avec son amie qui ne me laissa pas ignorer ce qu'elle qualifiait de la déraison de Tanié. Elle m'exagéra la modicité de son état; elle mit à son plaidoyer tout l'art dont un esprit délié sait pallier les sophismes de l'ambition. « De quoi s'agit-il? D'une absence de deux ou trois ans au plus. — C'est bien du temps pour un homme que vous aimez et qui vous aime autant que lui. — Lui, il m'aime! S'il m'aimait, balancerait-il à me satisfaire? — Mais, Madame, que ne le suivez-vous? — Moi, je ne vais point là, et tout extravagant qu'il est, il ne s'est point avisé de me le proposer. Doute-t-il de moi? — Je n'en crois rien. — Après l'avoir attendu pendant douze ans, il peut bien s'en reposer deux ou trois ans sur ma bonne foi. Monsieur, c'est que c'est une de ces occasions singulières qui ne se présentent qu'une fois dans la vie, et je ne veux pas qu'il ait un jour à se repentir et à me reprocher peut-être de l'avoir manquée. — Tanié ne regrettera rien, tant qu'il aura le bonheur de vous plaire. — Cela est fort honnête, mais soyez sûr qu'il sera très content d'être riche, quand je serai vieille. Le travers des femmes est de ne jamais penser à l'avenir, ce n'est pas le mien »... Le ministre était à Paris; de la rue Sainte-Marguerite à son hôtel il n'y avait qu'un pas : Tanié y était allé et s'était engagé. Il rentra l'œil sec, mais l'âme serrée. « Madame, lui dit-il, j'ai vu M. de Maurepas; il a ma parole, je m'en irai, je m'en irai et vous serez satisfaite. — Ah! mon ami! » Mme Reymer écarte son métier, s'élance vers Tanié, jette ses bras autour de son cou, l'accable de caresses et de propos doux. « Ah! c'est pour cette fois que je vois que je vous suis chère! » Tanié lui répondit froidement : « Vous voulez être riche. »

— *Elle l'était la coquine, dix fois plus qu'elle ne le méritait.*

— « Et vous le serez. Puisque c'est l'or que vous aimez, il faut aller vous chercher de l'or. » C'était le mardi, et le ministre avait fixé son départ au vendredi sans délai. J'allai lui faire mes adieux au moment où il luttait avec lui-même, où il tâchait de s'arracher des bras de la belle, indigne et cruelle Reymer. C'était un désordre d'idées, un désespoir, une agonie dont je n'ai jamais vu un second exemple. Ce n'était pas de la plainte, c'était un long cri. Mme Reymer était encore au lit; il tenait une de ses mains. Il ne cessait de dire et de répéter : « Cruelle femme. Femme cruelle! Que te faut-il de plus que l'aisance dont tu jouis, et un ami, un amant tel que moi? J'ai été lui chercher la fortune

dans les contrées brûlantes de l'Amérique, elle veut que
j'aille la lui chercher encore au milieu des glaces du
Nord. Mon ami, je sens que cette femme est folle; je
sens que je suis un insensé, mais il m'est moins affreux
de mourir que de la contrister. Tu veux que je te quitte,
je vais te quitter. » Il était à genoux au bord de son lit,
la bouche collée sur sa main et le visage caché dans les
couvertures qui en étouffant son murmure, ne le rendait
que plus triste et plus effrayant. La porte de la chambre
s'ouvrit, il releva brusquement la tête; il vit le postillon
qui venait lui annoncer que les chevaux étaient à la
chaise. Il fit un cri et recacha son visage sur les
couvertures. Après un moment de silence il se leva;
il dit à son amie : « Embrassez-moi, Madame, embrasse-
moi encore une fois, car tu ne me reverras plus. » Son
pressentiment n'était que trop vrai. Il partit; il arriva à
Pétersbourg, et trois jours après il fut attaqué d'une
fièvre dont il mourut le quatrième.

— *Je savais tout cela.*

— Vous avez peut-être été un des successeurs de
Tanié?

— *Vous l'avez dit, et c'est avec cette belle abominable que
j'ai dérangé mes affaires.*

— Ce pauvre Tanié!

— *Il y a des gens dans le monde qui vous diraient que c'est
un sot.*

— Je ne le défendrai pas, mais je souhaiterais au fond
de mon cœur que leur mauvais destin les adresse à une
femme aussi belle et aussi artificieuse que Mme Reymer.

— *Vous êtes cruel dans vos vengeances.*

— Et puis s'il y a des femmes très méchantes et des hommes très bons, il y a aussi des femmes très bonnes et des hommes très méchants; et ce que je vais ajouter n'est pas plus un conte que ce qui précède.

— *J'en suis convaincu.*

*
* *

— M. d'Hérouville.

— *Celui qui vit encore, le Lieutenant général des armées du Roi, celui qui épousa cette charmante créature appelée Lolotte?*

— Lui-même.

— *C'est un galant homme, ami des sciences.*

— Et des savants. Il s'est longtemps occupé d'une histoire générale de la guerre dans tous les siècles et chez toutes les nations.

— *Le projet est vaste.*

— Pour le remplir il avait appelé autour de lui quelques jeunes gens d'un mérite distingué, tels que M. de Montucla, l'auteur de l'histoire des mathématiques.

— *Diable! En avait-il beaucoup de cette force-là?*

— Mais celui qui se nommait Gardeil, le héros de l'aventure que je vais vous raconter, ne lui cédait guère dans sa partie. Une fureur commune pour l'étude de la langue grecque commença entre Gardeil et moi une liaison que le temps, la réciprocité des conseils, le goût de la retraite, et surtout la facilité de se voir, conduisirent à une assez grande intimité.

— *Vous demeuriez alors à l'Estrapade.*

— Lui, rue Saint-Hyacinthe, et son amie, Mlle de la Chaux, place Saint-Michel. Je la nomme de son propre nom, parce que la pauvre malheureuse n'est plus, parce que sa vie ne peut que l'honorer dans tous les esprits bien faits, et lui mériter l'admiration, les regrets et les larmes de ceux que nature aura favorisé ou puni d'une petite portion de la sensibilité de son âme.

— *Mais votre voix s'entrecoupe, et je crois que vous pleurez.*

— Il me semble que je vois encore ses grands yeux noirs, brillants et doux, et que le son de sa voix touchante retentisse dans mon oreille et trouble mon cœur. Créature charmante! Créature unique! Tu n'es plus. Il y a près de vingt ans que tu n'es plus, et mon cœur se serre encore à ton souvenir.

— *Vous l'avez aimée?*

— Non? O la Chaux! O Gardeil! Vous fûtes l'un et l'autre deux prodiges, vous de la tendresse de la femme, vous de l'ingratitude de l'homme. Mlle de la Chaux était d'une famille honnête; elle quitta ses parents pour se jeter entre les bras de Gardeil. Gardeil n'avait rien; Mlle de la Chaux jouissait de quelque bien, et ce bien fut entièrement sacrifié aux besoins et aux fantaisies de Gardeil. Elle ne regretta ni sa fortune dissipée ni son honneur flétri; son amant lui tenait lieu de tout.

— *Ce Gardeil était donc bien séduisant, bien aimable?*

— Point du tout. Un petit homme, bourru, taciturne et caustique, le visage sec, le teint basané, en tout une figure mince et chétive; laid, si un homme peut l'être avec la physionomie de l'esprit.

— *Et voilà ce qui avait renversé la tête à une fille char-mante?*

— Et cela vous surprend?

— *Toujours.*

— Vous?

— *Moi.*

— Mais vous ne vous rappelez donc plus votre aven-ture avec la Deschamps et le profond désespoir où vous tombâtes, lorsque cette créature vous ferma sa porte?

— *Laissons cela; continuez.*

— Je vous disais : « Elle est donc bien belle », et vous me répondiez tristement : « Non. — Elle a donc bien de l'esprit? — C'est une sotte. — Ce sont donc ses talents qui vous entraînent? — Elle n'en a qu'un. — Et ce rare, ce sublime, ce merveilleux talent? — C'est de me rendre plus heureux entre ses bras que je ne le fus jamais entre les bras d'aucune autre femme. »

— *Mais Mlle de la Chaux?*

— L'honnête, la sensible Mlle de la Chaux se promet-tait secrètement, d'instinct, à son insu, le bonheur que vous connaissiez et qui vous faisait dire de la Des-champs : « Si cette malheureuse, si cette infâme s'obstine à me chasser de chez elle, je prends un pistolet et je me brûle la cervelle dans son antichambre. » L'avez-vous dit ou non?

— *Je l'ai dit, et même à présent je ne sais pas pourquoi je ne l'ai pas fait.*

— Convenez donc.

— *Je conviens de tout ce qu'il vous plaira.*

— Mon ami, le plus sage d'entre nous est bienheureux

de n'avoir pas rencontré la femme belle ou laide, spirituelle ou sotte qui l'aurait rendu fou à enfermer aux
petites maisons. Plaignons beaucoup les hommes,
blâmons-les sobrement, regardons nos années passées
comme autant de moments · dérobés à la méchanceté
qui nous suit; et ne pensons jamais qu'en tremblant à la
violence de certains attraits de nature, surtout pour les
âmes chaudes et les imaginations ardentes. L'étincelle
qui tombe fortuitement sur un baril de poudre ne produit pas un effet plus terrible. Le doigt prêt à secouer sur
vous ou sur moi cette fatale étincelle, est peut-être levé.

M. d'Hérouville, jaloux d'accélérer son ouvrage,
excédait de fatigue ses coopérateurs. La santé de Gardeil
en fut altérée. Pour alléger sa tâche, Mlle de la Chaux
apprit l'hébreu, et tandis que son ami reposait, elle
passait une partie de la nuit à interpréter et transcrire
des lambeaux d'auteurs hébreux. Le temps de dépouiller
les auteurs grecs arriva; Mlle de la Chaux se hâta de se
perfectionner dans cette langue dont elle avait déjà
quelque teinture, et tandis que Gardeil dormait, elle
était occupée à traduire et à copier des passages de
Xénophon et de Thucydide. A la connaissance du grec
et de l'hébreu elle joignit celle de l'italien et de l'anglais.
Elle posséda l'anglais au point de rendre en Français les
premiers essais de métaphysique de M. Hume, ouvrage
où la difficulté de la matière ajoutait infiniment à celle
de l'idiome. Lorsque l'étude avait épuisé ses forces, elle
s'amusait à graver de la musique. Lorsqu'elle craignait
que l'ennui ne s'emparât de son amant, elle chantait.

Je n'exagère rien : j'en atteste M. le Camus, docteur
en médecine, qui l'a consolée dans ses peines et secou-
rue dans son indigence; qui lui a rendu les services les
plus continus; qui l'a suivie dans le grenier où sa pauvreté l'avait reléguée, et qui lui a fermé les yeux quand
elle est morte. Mais j'oublie un de ses premiers malheurs;
c'est la longue persécution qu'elle eut à souffrir d'une
famille indignée d'un attachement public et scandaleux.
On employa et la vérité et le mensonge pour disposer de
sa liberté d'une manière infamante. Ses parents et les
prêtres la poursuivirent de quartier en quartier, de maison en maison, et la réduisirent plusieurs années à vivre
seule et cachée. Elle passait les journées à travailler
pour Gardeil; nous lui apparaissions la nuit, et à la présence de son amant tout son chagrin, toute son inquiétude étaient évanouis.

— *Quoi? Jeune, pusillanime, sensible, au milieu de tant
de traverses!*

— Elle était heureuse.

— *Heureuse!*

— Oui, elle ne cessa de l'être que quand Gardeil fut
ingrat.

— *Mais il est impossible que l'ingratitude ait été la récompense de tant de qualités rares, tant de marques de tendresse,
tant de sacrifices de toute espèce.*

— Vous vous trompez; Gardeil fut ingrat. Un jour
Mlle de la Chaux se trouva seule dans ce monde, sans honneur, sans fortune, sans appui. Je vous en impose; je lui
restai pendant quelque temps; le docteur le Camus lui
resta toujours.

— *Ô les hommes! les hommes!*

— De qui parlez-vous?

— *De Gardeil.*

— Vous regardez le méchant et vous ne voyez pas tout à côté l'homme de bien. Ce jour de douleur et de désespoir elle accourut chez moi. C'était le matin. Elle était pâle comme la mort. Elle ne savait son sort que de la veille, et elle offrait l'image des longues souffrances. Elle ne pleurait pas, mais on voyait qu'elle avait beaucoup pleuré. Elle se jeta dans un fauteuil. Elle ne parlait pas, elle ne pouvait parler. Elle me tendait les bras, et en même temps elle poussait des cris. « Qu'est-ce qu'il y a? lui dis-je. Est-ce qu'il est mort? — C'est pis : il ne m'aime plus, il m'abandonne. »

— *Allez donc.*

— Je ne saurais. Je la vois, je l'entends, et mes yeux se remplissent de pleurs. « Il ne vous aime plus! — Non. — Il vous abandonne! — Eh oui. Après tout ce que j'ai fait! Monsieur, ma tête s'embarrasse. Ayez pitié de moi. Ne me quittez pas; surtout ne me quittez pas. » En prononçant ces mots elle m'avait saisi le bras qu'elle serrait fortement, comme s'il y avait eu près d'elle quelqu'un qui la menaçât de l'arracher et de l'entraîner. — Ne craignez rien, Mademoiselle. — Je ne crains que moi. — Que faut-il faire pour vous? — D'abord me sauver de moi-même. Il ne m'aime plus, je le fatigue, je l'excède, je l'ennuie, il me hait, il m'abandonne, il me laisse, il me laisse! » A ce mot répété succéda un silence profond, et à ce silence des éclats d'un rire convulsif plus effrayants mille fois que les accents du désespoir ou le

râle de l'agonie. Ce furent ensuite des pleurs, des cris,
des mots inarticulés, des regards tournés vers le ciel,
des lèvres tremblantes, un torrent de douleurs qu'il
fallait abandonner à son cours; ce que je fis, et je ne
commençai à m'adresser à sa raison que quand je vis
son âme brisée et stupide. Alors je repris : « Il vous hait,
il vous laisse! et qui est-ce qui vous l'a dit? — Lui.
— Allons, Mademoiselle, un peu d'espérance et de courage; ce n'est pas un monstre. — Vous ne le connaissez
pas, vous le connaîtrez. — Je ne saurais le croire. — Vous
le verrez. — Est-ce qu'il aime ailleurs? — Non. — Ne lui
avez-vous donné aucun soupçon, aucun mécontente-
ment? — Aucun, aucun. — Qu'est-ce donc? — Mon
inutilité. Je n'ai plus rien, je ne lui suis plus bonne à
rien; son ambition, il a toujours été ambitieux; la perte
de ma santé, celle de mes charmes, j'ai tant souffert et
tant fatigué; l'ennui, le dégoût. — On cesse d'être amants,
mais on reste amis. — Je suis devenue un objet insupportable; ma présence lui pèse, ma vue l'afflige et le
blesse. Si vous saviez ce qu'il m'a dit. Oui, Monsieur,
il m'a dit que s'il était condamné à passer vingt-quatre
heures avec moi, il se jetterait par les fenêtres. — Mais
cette aversion n'a pas été l'ouvrage d'un moment.
— Que sais-je? Il est naturellement si dédaigneux, si
indifférent, si froid. Il est si difficile de lire au fond de
ces âmes, et l'on a tant de répugnance à lire son arrêt
de mort. Il me l'a prononcé, et avec quelle dureté!
— Je n'y conçois rien. — J'ai une grâce à vous demander,
et c'est pour cela que je suis venue. Me l'accorderez-
vous? — Quelle qu'elle soit. — Écoutez; il vous respecte.

Vous savez tout ce qu'il me doit. Peut-être rougira-t-il de se montrer à vous tel qu'il est. Non, je ne crois pas qu'il en ait ni le front ni la force. Je ne suis qu'une femme et vous êtes un homme. Un homme tendre, honnête et juste en impose. Vous lui en imposerez. Donnez-moi le bras, et ne me refusez pas de m'accompagner chez lui. Je veux lui parler devant vous. Qui sait ce que ma douleur et votre présence pourront faire sur lui? Vous m'accompagnerez? — Très volontiers. »

— *Je crains bien que sa douleur et votre présence n'y fassent que de l'eau claire. Le dégoût! C'est une terrible chose que le dégoût, en amour et d'une femme.*

— J'envoyai chercher une chaise à porteur, car elle n'était guère en état de marcher. Nous arrivons chez Gardeil, à cette grande maison neuve, la seule qu'il y ait à droite, dans la rue Hyacinthe, en entrant par la place Saint-Michel. Là les porteurs arrêtent; ils ouvrent. J'attends, elle ne sort point. Je m'approche et je vois une femme saisie d'un tremblement universel, ses dents se frappaient comme dans le frisson de la fièvre, ses genoux se battaient l'un contre l'autre. « Un moment, Monsieur, me dit-elle. Je vous demande pardon; je vous demande pardon, je ne saurais. Que vais-je faire là? Je vous aurai dérangé de vos affaires inutilement. J'en suis fâchée. Je vous demande pardon. » Cependant je lui tendais le bras; elle le prit, elle essaya de se lever, elle ne le put. « Encore un moment, Monsieur, me dit-elle. Je vous fais peine, vous pâtissez de mon état. » Enfin elle se rassura un peu, et en sortant de la chaise elle ajouta tout bas. « Il faut entrer, il faut le voir. Que sait-on?

J'y mourrai peut-être. » Voilà la cour traversée, nous
voilà à la porte de l'appartement, nous voilà dans le
cabinet de Gardeil. Il était à son bureau en robe de
chambre et en bonnet de nuit. Il me fit un salut de la
main et continua le travail qu'il avait commencé. Ensuite
il vint à moi et me dit : « Convenez, Monsieur, que les
femmes sont bien incommodes; je vous fais mille excuses
des extravagances de Mademoiselle. » Puis s'adressant
à la pauvre créature qui était plus morte que vive :
« Mademoiselle, lui dit-il, que prétendez-vous encore
de moi? Il me semble qu'après la manière nette et précise dont je me suis expliqué, tout doit être fini entre
nous. Je vous ai dit que je ne vous aimais plus; je vous l'ai
dit seul à seul; votre dessein est apparemment que je
vous le répète devant Monsieur. Eh bien, Mademoiselle,
je ne vous aime plus; l'amour est un sentiment éteint
dans mon cœur pour vous, et j'ajouterai, si cela peut
vous consoler, pour toute autre femme. — Mais appre-
nez-moi pourquoi vous ne m'aimez plus. — Je l'ignore.
Tout ce que je sais, c'est que j'ai commencé sans savoir
pourquoi, et que je sens qu'il est impossible que cette
passion revienne. C'est une gourme que j'ai jetée et dont
je me crois et me félicite d'être parfaitement guéri.
— Quels sont mes torts? — Vous n'en avez aucun. — Auriez-vous quelque objection secrète à faire à ma conduite?
— Pas la moindre; vous avez été la femme la plus
constante, la plus tendre, la plus honnête qu'un homme
pût désirer. — Ai-je omis quelque chose qu'il fût en mon
pouvoir de faire? — Rien. — Ne vous ai-je pas sacrifié
mes parents? — Il est vrai. — Ma fortune? — J'en suis

au désespoir. — Ma santé? — Cela se peut. — Mon honneur, ma réputation, mon repos? — Tout ce qu'il vous
plaira. — Et je te suis odieuse? — Cela est dur à dire,
dur à entendre, mais puisque cela est, il faut en convenir.
— Je lui suis odieuse! — Je le sens et ne m'en estime pas
davantage. — Odieuse! Ah dieux! » A ces mots une
pâleur mortelle se répandit sur son visage; ses lèvres
se décolorèrent; les gouttes d'une sueur froide qui se
formaient sur ses joues se mêlaient aux larmes qui
descendaient de ses yeux; ils étaient fermés; sa tête se
renversa sur le dos de son fauteuil; ses dents se ser-
rèrent; tous ses membres tressaillaient; à ce tressaille-
ment succéda une défaillance qui me parut l'accomplis-
sement de l'espérance qu'elle avait conçue à la porte
de cette maison. La durée de cet état acheva de m'effrayer. Je lui ôtai son mantelet, je desserrai les cordons
de sa robe, je relâchai ceux de ses jupons, et je lui jetai
quelques gouttes d'eau fraîche sur le visage. Ses yeux
se rouvrirent à demi, il se fit entendre un murmure
sourd dans sa gorge; elle voulait prononcer : « Je lui suis
odieuse », et elle n'articulait que les dernières syllabes
du dernier mot. Puis elle poussait un cri aigu, ses paupières s'abaissaient, et l'évanouissement reprenait.
Gardeil froidement assis dans son fauteuil, le coude
appuyé sur sa table, et sa tête appuyée sur sa main, la
regardait sans émotion et me laissait le soin de la
secourir. Je lui dis à plusieurs reprises : « Mais, Monsieur, elle se meurt, il faudrait appeler. » Il me répondit
en souriant et haussant les épaules : « Les femmes ne
meurent pas pour si peu; cela n'est rien, cela se passera.

Vous ne les connaissez pas, elles font de leur corps tout
ce qu'elles veulent. — Elle se meurt, vous dis-je. » En
effet son corps était comme sans force et sans vie, il
s'échappait de dessus son fauteuil, et elle serait tombée
à terre de droite ou de gauche, si je ne l'avais retenue.
Cependant Gardeil s'était levé brusquement, et en se
promenant dans son appartement, il disait d'un ton
d'impatience et d'humeur : « Je me serais bien passé de
cette maussade scène, mais j'espère que ce sera la dernière. A qui diable en veut cette créature? Je l'ai aimée,
je me battrais la tête contre le mur qu'il n'en serait
ni plus ni moins. Je ne l'aime plus; elle le sait à présent
ou elle ne le saura jamais. Tout est dit. — Non, Monsieur, tout n'est pas dit. Quoi? Vous croyez qu'un
homme de bien n'a qu'à dépouiller une femme de tout
ce qu'elle a et la laisser? — Que voulez-vous que je
fasse, je suis aussi gueux qu'elle. — Ce que je veux que
vous fassiez? Que vous associez votre misère à celle où
vous l'avez réduite. — Cela vous plaît à dire. Elle n'en
serait pas mieux et j'en serais beaucoup plus mal. — En
useriez-vous ainsi avec un ami qui vous aurait tout
sacrifié? — Un ami! Je n'ai pas grande foi aux amis, et
cette expérience m'a appris à n'en avoir aucune aux
passions. Je suis fâché de ne l'avoir pas su plus tôt.
— Et il est juste que cette malheureuse femme soit la
victime de l'erreur de votre cœur? — Et qui vous a dit
qu'un mois, un jour plus tard je ne l'aurais pas été moi
tout aussi cruellement de l'erreur du sien? — Qui me
l'a dit? Tout ce qu'elle a fait pour vous et l'état où vous
la voyez. — Ce qu'elle a fait pour moi! Oh! pardieu, il

est acquitté de reste par la perte de mon temps. — Ah!
monsieur Gardeil, quelle comparaison de votre temps
et de toutes les choses sans prix que vous lui avez
enlevées! — Je n'ai rien fait, je ne suis rien, j'ai trente
ans, il est temps ou jamais de penser à soi et d'apprécier toutes ces fadaises-là ce qu'elles valent. » Cependant la pauvre demoiselle était un peu revenue à elle-
même. A ces derniers mots elle reprit avec vivacité :
« Qu'a-t-il dit de la perte de son temps? J'ai appris
quatre langues pour le soulager dans ses travaux; j'ai
lu mille volumes; j'ai écrit, traduit, copié les jours et
les nuits. J'ai épuisé mes forces, usé mes yeux, brûlé
mon sang; j'ai contracté une maladie fâcheuse dont je
ne guérirai peut-être jamais. La cause de son dégoût,
il n'ose l'avouer, mais vous allez la connaître. A l'instant elle arrache son fichu, elle sort un de ses bras de
sa robe, elle met son épaule à nu, et me montrant une
tache érésipélateuse : « La raison de ce changement, la
voilà, me dit-elle, la voilà. Voilà l'effet des nuits que j'ai
veillées. Il arrivait le matin avec ses rouleaux de par-
chemin. « M. d'Hérouville, me disait-il, est très pressé
« de savoir ce qu'il y a là-dedans, il faudrait que cette
« besogne fût faite demain », et elle l'était. » Dans ce
moment nous entendîmes le pas de quelqu'un qui
s'avançait vers la porte. C'était un domestique qui
annonçait l'arrivée de M. d'Hérouville. Gardeil en pâlit.
J'invitai Mlle de la Chaux à se rajuster et à se retirer.
« Non, dit-elle, non, je reste, je veux démasquer l'indigne. J'attendrai M. d'Hérouville, je lui parlerai.
— Et à quoi cela servira-t-il? — A rien, me répondit-

elle; vous avez raison. — Demain vous en seriez désolée.
Laissez-lui tous ses torts, c'est une vengeance digne de
vous. — Mais est-elle digne de lui? Est-ce que vous ne
voyez pas que cet homme-là n'est... Partons, Monsieur,
partons vite; car je ne puis répondre ni de ce que je
ferais ni de ce que je dirais. » Mlle de la Chaux répara
en un clin d'œil le désordre que cette scène avait mis
dans ses vêtements, s'élança comme un trait hors du
cabinet de Gardeil; je la suivis et j'entendis la porte qui
se fermait sur nous avec violence. Depuis j'ai appris qu'on
avait donné son signalement au portier. Je la conduisis
chez elle où je trouvai le docteur le Camus qui nous
attendait. La passion qu'il avait prise pour cette jeune
fille différait peu de celle qu'elle ressentait pour Gardeil.
Je lui fis le récit de notre visite, et tout à travers les signes
de sa colère, de sa douleur, de son indignation...

— *Il n'était pas trop difficile de démêler sur son visage que
votre peu de succès ne lui déplaisait pas trop?*

— Il est vrai.

— *Voilà l'homme; il n'est pas meilleur que cela.*

— Cette rupture fut suivie d'une maladie violente
pendant laquelle le bon, l'honnête, le tendre et délicat
docteur lui rendit des soins qu'il n'aurait pas eus pour
la plus grande dame de France Il venait trois, quatre
fois par jour. Tant qu'il y eut du péril, il coucha dans
sa chambre sur un lit de sangle. C'est un bonheur
qu'une maladie dans les grands chagrins.

— *En nous rapprochant de nous, elle écarte le souvenir des
autres, et puis c'est un prétexte pour s'affliger sans indiscré-
tion et sans contrainte.*

— Cette réflexion juste d'ailleurs n'était pas applicable à Mlle de la Chaux. Pendant sa convalescence nous arrangeâmes l'emploi de son temps. Elle avait de l'esprit, de l'imagination, du goût, des connaissances plus qu'il n'en fallait pour être admise à l'Académie des Inscriptions. Elle nous avait tant et tant entendu métaphysiquer, que les matières les plus abstraites lui étaient devenues familières, et sa première tentative littéraire fut la traduction des premiers ouvrages de Hume. Je la revis, et en vérité elle m'avait laissé bien peu de choses à rectifier. Cette traduction fut imprimée en Hollande et bien accueillie du public.

Ma *Lettre sur les Sourds et Muets* parut presque en même temps; quelques objections très fines qu'elle me proposa donnèrent lieu à une lettre qui lui fut dédiée. Cette lettre n'est pas ce que j'ai fait de plus mal.

La gaieté de Mlle de la Chaux était un peu revenue. Le docteur nous donnait quelquefois à manger, et ces dîners n'étaient pas trop tristes. Depuis l'éloignement de Gardeil, la passion de le Camus avait fait de merveilleux progrès. Un jour, à table, au dessert, qu'il s'en expliquait avec toute l'honnêteté, toute la sensibilité, toute la naïveté d'un enfant, toute la finesse d'un homme d'esprit, elle lui dit avec une franchise qui me plut infiniment, mais qui déplaira peut-être à d'autres : « Docteur, il est impossible que l'estime que j'ai pour vous s'accroisse jamais. Je suis comblée de vos services, et je serais aussi noire que le monstre de la rue Hyacinthe si je n'étais pas pénétrée de la plus vive reconnaissance. Votre tour d'esprit me plaît on ne saurait davantage; vous me parlez de votre passion avec tant de délicatesse et de grâce, que je serais, je crois, fâchée que vous ne m'en parlassiez plus. La seule idée de perdre votre société ou d'être privée de votre amitié, suffirait pour me rendre malheureuse. Vous êtes un homme de bien s'il en fut jamais. Vous êtes d'une bonté et d'une douceur de caractère incomparables. Je ne crois pas qu'un cœur puisse tomber en de meilleures mains. Je prêche le mien du matin au soir en votre faveur; mais a beau prêcher qui n'a envie de bien faire, je n'en avance pas davantage. Cependant vous souffrez, et j'en ressens une peine cruelle. Je ne connais personne qui soit plus digne que vous du bonheur que vous sollicitez, et je ne sais ce que je n'oserais pas pour vous rendre heureux. Tout le possible sans exception. Tenez, docteur, j'irais... Oui, j'irais jusqu'à coucher : jusque-là inclusivement. Voulez-vous coucher avec moi? Vous n'avez qu'à dire. Voilà tout ce que je puis faire pour votre service; mais vous voulez être aimé, et c'est ce que je ne saurais. » Le docteur l'écoutait, lui prenait la main, la baisait, la mouillait de ses larmes, et moi je ne savais si je devais rire ou pleurer. Mlle de la Chaux connaissait bien le docteur, et le lendemain que je lui disais : « Mais, Mademoiselle, si le docteur vous eût prise au mot? » Elle me répondit : « J'aurais tenu parole; mais cela ne pouvait arriver : mes offres n'étaient pas de nature à pouvoir être acceptées par un homme tel que lui. »

— *Pourquoi non? Il me semble qu'à la place du docteur j'aurais espéré que le reste viendrait après.*

— Oui; mais à la place du docteur, Mlle de la Chaux ne vous aurait pas fait la même proposition.

La traduction de Hume ne lui avait pas rendu grand argent. Les Hollandais impriment tant qu'on veut pourvu qu'ils ne paient rien.

— *Heureusement pour nous; car avec les entraves qu'on donne à l'esprit, s'ils s'avisent une fois de payer les auteurs, ils attireront chez eux tout le commerce de la librairie.*

— Nous lui conseillâmes de faire un ouvrage d'agrément auquel il y aurait plus d'honneur et plus de profit. Elle s'en occupa pendant quatre à cinq mois au bout desquels elle m'apporta un petit roman historique intitulé *Les Trois Favorites.* Il y avait de la légèreté de style, de la finesse et de l'intérêt; mais sans qu'elle s'en fût doutée, car elle était incapable d'aucune malice. Il était parsemé d'une multitude de traits applicables à la maîtresse du souverain, la marquise de Pompadour, et je ne lui dissimulai pas que, quelque sacrifice qu'elle fît, soit en adoucissant, soit en supprimant ces endroits, il était presque impossible que cet ouvrage parût sans la compromettre, et que le chagrin de gâter ce qui était bien, ne la garantirait pas d'un autre.

Elle sentit toute la justesse de mon observation, et n'en fut que plus affligée. Le bon docteur prévenait tous ses besoins, mais elle usait de sa bienfaisance avec d'autant plus de réserve qu'elle se sentait moins disposée à la sorte de reconnaissance qu'il en pouvait espérer. D'ailleurs le docteur n'était pas riche alors, et il n'était pas trop fait pour le devenir. De temps en temps elle tirait son manuscrit de son portefeuille et

elle me disait tristement : « Eh bien, il n'y a donc pas
moyen d'en rien faire, et il faut qu'il reste là ? » Je lui
donnai un conseil singulier : ce fut d'envoyer l'ouvrage
tel qu'il était, sans adoucir, sans changer, à Mme de
Pompadour même, avec un bout de lettre qui la mît
au fait de cet envoi. Cette idée lui plut. Elle écrivit une
lettre charmante de tout point, mais surtout par un ton
de vérité auquel il était impossible de se refuser. Deux
ou trois mois s'écoulèrent sans qu'elle entendît parler
de rien, et elle tenait sa tentative pour infructueuse,
lorsqu'une Croix de Saint Louis se présenta chez elle
avec une réponse de la marquise. L'ouvrage y était loué
comme il le méritait ; on remerciait du sacrifice ; on
convenait des applications ; on n'en était point offensée,
et l'on invitait l'auteur à venir à Versailles où l'on trouverait une femme reconnaissante et disposée à rendre
les services qui dépendraient d'elle. L'envoyé en sortant de chez Mlle de la Chaux laissa adroitement sur sa
cheminée un rouleau de cinquante louis.

Nous la pressâmes, le docteur et moi, de profiter de la
bienveillance de Mme de Pompadour ; mais nous avions
affaire à une fille dont la modestie et la timidité éga-
laient le mérite. Comment se présenter là avec ses
haillons ? Le docteur leva tout de suite cette difficulté.
Après les habits ce furent d'autres prétextes, et puis
d'autres prétextes encore. Le voyage de Versailles fut
différé de jour en jour jusqu'à ce qu'il ne convenait
presque plus de le faire ; et il y avait déjà du temps que
nous ne lui en parlions pas, lorsque le même émissaire
revint avec une seconde lettre remplie de reproches les

plus obligeants et une autre gratification équivalente à
la première et offerte avec le même ménagement. Cette
action généreuse de Mme de Pompadour n'a point
été connue. J'en ai parlé à M. Colin, son homme de
confiance et le distributeur de ses grâces secrètes. Il
l'ignorait, et j'aime à me persuader que ce n'est pas
la seule que sa tombe recèle.

Ce fut ainsi que Mlle de la Chaux manqua deux fois
l'occasion de se tirer de la détresse.

Depuis elle transporta sa demeure sur les extrémités
de la ville, et je la perdis tout à fait de vue. Ce que j'ai
su du reste de sa vie, c'est qu'il n'a été qu'un tissu de
chagrins, d'infirmités et de misère. Les portes de sa
famille lui furent opiniâtrement fermées. Elle sollicita
inutilement l'intercession de ces saints personnages qui
l'avaient persécutée avec tant de zèle.

— *Cela est dans la règle.*

— Le docteur ne l'abandonna point. Elle mourut sur
la paille dans un grenier, tandis que le petit tigre de la
rue Hyacinthe, le seul amant qu'elle ait eu, exerçait la
médecine à Montpellier ou à Toulouse, et jouissait
dans la plus grande aisance de la réputation méritée
d'habile homme, et de la réputation usurpée d'honnête
homme.

— *Mais cela est encore à peu près dans la règle. S'il y a
un bon et honnête Tanié, c'est à une Reymer que la providence
l'envoie. S'il y a une bonne et honnête de la Chaux, elle
deviendra le partage d'un Gardeil, afin que tout soit fait pour
le mieux.*

— Mais on me dira peut-être que c'est aller bien vite

que de prononcer définitivement sur le caractère d'un
homme d'après une seule action; qu'une règle aussi
sévère réduirait le nombre des gens de bien au point
d'en laisser moins sur la terre que l'évangile du chrétien
n'admet d'élus dans le ciel; qu'on peut être inconstant
en amour, se piquer même de peu de religion avec les
femmes sans être dépourvu d'honneur et de probité;
qu'on n'est le maître ni d'arrêter une passion qui
s'allume, ni d'en prolonger une qui s'éteint; qu'il y a
déjà assez d'hommes dans les maisons et les rues qui
méritent à juste titre le nom de coquins, sans inventer
des crimes imaginaires qui les multiplieraient à l'infini.
On me demandera si je n'ai jamais ni trahi, ni trompé,
ni délaissé aucune femme sans sujet. Si je voulais
répondre à ces questions, ma réponse ne demeurerait
pas sans réplique, et ce serait une dispute à ne finir
qu'au Jugement dernier. Mais mettez la main sur la
conscience et dites-moi, vous, monsieur l'apologiste
des trompeurs et des infidèles, si vous prendriez le
docteur de Toulouse pour votre ami. Vous hésitez?
Tout est dit; et sur ce je prie Dieu de tenir en sa sainte
garde toute femme à qui il vous prendra fantaisie
d'adresser votre hommage.

MADAME DE LA CARLIÈRE

CONTE

— RENTRONS-NOUS?

— C'est de bonne heure.

— Voyez-vous ces nuées?

— Ne craignez rien; elles disparaîtront d'elles-mêmes et sans le secours de la moindre haleine de vent.

— Vous croyez?

— J'en ai fait souvent l'observation en été dans les temps chauds. La partie basse de l'atmosphère que la pluie a dégagée de son humidité va reprendre une portion de la vapeur épaisse qui forme le voile obscur qui vous dérobe le ciel. La masse de cette vapeur se distribuera à peu près également dans toute la masse de l'air, et par cette exacte distribution ou combinaison, comme il vous plaira de dire, l'atmosphère deviendra transparente et lucide. C'est une opération de nos laboratoires qui s'exécute en grand au-dessus de nos têtes. Dans quelques heures des points azurés commenceront à percer à travers les nuages raréfiés; les nuages se raréfieront de plus en plus. Les points azurés se multiplieront et s'étendront; bientôt vous ne saurez ce que sera devenu le crêpe noir qui vous effrayait, et vous serez surpris et récréé de la limpidité de l'air, de la pureté du ciel et de la beauté du jour.

— Mais cela est vrai, car tandis que vous parliez, je regardais, et le phénomène semblait s'exécuter à vos ordres.

— Ce phénomène n'est qu'une espèce de dissolution de l'eau par l'air.

— Comme la vapeur qui ternit la surface extérieure d'un verre que l'on remplit d'eau glacée n'est qu'une espèce de précipitation.

— Et ces énormes ballons qui nagent ou restent suspendus dans l'atmosphère ne sont qu'une surabondance d'eau que l'air saturé ne peut dissoudre.

— Ils demeurent là comme les morceaux de sucre au fond d'une tasse de café qui n'en saurait plus prendre.

— Fort bien.

— Et vous me promettez donc à notre retour...

— Une voûte aussi étoilée que vous l'ayez jamais vue.

— Puisque nous continuons notre promenade, pourriez-vous me dire, vous qui connaissez tous ceux qui fréquentent ici, quel est ce personnage sec, long et mélancolique qui s'est assis, qui n'a pas dit un mot, et qu'on a laissé seul dans le salon lorsque le reste de la compagnie s'est dispersé?

— C'est un homme dont je respecte vraiment la douleur.

— Et vous le nommez?

— Le chevalier Desroches.

— Ce Desroches qui devenu possesseur d'une fortune immense à la mort d'un père avare, s'est fait un nom par sa dissipation, ses galanteries et la diversité de ses états?

— Lui-même.

— Ce fou qui a subi toutes sortes de métamorphoses, et qu'on a vu successivement en petit collet, en robe de palais et en uniforme?

— Oui, ce fou.

— Qu'il est changé!

— Sa vie est un tissu d'événements singuliers. C'est une des plus malheureuses victimes des caprices du sort et des jugements inconsidérés des hommes. Lorsqu'il quitta l'Église pour la magistrature, sa famille jeta les hauts cris; et tout le sot public qui ne manque jamais de prendre le parti des pères contre les enfants, se mit à clabauder à l'unisson.

— Ce fut bien un autre vacarme lorsqu'il se retira du tribunal pour entrer au service.

— Cependant que fit-il? Un trait de vigueur dont nous nous glorifierions l'un et l'autre, et qui le qualifia la plus mauvaise tête qu'il y eût; et puis vous êtes étonné que l'effréné bavardage de ces gens-là m'importune, m'impatiente, me blesse!

— Ma foi, je vous avoue que j'ai jugé Desroches comme tout le monde.

— Et c'est ainsi que de bouche en bouche, échos ridicules les unes des autres, un galant homme est traduit pour un plat homme, un homme d'esprit pour un sot, un homme honnête pour un coquin, un homme de courage pour un insensé, et réciproquement. Non, ces impertinents jaseurs ne valent pas la peine que l'on compte leur approbation, leur improbation pour quelque chose dans la conduite de sa vie. Écoutez, morbleu! et mourez de honte. Desroches entre conseiller au Parlement très jeune; des circonstances favorables le conduisent rapidement à la Grand-Chambre; il est de Tournelle à son tour et l'un des rapporteurs dans une affaire criminelle. D'après ses conclusions le malfaiteur est condamné au dernier supplice. Le jour de l'exécution il est d'usage que ceux qui ont décidé la sentence du tribunal se rendent à l'Hôtel de Ville afin d'y recevoir les dernières dispositions du malheureux, s'il en a quelques-unes à faire, comme il arriva cette fois-là. C'était en hiver. Desroches et son collègue étaient assis devant le feu lorsqu'on leur annonça l'arrivée du patient. Cet homme que la torture avait disloqué était étendu et porté sur un matelas. En entrant il se relève, il tourne ses regards vers le ciel, il s'écrie : « Grand Dieu! tes jugements sont justes... » Le voilà sur son matelas au pied de Desroches.

« Est-ce vous, Monsieur, qui m'avez condamné? lui dit-il en l'apostrophant d'une voix forte. Je suis coupable du crime dont on m'accuse, oui, je le suis, je le confesse; mais vous n'en savez rien... » Puis reprenant toute la procédure, il démontra clair comme le jour qu'il n'y avait ni solidité dans les preuves, ni justice dans la sentence. Desroches, saisi d'un tremblement universel, se lève, déchire sur lui sa robe magistrale et renonce pour jamais à la périlleuse fonction de prononcer sur la vie des hommes. Et voilà ce qu'ils appellent un fou! Un

homme qui se connaît et qui craint d'avilir l'habit ecclé-
siastique par de mauvaises mœurs, ou de se trouver un
jour souillé du sang de l'innocent.

— C'est qu'on ignore ces choses-là.

— C'est qu'il faut se taire quand on ignore.

— Mais pour se taire, il faut se méfier.

— Et quel inconvénient à se méfier?

— De refuser de la croyance à vingt personnes qu'on
estime, en faveur d'un homme qu'on ne connaît pas.

— Eh! Monsieur, je ne vous demande pas tant de
garants quand il s'agira d'assurer le bien; mais le mal!...
Laissons cela, vous m'écartez de mon récit et me donnez
de l'humeur... Cependant il fallait être quelque chose.
Il acheta une compagnie.

— C'est-à-dire qu'il laissa le métier de condamner
ses semblables pour celui de les tuer sans aucune forme
de procès.

— Je n'entends pas comment on plaisante en pareil
cas.

— Que voulez-vous! vous êtes triste et je suis gai.

— C'est la suite de son histoire qu'il faut savoir pour
apprécier la valeur du caquet public.

— Je la saurais, si vous vouliez.

— Cela sera long.

— Tant mieux.

— Desroches fait la campagne de 1745 et se montre
bien. Échappé aux dangers de la guerre, à deux cent
mille coups de fusil, il vient se faire casser la jambe par
un cheval ombrageux à douze ou quinze lieues d'une
maison de campagne où il s'était proposé de passer son

quartier d'hiver; et Dieu sait comment cet accident fut arrangé par nos agréables.

— C'est qu'il y a certains personnages dont on s'est fait une habitude de rire et qu'on ne plaint de rien.

— Un homme qui a la jambe fracassée, cela est en effet très plaisant! Eh bien, messieurs les rieurs impertinents, riez bien, mais sachez qu'il eût peut-être mieux valu pour Desroches d'avoir été emporté d'un boulet de canon ou d'être resté sur le champ de bataille, le ventre crevé d'un coup de baïonnette. Cet accident lui arriva dans un méchant petit village où il n'y avait d'asile supportable que le presbytère ou le château. On le transporta au château qui appartenait à une jeune veuve appelée Mme de la Carlière, la dame du lieu.

— Qui n'a pas entendu parler de Mme de la Carlière? Qui n'a pas entendu parler de ses complaisances sans bornes pour un vieux mari jaloux à qui la cupidité de ses parents l'avait sacrifiée à l'âge de quatorze ans?

— A cet âge où l'on prend le plus sérieux des engagements, parce qu'on mettra du rouge et qu'on aura de belles boucles. Mme de la Carlière fut avec son premier mari de la conduite la plus réservée et la plus honnête.

— Je le crois puisque vous me le dites.

— Elle reçut et traita le chevalier Desroches avec toutes les attentions imaginables. Ses affaires la rappelaient à la ville; malgré ses affaires et les pluies continuelles d'un vilain automne qui en gonflant les eaux de la Marne qui coule dans son voisinage, l'exposait à ne sortir de chez elle qu'en bateau, elle prolongea son séjour à sa terre jusqu'à l'entière guérison de Desroches. Le voilà guéri.

Le voilà à côté de Mme de la Carlière dans une même voiture qui les ramène à Paris, et le chevalier lié de reconnaissance et attaché d'un sentiment plus doux à sa jeune, riche et belle hospitalière.

— Il est vrai que c'était une créature céleste; elle ne parut jamais au spectacle sans faire sensation.

— Et c'est là que vous l'avez vue?

— Il est vrai.

— Pendant la durée d'une intimité de plusieurs années, l'amoureux chevalier, qui n'était pas indifférent à Mme de la Carlière, lui avait proposé plusieurs fois de l'épouser, mais la mémoire récente des peines qu'elle avait endurées sous la tyrannie d'un premier époux, et plus encore cette réputation de légèreté que le chevalier s'était faite par une multitude d'aventures galantes, effrayaient Mme de la Carlière qui ne croyait pas à la conversion des hommes de ce caractère. Elle était alors en procès avec les héritiers de son mari.

— N'y eut-il pas encore des propos à l'occasion de ce procès-là?

— Beaucoup et de toutes les couleurs. Je vous laisse à penser si Desroches, qui avait conservé nombre d'amis dans la magistrature, s'endormit sur les intérêts de Mme de la Carlière.

— Et si nous l'en supposions reconnaissante?

— Il était sans cesse à la porte des juges.

— Le plaisant, c'est que parfaitement guéri de sa fracture, il ne les visitait jamais sans un brodequin à la jambe : il prétendait que ses sollicitations appuyées de son brodequin en devenaient plus touchantes; il est vrai

qu'il le plaçait tantôt d'un côté, tantôt d'un autre, et
qu'on en faisait quelquefois la remarque.

— Et que pour le distinguer d'un parent de même
nom, on l'appela *Desroches le Brodequin*. Cependant à
l'aide du bon droit et du brodequin pathétique du chevalier, Mme de la Carlière gagna son procès.

— Et devint Mme Desroches en titre.

— Comme vous y allez! Vous n'aimez pas les détails
communs, et je vous en fais grâce. Ils étaient d'accord,
ils touchaient au moment de leur union, lorsque
Mme de la Carlière après un repas d'apparat, au milieu
d'un cercle nombreux, composé des deux familles et
d'un certain nombre d'amis, prenant un maintien auguste et un ton solennel, s'adressa au chevalier et lui dit :
« Monsieur Desroches, écoutez-moi. Aujourd'hui nous
sommes libres l'un et l'autre, demain nous ne le serons
plus, et je vais devenir maîtresse de votre bonheur ou de
votre malheur; vous du mien. J'y ai bien réfléchi; daignez
y penser aussi sérieusement. Si vous vous sentez ce
même penchant à l'inconstance qui vous a dominé jusqu'à présent, si je ne suffisais pas à toute l'étendue de
vos désirs, ne vous engagez pas, je vous en conjure par
vous-même et par moi. Songez que moins je me crois
faite pour être négligée, plus je ressentirais vivement une
injure. J'ai de la vanité et beaucoup. Je ne sais pas haïr,
mais personne ne sait mieux mépriser, et je ne reviens
point du mépris. Demain, au pied des autels, vous jure-
rez de m'appartenir et de n'appartenir qu'à moi. Sondez-
vous, interrogez votre cœur tandis qu'il en est encore
temps; songez qu'il y va de ma vie. Monsieur, on me

blesse aisément, et la blessure de mon âme ne cicatrise
point, elle saigne toujours. Je ne me plaindrai point, parce
que la plainte, importune d'abord, finit par aigrir le
mal, et parce que la pitié est un sentiment qui dégrade
celui qui l'inspire. Je renfermerai ma douleur et j'en
périrai. Chevalier, je vais vous abandonner ma personne
et mon bien, vous résigner mes volontés et mes fantaisies,
vous serez tout au monde pour moi, mais il faut que je
sois tout au monde pour vous, je ne puis être satisfaite à
moins. Je suis, je crois, l'unique pour vous dans ce moment, et vous l'êtes certainement pour moi; mais il est
très possible que nous rencontrions, vous, une femme
qui soit plus aimable, moi, quelqu'un qui me le paraisse.
Si la supériorité de mérite, réelle ou présumée, justifiait
l'inconstance, il n'y aurait plus de mœurs. J'ai des
mœurs, je veux en avoir; je veux que vous en ayez. C'est
par tous les sacrifices imaginables que je prétends vous
acquérir et vous acquérir sans réserve. Voilà mes droits,
voilà mes titres, et je n'en rabattrai jamais rien. Je ferai
tout pour que vous ne soyez pas seulement un inconstant, mais pour qu'au jugement des hommes sensés, au
jugement de votre propre conscience vous soyez le dernier des ingrats. J'accepte le même reproche si je ne
réponds pas à vos soins, à vos égards, à votre tendresse,
au-delà de vos espérances. J'ai appris ce dont j'étais capable à côté d'un époux qui ne rendait les devoirs d'une
femme ni faciles ni agréables. Voyez ce que vous avez
à craindre de vous. Parlez-moi, chevalier, parlez-moi
nettement; ou je deviendrai votre épouse, ou je resterai
votre amie : l'alternative n'est pas cruelle. Mon ami,

mon tendre ami, je vous en conjure, ne m'exposez pas à détester, à fuir le père de mes enfants, et peut-être dans un excès de désespoir à repousser leurs innocentes caresses : que je puisse toute ma vie, avec un nouveau transport, vous retrouver en eux et me réjouir d'avoir été leur mère. Donnez-moi la plus grande marque de confiance qu'une femme honnête ait sollicitée d'un galant homme : refusez-moi, refusez-moi, si vous croyez que je me mette à un trop haut prix. Loin d'en être offensée, je jetterai mes bras autour de votre cou, et l'amour de celles que vous avez captivées et les fadeurs que vous leur avez débitées ne vous auront jamais valu un baiser aussi sincère, aussi doux que celui que vous aurez obtenu de votre franchise et de ma reconnaissance. »

— Je crois avoir entendu dans le temps une parodie bien comique de ce discours.

— Et par quelque bonne amie de Mme de la Carlière?

— Ma foi, je me la rappelle, vous avez deviné.

— Et cela ne suffirait pas à rencogner un homme au fond d'une forêt, loin de toute cette décente canaille pour laquelle il n'y a rien de sacré? J'irai, cela finira par là, rien n'est plus sûr, j'irai. L'assemblée qui avait commencé par sourire finit par verser des larmes. Desroches se précipita aux genoux de Mme de la Carlière, se répandit en protestations honnêtes et tendres, n'omit rien de ce qui pouvait aggraver ou excuser sa conduite passée, compara Mme de la Carlière aux femmes qu'il avait connues et délaissées, tira de ce parallèle juste et flatteur des motifs de la rassurer, de se rassurer lui-même contre un penchant à la mode, une effervescence de jeunesse, le vice des mœurs générales plutôt que le sien; ne dit rien qu'il ne pensât et qu'il ne se promît de faire. Mme de la Carlière le regardait, l'écoutait, cherchait à le pénétrer dans ses discours, dans ses mouvements, et interprétait tout à son avantage.

— Pourquoi non, s'il était vrai?

— Elle lui avait abandonné une de ses mains qu'il baisait, qu'il pressait contre son cœur, qu'il baisait encore et qu'il mouillait de larmes. Tout le monde partageait leur tendresse : toutes les femmes sentaient comme Mme de la Carlière, tous les hommes comme le chevalier.

— C'est l'effet de ce qui est honnête, de ne laisser à une grande assemblée qu'une pensée et qu'une âme. Comme on s'estime, comme on s'aime dans ces moments! Par exemple, que l'humanité est belle au spectacle! Pourquoi faut-il qu'on se sépare si vite! Les hommes sont si bons et si heureux lorsque l'honnête réunit leurs suffrages, les confond, les rend uns.

— Nous jouissions de ce bonheur qui nous assimilait lorsque Mme de la Carlière transportée d'un mouvement d'âme exaltée, se leva et dit à Desroches : « Chevalier, je ne vous crois pas encore, mais tout à l'heure je vous croirai... »

— La petite comtesse jouait sublimement cet enthousiasme de sa belle cousine.

— Elle est bien plus faite pour le jouer que pour le sentir. « Les serments prononcés au pied des autels... » Vous riez!

— Ma foi, je vous en demande pardon, mais je vois encore la petite comtesse hissée sur la pointe de ses pieds et j'entends son ton emphatique.

— Allez, vous êtes un scélérat, un corrompu comme tous ces gens-là, et je me tais.

— Je vous promets de ne plus rire.

— Prenez-y garde.

— Eh bien, les serments prononcés au pied des autels...

— « Ont été suivis de tant de parjures, que je ne fais aucun compte de la promesse solennelle de demain. La présence de Dieu est moins redoutable pour nous que le jugement de nos semblables. Monsieur Desroches, approchez, voilà ma main, donnez-moi la vôtre, et jurez-moi une fidélité, une tendresse éternelles. Attestez-en les hommes qui nous entourent : permettez que s'il arrive que vous me donniez quelques sujets légitimes de me plaindre, je vous dénonce à ce tribunal et vous livre à son indignation : consentez qu'ils se rassemblent à ma voix et qu'ils vous appellent traître, ingrat, perfide, homme faux, homme méchant. Ce sont mes amis et les vôtres : consentez qu'au moment où je vous perdrais, il ne vous en reste aucun. Vous, mes amis, jurez-moi de le laisser seul... » A l'instant le salon retentit de cris mêlés : « Je promets, je permets, je consens, nous le jurons... » et au milieu de ce tumulte délicieux, le chevalier qui avait jeté ses bras autour de Mme de la Carlière la baisait sur le front, sur les yeux, sur les joues. — Mais, chevalier!... — Mais, Madame, la cérémonie est faite, je suis votre époux, vous êtes ma femme. — Au fond des bois assurément; ici il manque une petite formalité d'usage. En attendant mieux, tenez, voilà mon portrait, faites-en ce qu'il vous plaira. N'avez-vous pas ordonné le vôtre? si vous l'avez, donnez-le-moi. » Desroches présenta son portrait à Mme de la Carlière qui le mit à son bras et qui se fit appeler le reste de la journée Madame Desroches.

— Je suis bien pressé de savoir ce que cela deviendra.

— Un moment de patience; je vous ai promis d'être long, et il faut que je vous tienne parole. Mais... il est vrai : c'était dans le temps de votre grande tournée et vous étiez alors absent du royaume.

Deux ans, deux ans entiers, Desroches et sa femme furent les époux les plus unis, les plus heureux. On crut Desroches vraiment corrigé et il l'était en effet. Ses amis de libertinage qui avaient entendu parler de la scène précédente et qui en avaient plaisanté, disaient que c'était réellement le prêtre qui portait malheur et que Mme de la Carlière avait découvert, au bout de deux mille ans, le secret d'esquiver la malédiction du sacrement. Desroches eut un enfant de Mme de la Carlière que j'appellerai Mme Desroches jusqu'à ce qu'il me convienne d'en user autrement; elle voulut absolument le nourrir. Ce fut un long et périlleux intervalle pour un jeune homme d'un tempérament ardent et peu fait à cette espèce de régime. Tandis que Mme Desroches était à ses fonctions...

— Son mari se répandait dans la société, et il eut le malheur de rencontrer un jour sur son chemin une de

ces femmes séduisantes, artificieuses, secrètement irri-
tées de voir ailleurs une concorde qu'elles ont exclue
de chez elles, et dont il semble que l'étude et la consolation soient de plonger les autres dans la misère qu'elles
éprouvent.

— C'est votre histoire, mais ce n'est pas la sienne.
Desroches qui se connaissait, qui connaissait sa femme,
qui la respectait, qui la redoutait...

— C'est presque la même chose.

— Passait ses journées à côté d'elle; son enfant, dont il
était fou, était presque aussi souvent entre ses bras
qu'entre ceux de la mère dont il s'occupait avec quelques
amis communs à soulager la tâche honnête, mais pénible,
par la variété des amusements domestiques.

— Cela est fort beau.

— Certainement. Un de ces amis s'était engagé dans
les opérations du gouvernement. Le ministère lui rede-
vait une somme considérable qui faisait presque toute sa
fortune et dont il sollicitait inutilement la rentrée. Il s'en
ouvrit à Desroches. Celui-ci se rappela qu'il avait été
autrefois fort bien avec une femme assez puissante par
ses liaisons pour finir cette affaire. Il se tut, mais dès
le lendemain il vit cette femme et lui parla. On fut
enchantée de retrouver et de servir un galant homme
qu'on avait tendrement aimé et sacrifié à des vues ambi-
tieuses. Cette première entrevue fut suivie de plusieurs
autres. Cette femme était charmante; elle avait des torts,
et la manière dont elle s'en expliquait n'était point équi-
voque. Desroches fut quelque temps incertain de ce qu'il
ferait.

— Ma foi, je ne sais pas pourquoi.

— Mais moitié goût, désœuvrement ou faiblesse, moitié crainte qu'un misérable scrupule...

— Sur un amusement assez indifférent à sa femme.

— Ne ralentît la vivacité de la protectrice de son ami et n'arrêtât le succès de sa négociation, il oublia un moment Mme Desroches et s'engagea dans une intrigue que sa complice avait le plus grand intérêt de tenir secrète, et dans une correspondance nécessaire et suivie. On se voyait peu, mais on s'écrivait souvent. J'ai dit cent fois aux amants : « N'écrivez point, les lettres vous perdront : tôt ou tard le hasard en détournera une de son adresse. Le hasard combine tous les cas possibles, et il ne lui faut que du temps pour amener la chance fatale. »

— Aucun ne vous a cru?

— Et tous se sont perdus, et Desroches comme cent mille qui l'ont précédé et cent mille qui le suivront. Celui-ci gardait les siennes dans un de ces petits coffrets cerclés en dessus et par les côtés de lames d'acier. A la ville, à la campagne le coffret était sous la clef d'un secrétaire; en voyage il était déposé dans une des malles de Desroches ou sur le devant de la voiture; cette fois-ci il était sur le devant. Ils partent, ils arrivent. En mettant pied à terre, Desroches donne à un domestique le coffret à porter dans son appartement où l'on n'arrivait qu'en traversant celui de sa femme. Là, l'anneau casse, le coffret tombe, le dessus se sépare du reste, et voilà une multitude de lettres éparses aux pieds de Mme Desroches. Elle en ramasse quelques-unes et se convainc de

la perfidie de son époux. Elle ne se rappela jamais cet
instant sans frisson. Elle me disait qu'une sueur froide
s'était échappée de toutes les parties de son corps, et
qu'il lui avait semblé qu'une griffe de fer lui serrait le
cœur et tiraillait ses entrailles. Que va-t-elle devenir?
Que fera-t-elle? Elle se recueillit, elle rappela ce qui lui
restait de raison et de force : entre ces lettres elle fit
choix de quelques-unes des plus significatives; elle rajusta
le fond du coffret, et ordonna au domestique de le placer dans l'appartement de son maître sans parler de ce
qui venait d'arriver, sous peine d'être chassé sur-le-
champ. Elle avait promis à Desroches qu'il n'entendrait
jamais une plainte de sa bouche, elle tint parole. Cependant la tristesse s'empara d'elle : elle pleurait quelquefois; elle voulait être seule chez elle ou à la promenade;
elle se faisait servir dans son appartement; elle gardait
un silence continu; il ne lui échappait que quelques
soupirs involontaires. L'affligé, mais tranquille Desroches, traitait cet état de vapeurs, quoique les femmes
qui nourrissent n'y soient pas sujettes. En très peu de
temps la santé de sa femme s'affaiblit au point qu'il
fallut quitter la campagne et s'en revenir à la ville. Elle
obtint de son mari de faire la route dans une voiture
séparée. De retour ici, elle mit dans ses procédés tant de
réserve et d'adresse, que Desroches qui ne s'était point
aperçu de la soustraction des lettres ne vit dans les légers
dédains de sa femme, son indifférence, ses soupirs échap-
pés, ses larmes retenues, son goût pour la solitude, que
les symptômes accoutumés de l'indisposition qu'il lui
croyait. Quelquefois il lui conseillait d'interrompre la

nourriture de son enfant; c'était précisément le seul moyen d'éloigner tant qu'il lui plairait un éclaircissement entre elle et son mari. Desroches continuait donc de vivre à côté de sa femme dans la plus entière sécurité sur le mystère de sa conduite, lorsqu'un matin elle lui apparut grande, noble, digne, vêtue du même habit et parée des mêmes ajustements qu'elle avait portés dans la cérémonie domestique de la veille de son mariage. Ce qu'elle avait perdu de fraîcheur et d'embonpoint, ce que la peine secrète dont elle était consumée lui avait ôté de charmes était réparé avec avantage par la noblesse de son maintien. Desroches écrivait à son amie lorsque sa femme entra. Le trouble les saisit l'un et l'autre, mais tous les deux également habiles et intéressés à dissimuler, ce trouble ne fit que passer. « O ma femme! s'écria Desroches, en la voyant et en chiffonnant, comme de distraction, le papier qu'il avait écrit, que vous êtes belle! Quels sont donc vos projets du jour? — Mon projet, Monsieur, est de rassembler les deux familles. Nos amis, nos parents sont invités, et je compte sur vous. — Certainement. A quelle heure me désirez-vous? — A quelle heure je vous désire? mais... à l'heure accoutumée. — Vous avez un éventail et des gants, est-ce que vous sortez? — Si vous le permettez. — Et pourrait-on savoir où vous allez? — Chez ma mère. — Je vous prie de lui présenter mon respect. — Votre respect! — Assurément... » Mme Desroches ne rentra qu'à l'heure de se mettre à table. Les convives étaient arrivés, on l'attendait. Aussitôt qu'elle parut, ce fut la même exclamation que celle de son mari; les hommes, les femmes l'entourèrent en disant tous à la fois : « Mais voyez donc qu'elle est belle!... » Les femmes rajustaient quelque chose qui s'était dérangé à sa coiffure, les hommes placés à distance et immobiles d'admiration, répétaient entre eux : « Non, Dieu ni la Nature n'ont rien fait, n'ont rien pu faire de plus imposant, de plus grand, de plus beau, de plus noble, de plus parfait... » « Mais ma femme, lui disait Desroches, vous ne me paraissez pas sensible à l'impression que vous faites sur nous. De grâce, ne souriez pas, un souris accompagné de tant de charmes nous ravirait à tous le sens commun... » Mme Desroches répondit d'un léger mouvement d'indignation, détourna la tête et porta son mouchoir à ses yeux qui commençaient à s'humecter. Les femmes qui remarquent tout, se demandaient tout bas : « Qu'a-t-elle donc? on dirait qu'elle ait envie de pleurer... » Desroches, qui les devinait, portait la main à son front et leur faisait signe que la tête de madame était un peu dérangée.

— En effet on m'écrivit au loin qu'il se répandait un bruit sourd que la belle Mme Desroches, ci-devant la belle Mme de la Carlière, était devenue folle.

— On servit. La gaieté se montrait sur tous les visages, excepté sur celui de Mme de la Carlière. Desroches la plaisanta légèrement sur son air de dignité. Il ne faisait pas assez de cas de sa raison ni de celle de ses amis pour craindre le danger d'un de ses souris : « Ma femme, si tu voulais sourire... » Mme de la Carlière affecta de ne pas entendre et garda son air grave. Les femmes dirent que toutes les physionomies lui allaient si bien qu'on pouvait lui en laisser le choix. Le repas est achevé; on

rentre dans le salon; le cercle est formé. Mme de la Carlière...

— Vous voulez dire Mme Desroches?

— Non, il ne me plaît plus de l'appeler ainsi. Mme de
la Carlière sonne; elle fait signe, on lui apporte son
enfant. Elle le reçoit en tremblant, elle découvre son
sein, lui donne à téter et le rend à la gouvernante, après
l'avoir regardé tristement et mouillé d'une larme qui
tomba sur le visage de l'enfant. Elle dit en essuyant cette
larme : « Ce ne sera pas la dernière... » mais ces mots
furent prononcés si bas qu'on les entendit à peine. Ce
spectacle attendrit tous les assistants et établit dans le
salon un silence profond. Ce fut alors que Mme de la
Carlière se leva, et s'adressant à la compagnie, dit ce qui
suit ou l'équivalent : « Mes parents, mes amis, vous y
étiez tous le jour que j'engageai ma foi à M. Desroches et
qu'il m'engagea la sienne. Les conditions auxquelles je
reçus sa main et lui donnai la mienne, vous vous les
rappelez sans doute. Monsieur Desroches, parlez, ai-je
été fidèle à mes promesses? — Jusqu'au scrupule. — Et
vous, monsieur, vous m'avez trompée, vous m'avez
trahie. — Moi, madame! — Vous, monsieur. — Qui sont
les malheureux, les indignes... — Il n'y a de malheureux
ici que moi, et d'indigne que vous. — Madame... ma
femme... — Je ne la suis plus. — Madame... — Monsieur,
n'ajoutez pas le mensonge et l'arrogance à la perfidie.
Plus vous vous défendrez, plus vous serez confus. Épar-
gnez-vous vous-même. » En achevant ces mots, elle tira
les lettres de sa poche, en présenta de côté quelques-
unes à Desroches et distribua les autres aux assistants.

On les prit, mais on ne les lisait pas. « Messieurs, mesdames, disait Mme de la Carlière, lisez et jugez-nous.
Vous ne sortirez point d'ici sans avoir prononcé... »
Puis s'adressant à Desroches : « Vous, monsieur, vous
devez connaître l'écriture. » On hésita encore, mais sur
les instances réitérées de Mme de la Carlière on lut.
Cependant Desroches tremblant, immobile, s'était
appuyé la tête contre une glace, le dos tourné à
la compagnie qu'il n'osait regarder. Un de ses amis en
eut pitié, le prit par la main et l'entraîna hors du
salon.

— Dans les détails qu'on me fit de cette scène, on me
disait qu'il avait été bien plat et sa femme honnêtement
ridicule.

— L'absence de Desroches mit à l'aise : on convint
de sa faute, on approuva le ressentiment de Mme de la
Carlière, pourvu qu'elle ne le poussât pas trop loin;
on s'attroupa autour d'elle, on la pressa, on la supplia,
on la conjura; l'ami qui avait entraîné Desroches entrait
et sortait, l'instruisant de ce qui se passait. Mme de la
Carlière resta ferme dans une résolution dont elle ne
s'était point encore expliquée. Elle ne répondait que le
même mot à tout ce qu'on lui représentait; elle disait
aux femmes : « Mesdames, je ne blâme point votre
indulgence... » aux hommes : « Messieurs, cela ne se
peut; la confiance est perdue et il n'y a point de ressource... » On ramena le mari; il était plus mort que
vif, il tomba plutôt qu'il ne se jeta aux pieds de sa
femme, il y restait sans parler. Mme de la Carlière lui
dit : « Monsieur, relevez-vous. » Il se releva et elle

ajouta : « Vous êtes un mauvais époux; êtes-vous, n'êtes-vous pas un galant homme? C'est ce que je vais savoir. Je ne puis ni vous aimer ni vous estimer, c'est vous déclarer que nous ne sommes pas faits pour vivre ensemble. Je vous abandonne ma fortune, je n'en réclame qu'une partie suffisante pour ma subsistance étroite et celle de mon enfant. Ma mère est prévenue, j'ai un logement préparé chez elle, et vous permettrez que je l'aille occuper sur-le-champ. La seule grâce que je demande et que je suis en droit d'obtenir, c'est de m'épargner un éclat qui ne changerait pas mes desseins, et dont le seul effet serait d'accélérer la cruelle sentence que vous avez prononcée contre moi. Souffrez que j'emporte mon enfant, et j'attende à côté de ma mère qu'elle me ferme les yeux ou que je ferme les siens. Si vous avez de la peine, soyez sûr que ma douleur et le grand âge de ma mère la finiront bientôt... » Cependant les pleurs coulaient de tous les yeux; les femmes lui tenaient les mains, les hommes s'étaient prosternés. Mais ce fut lorsque Mme de la Carlière s'avança vers la porte, tenant son enfant entre ses bras, qu'on entendit des sanglots et des cris. Le mari criait : « Ma femme! ma femme! écoutez-moi. Vous ne savez pas... » Les hommes criaient, les femmes criaient : « Madame Desroches! Madame!... » Le mari criait : « Mes amis, la laisserez-vous aller! Arrêtez-la, arrêtez-la donc! Qu'elle m'entende, que je lui parle... » Comme on le pressait de se jeter au-devant d'elle : « Non, disait-il, je ne saurais, je n'oserais; moi, porter une main sur elle! la toucher! je n'en suis pas digne... » Mme de la Carlière partit. J'étais chez sa mère lorsqu'elle y arriva brisée des efforts qu'elle s'était faits. Trois de ses domestiques l'avaient descendue de sa voiture et la portaient par la tête et par les pieds; suivait la gouvernante pâle comme la mort, avec l'enfant endormi sur son sein. On déposa cette malheureuse femme sur un lit de repos où elle resta longtemps sans mouvement, sous les yeux de sa vieille et respectacle mère qui ouvrait la bouche sans crier, qui s'agitait autour d'elle, qui voulait secourir sa fille et qui ne le pouvait. Enfin la connaissance lui revint, et ses premiers mots en levant les paupières furent : « Je ne suis donc pas morte? C'est une chose bien douce que d'être morte. Ma mère, mettez-vous là, à côté de moi, et mourons toutes deux. Mais si nous mourons, qui aura soin de ce pauvre enfant?... » Alors elle prit les deux mains sèches et tremblantes de sa mère dans une des siennes, elle posa l'autre sur son enfant; elle se mit à répandre un torrent de larmes : elle sanglotait, elle voulait se plaindre, mais sa plainte et ses sanglots étaient interrompus d'un hoquet violent. Lorsqu'elle put articuler quelques paroles elle dit : « Serait-il possible qu'il souffrît autant que moi! »

Cependant on s'occupait à consoler Desroches et à lui persuader que le ressentiment d'une faute aussi légère que la sienne ne pourrait durer, mais qu'il fallait accorder quelques instants à l'orgueil d'une femme fière, sensible et blessée, et que la solennité d'une cérémonie extraordinaire engageait presque d'honneur à une démarche violente. « C'est un peu notre faute », disaient les hommes... « Vraiment oui, disaient les femmes, si nous eussions vu sa sublime momerie du même œil que le public et la comtesse, rien de ce qui nous désole à présent ne serait arrivé... C'est que les choses d'un certain appareil nous en imposent, et que nous nous laissons aller à une sotte admiration lorsqu'il n'y aurait qu'à hausser les épaules et rire... Vous verrez, vous verrez le beau train que cette dernière scène va faire, et comme on nous tympanisera tous... Entre nous cela prêtait... »

De ce jour, Mme de la Carlière reprit son nom de veuve et ne souffrit jamais qu'on l'appelât madame Desroches. Sa porte, longtemps fermée à tout le monde, le fut pour toujours à son mari. Il écrivit, on brûla ses lettres sans les ouvrir. Mme de la Carlière déclara à ses parents et à ses amis qu'elle cesserait de voir le premier qui intercéderait pour lui. Les prêtres s'en mêlèrent sans fruit; pour les grands, elle rejeta leur médiation avec tant de hauteur qu'elle en fut bientôt délivrée.

— Ils dirent sans doute que c'était une impertinente, une prude renforcée.

— Et les autres le répétèrent tous d'après eux. Cependant elle était absorbée dans la mélancolie; sa santé s'était détruite avec une rapidité inconcevable. Tant de personnes étaient confidentes de cette séparation inattendue et du motif singulier qui l'avait amenée, que ce fut bientôt l'entretien général. C'est ici que je vous prie de détourner vos yeux, s'il se peut, de Mme de la Carlière pour les fixer sur le public, sur cette foule imbécile qui nous juge, qui dispose de notre honneur, qui nous porte aux nues ou qui nous traîne dans la fange, et qu'on respecte d'autant plus qu'on a moins d'énergie et

de vertu. Esclaves du public, vous pourrez être les fils
adoptifs du tyran, mais vous ne verrez jamais le quatrième jour des Ides. Il n'y avait qu'un avis sur la conduite de Mme de la Carlière, c'était une folle à enfermer... Le bel exemple à donner et à suivre!... C'est à
séparer les trois quarts des maris de leurs femmes... Les
trois quarts, dites-vous? Est-ce qu'il y en a deux sur
cent qui soient fidèles à la rigueur?... Mme de la Carlière est très aimable sans contredit; elle avait fait ses
conditions, d'accord; c'est la beauté, la vertu, l'honnêteté même; ajoutez que le chevalier lui doit tout; mais
aussi vouloir dans tout un royaume être l'unique à qui
son mari s'en tienne strictement, la prétention est par
trop ridicule... Et puis l'on continuait : « Si le Desroches
en est si féru, que ne s'adresse-t-il aux lois et que ne
met-il cette femme à la raison? »... Jugez de ce qu'ils
auraient dit, si Desroches ou son ami avait pu s'expliquer; mais tout les réduisait au silence. Ces derniers
propos furent très inutilement rebattus aux oreilles du
chevalier; il eût tout mis en œuvre pour recouvrer sa
femme, excepté la violence. Cependant Mme de la Carlière était une femme vénérée, et du centre de ces voix
qui la blâmaient il s'en élevait quelques-unes qui hasar-
daient un mot de défense, mais un mot bien timide, bien
faible, bien réservé, moins de conviction que d'honnêteté.

— Dans les circonstances les plus équivoques le parti
de l'honnêteté se grossit sans cesse de transfuges.

— C'est bien vu.

— Le malheur qui dure réconcilie avec tous les

hommes, et la perte des charmes d'une belle femme la réconcilie avec toutes les autres.

— Encore mieux. En effet lorsque la belle Mme de la Carlière ne présenta plus que son squelette, le propos de la commisération se mêla à celui du blâme : « S'éteindre à la fleur de son âge, passer ainsi, et cela par la trahison d'un homme qu'elle avait bien averti, qui devait la connaître, et qui n'avait qu'un seul moyen d'acquitter tout ce qu'elle avait fait pour lui : car, entre nous, lorsque ce Desroches l'épousa, c'était un cadet de Bretagne qui n'avait que la cape et l'épée... La pauvre Mme de la Carlière! cela est pourtant bien triste... Mais aussi pourquoi ne pas retourner avec lui?... Ah! pourquoi? c'est que chacun a son caractère, et qu'il serait peut-être à souhaiter que celui-là fût plus commun; nos seigneurs et maîtres y regarderaient à deux fois. »

Tandis qu'on s'amusait ainsi pour et contre, en faisant du filet ou en brodant une veste, et que la balance penchait insensiblement en faveur de Mme de la Carlière, Desroches était tombé dans un état déplorable d'esprit et de corps, mais on ne le voyait pas; il s'était retiré à la campagne où il attendait dans la douleur et dans l'ennui un sentiment de pitié qu'il avait inutilement sollicité par toutes les voies de la soumission. De son côté, réduite au dernier degré d'appauvrissement et de faiblesse, Mme de la Carlière fut obligée de remettre à une mercenaire la nourriture de son enfant. L'accident qu'elle redoutait d'un changement de lait arriva : de jour en jour l'enfant dépérit et mourut. Ce fut alors qu'on dit : « Savez-vous? cette pauvre Mme de la Carlière a perdu son enfant...

Elle doit en être inconsolable... Qu'appelez-vous inconsolable? c'est un chagrin qui ne se conçoit pas. Je l'ai
vue, cela fait pitié! on n'y tient pas... Et Desroches?...
Ne me parlez pas des hommes, ce sont des tigres. Si
cette femme lui était un peu chère, est-ce qu'il serait à sa
campagne? est-ce qu'il n'aurait pas accouru? est-ce
qu'il ne l'obséderait pas dans les rues, dans les églises,
à sa porte? C'est qu'on se fait ouvrir une porte quand
on le veut bien; c'est qu'on y reste, qu'on y couche,
qu'on y meurt... » C'est que Desroches n'avait omis aucune
de ces choses et qu'on l'ignorait; car le point important
n'est pas de savoir, mais de parler. On parlait donc :
« L'enfant est mort; qui sait si ce n'aurait pas été un
monstre comme son père?... La mère se meurt... Et le
mari, que fait-il pendant ce temps-là?... Belle question!
Le jour il court la forêt à la suite de ses chiens, et il
passe la nuit à crapuler avec des espèces comme lui. »

— Fort bien.

— Autre événement. Desroches avait obtenu les honneurs de son état. Lorsqu'il épousa, Mme de la Carlière
avait exigé qu'il quittât le service et qu'il cédât son régiment à son frère cadet.

— Est-ce que Desroches avait un cadet?

— Non, mais bien Mme de la Carlière.

— Eh bien?

— Eh bien, le jeune homme est tué à la première
bataille, et voilà qu'on s'écrie de tous côtés : « Le malheur
est entré dans cette maison avec ce Desroches »... A les
entendre, on eût cru que le coup dont le jeune officier
avait été tué était parti de la main de Desroches. C'était

un déchaînement, un déraisonnement aussi général qu'inconcevable. A mesure que les peines de Mme de la Carlière se succédaient, le caractère de Desroches se noircissait, sa trahison s'exagérait, et sans en être ni plus ni moins coupable, il en devenait de jour en jour plus odieux. Vous croyez que c'est tout? non, non. La mère de Mme de la Carlière avait ses soixante et seize ans passés. Je conçois que la mort de son petit-fils et le spectacle assidu de la douleur de sa fille suffisaient pour abréger ses jours; mais elle était décrépite, mais elle était infirme; n'importe : on oublia sa vieillesse et ses infirmités, et Desroches fut encore responsable de sa mort. Pour le coup on trancha le mot, ce fut un misérable dont Mme de la Carlière ne pouvait se rapprocher sans fouler aux pieds toute pudeur; le meurtrier de sa mère, de son frère, de son fils!

— Mais d'après cette belle logique si Mme de la Carlière fût morte, surtout après une maladie longue et douloureuse qui eût permis à l'injustice et à la haine publique de faire tous leurs progrès, ils auraient dû le regarder comme l'exécrable assassin de toute une famille.

— C'est ce qui arriva et ce qu'ils firent.

— Bon!

— Si vous ne m'en croyez pas, adressez-vous à quelques-uns de ceux qui sont ici, et vous verrez comment ils s'en expliqueront. S'il est resté seul dans le salon, c'est qu'au moment où il s'est présenté chacun lui a tourné le dos.

— Pourquoi donc? On sait qu'un homme est un coquin, mais cela n'empêche pas qu'on ne l'accueille.

— L'affaire est un peu récente, et tous ces gens-là
sont les parents ou les amis de la défunte. Mme de la
Carlière mourut la seconde fête de la Pentecôte dernière,
et savez-vous où? à Saint-Eustache, à la messe de la
paroisse, au milieu d'un peuple nombreux.

— Mais quelle folie! on meurt dans son lit. Qui est-ce
qui s'est jamais avisé de mourir à l'église? Cette femme
avait projeté d'être bizarre jusqu'au bout.

— Oui, bizarre, c'est le mot. Elle se trouvait un peu
mieux; elle s'était confessée la veille; elle se croyait assez
de force pour aller recevoir le sacrement à l'église, au
lieu de l'appeler chez elle. On la porte dans une chaise.
Elle entend l'office sans se plaindre et sans paraître
souffrir. Le moment de la communion arrive; ses femmes
lui donnent le bras et la conduisent à la sainte table; le
prêtre la communie, elle s'incline comme pour se
recueillir et elle expire.

— Elle expire!

— Oui, elle expire bizarrement, comme vous l'avez
dit.

— Et Dieu sait le tumulte!...

— Laissons cela, on le conçoit de reste, et venons à la
suite.

— C'est que cette femme en devint cent fois plus inté-
ressante et son mari cent fois plus abominable.

— Cela va sans dire.

— Et ce n'est pas tout?

— Non. Le hasard voulut que Desroches se trouvât
sur le passage de Mme de la Carlière lorsqu'on la trans-
férait morte de l'église dans sa maison.

— Tout semble conspirer contre ce pauvre diable.

— Il approche, il reconnaît sa femme, il pousse des cris. On demande qui est cet homme. Du milieu de la foule il s'élève une voix indiscrète (c'était celle d'un prêtre de la paroisse) qui dit : « C'est l'assassin de cette femme... » Desroches ajoute, en se tordant les bras, en s'arrachant les cheveux : « Oui, oui, je le suis... » A l'instant on s'attroupe autour de lui, on le charge d'imprécations, on ramasse des pierres, et c'était un homme assommé sur la place, si quelques honnêtes gens ne l'avaient sauvé de la fureur de la populace irritée.

— Et quelle avait été sa conduite pendant la maladie de sa femme?

— Aussi bonne qu'elle pouvait l'être. Trompé, comme nous tous, par Mme de la Carlière qui dérobait aux autres et qui peut-être se dissimulait à elle-même sa fin prochaine...

— J'entends, il n'en fut pas moins un barbare, un inhumain.

— Une bête féroce qui avait enfoncé peu à peu un poignard dans le sein d'une femme divine, son épouse et sa bienfaitrice, et qu'il avait laissé périr, sans se montrer, sans donner le moindre signe d'intérêt et de sensibilité.

— Et cela pour n'avoir pas su ce qu'on lui cachait.

— Et ce qui était ignoré de ceux-mêmes qui vivaient autour d'elle.

— Et qui étaient à portée de la voir tous les jours.

— Précisément, et voilà ce que c'est que le jugement

public de nos actions particulières. Voilà comme une faute légère...

— O! très légère.

— S'aggrave à leurs yeux par une suite d'événements qu'il était de toute impossibilité de prévoir et d'empêcher.

— Même par des circonstances tout à fait étrangères à la première origine, telles que la mort du frère de Mme de la Carlière par la cession du régiment de Desroches.

— C'est qu'ils sont en bien comme en mal alternativement panégyristes ridicules ou censeurs absurdes; l'événement est toujours la mesure de leur éloge ou de leur blâme. Mon ami, écoutez-les, s'ils ne vous ennuient pas, mais ne les croyez point et ne les répétez jamais, sous peine d'appuyer une impertinence de la vôtre. A quoi pensez-vous donc? vous rêvez.

— Je change la thèse, en supposant un procédé plus ordinaire à Mme de la Carlière. Elle trouve les lettres; elle boude. Au bout de quelques jours l'humeur amène une explication et l'oreiller un raccommodement, comme c'est l'usage. Malgré les excuses, les protestations et les serments renouvelés, le caractère léger de Desroches le rentraîne dans une seconde erreur; autre bouderie, autre explication, autre raccommodement, autres serments, autres parjures, et ainsi de suite pendant une trentaine d'années, comme c'est l'usage. Cependant Desroches est un galant homme qui s'occupe à réparer par des égards multipliés, par une complaisance sans bornes une assez petite injure.

— Comme il n'est pas toujours d'usage.

— Point de séparation, point d'éclat; ils vivent ensemble comme nous vivons tous; et la belle-mère, et la mère, et le frère et l'enfant seraient morts qu'on n'en aurait pas sonné le mot.

— Ou qu'on n'en aurait parlé que pour plaindre un infortuné poursuivi par le sort et accablé de malheurs.

— Il est vrai.

— D'où je conclus que vous n'êtes pas loin d'accorder à cette vilaine bête, à cent mille mauvaises têtes et à autant de mauvaises langues tout le mépris qu'elles méritent. Mais tôt ou tard le sens commun lui revient, et le discours de l'avenir rectifie le bavardage du présent.

— Ainsi vous croyez qu'il y aura un moment où la chose sera vue telle qu'elle est, Mme de la Carlière accusée et Desroches absous?

— Je ne pense pas même que ce moment soit éloigné. Premièrement, parce que les absents ont tort et qu'il n'y a pas d'absent plus absent qu'un mort. Secondement, c'est qu'on parle, on dispute, les aventures les plus usées reparaissent en conversation et sont pesées avec moins de partialité. C'est qu'on verra peut-être encore dix ans ce pauvre Desroches, comme vous l'avez vu, traînant de maison en maison sa malheureuse existence; qu'on se rapprochera de lui, qu'on l'interrogera, qu'on l'écoutera, qu'il n'aura plus aucune raison de se taire, qu'on saura le fond de son histoire, qu'on réduira sa première sottise à rien.

— A ce qu'elle vaut.

— Et que nous sommes assez jeunes tous deux pour

entendre traiter la belle, la grande, la vertueuse, la digne
Mme de la Carlière d'inflexible et hautaine bégueule;
car ils se poussent tous les uns les autres, et comme ils
n'ont point de règles dans leurs jugements, ils n'ont pas
plus de mesure dans leur expression.

— Mais si vous aviez une fille à marier, la donneriez-
vous à Desroches?

— Sans délibérer; parce que le hasard l'avait engagé
dans un de ces pas glissants dont ni vous, ni moi, ni
personne ne peut se promettre de se tirer; parce que
l'amitié, l'honnêteté, la bienfaisance, toutes les circonstances possibles avaient préparé sa faute et son
excuse; parce que la conduite qu'il a tenue depuis sa
séparation volontaire d'avec sa femme a été irrépréhensible, et que, sans approuver les maris infidèles, je ne
prise pas autrement les femmes qui mettent tant d'importance à cette rare qualité. Et puis j'ai mes idées,
peut-être justes, à coup sûr bizarres, sur certaines
actions que je regarde moins comme des vices de
l'homme que comme des conséquences de nos législations absurdes, sources de mœurs aussi absurdes qu'elles
et d'une dépravation que j'appellerais volontiers artificielle. Cela n'est pas trop clair, mais cela s'éclaircira
peut-être une autre fois. Et regagnons notre gîte; j'entends d'ici les cris enroués de deux ou trois de nos vieilles
brelandières qui vous appellent, sans compter que voilà
le jour qui tombe et la nuit qui s'avance avec ce nombreux cortège d'étoiles que je vous avais promis.

— Il est vrai.

SUPPLÉMENT
AU VOYAGE DE BOUGAINVILLE
OU DIALOGUE ENTRE *A* ET *B*

SUR L'INCONVÉNIENT D'ATTACHER
DES IDÉES MORALES À CERTAINES ACTIONS
PHYSIQUES QUI N'EN COMPORTENT PAS

At quanto meliora monet, pugnantiaque istis,
Dives opis Natura suæ, tu si modo recte
Dispensare velis, ac non fugienda petendis
Immiscere! Tuo vitio rerumne labores,
Nil referre putas*?
  Horat, *Sat.*, lib. I, *sat.* ii, vers 73 et seq.

I

JUGEMENT DU VOYAGE DE BOUGAINVILLE

A. — Cette superbe voûte étoilée, sous laquelle nous revînmes hier, et qui semblait nous garantir un beau jour, ne nous a pas tenu parole.

B. — Qu'en savez-vous?

A — Le brouillard est si épais qu'il nous dérobe la vue des arbres voisins.

---

* Ah! combien meilleurs, combien opposés à de tels principes sont les avis de la nature, assez riches de son propre fond si seulement tu veux en bien dispenser les ressources et ne pas mêler ensemble ce qu'on doit fuir, ce qu'on doit retrancher. Crois-tu qu'il soit indifférent que tu souffres par ta faute ou par celle des choses?

B. — Il est vrai; mais si ce brouillard, qui ne reste dans la partie inférieure de l'atmosphère que parce qu'elle est suffisamment chargée d'humidité, retombe sur la terre?

A. — Mais si au contraire il traverse l'éponge, s'élève et gagne la région supérieure où l'air est moins dense, et peut, comme disent les chimistes, n'être pas saturé?

B. — Il faut attendre.

A. — En attendant, que faites-vous?

B. — Je lis.

A. — Toujours ce Voyage de Bougainville?

B. — Toujours.

A. — Je n'entends rien à cet homme-là. L'étude des mathématiques, qui suppose une vie sédentaire, a rempli le temps de ses jeunes années; et voilà qu'il passe subitement d'une condition méditative et retirée au métier actif, pénible, errant et dissipé de voyageur.

B. — Nullement. Si le vaisseau n'est qu'une maison flottante, et si vous considérez le navigateur qui traverse des espaces immenses, resserré et immobile dans une enceinte assez étroite, vous le verrez faisant le tour du globe sur une planche, comme vous et moi le tour de l'univers sur notre parquet.

A. — Une autre bizarrerie apparente, c'est la contradiction du caractère de l'homme et de son entreprise. Bougainville a le goût des amusements de la société; il aime les femmes, les spectacles, les repas délicats; il se prête au tourbillon du monde d'aussi bonne grâce qu'aux inconstances de l'élément sur lequel il a été ballotté. Il est aimable et gai : c'est un véritable

Français lesté, d'un bord, d'un traité de calcul diffé-
rentiel et intégral, et de l'autre, d'un voyage autour
du globe.

B. — Il fait comme tout le monde : il se dissipe après
s'être appliqué, et il s'applique après s'être dissipé.

A. — Que pensez-vous de son Voyage?

B. — Autant que j'en puis juger sur une lecture assez
superficielle, j'en rapporterais l'avantage à trois points
principaux : une meilleure connaissance de notre
vieux domicile et de ses habitants; plus de sûreté sur
des mers qu'il a parcourues la sonde à la main, et plus
de correction dans nos cartes géographiques. Bougainville est parti avec les lumières nécessaires et les qualités propres à ses vues : de la philosophie, du courage,
de la véracité; un coup d'œil prompt qui saisit les
choses et abrège le temps des observations; de la circonspection, de la patience; le désir de voir, de s'éclairer et d'instruire; la science du calcul, des mécaniques, de la géométrie, de l'astronomie; et une teinture suffisante d'histoire naturelle.

A. — Et son style?

B. — Sans apprêt; le ton de la chose; de la simplicité
et de la clarté, surtout quand on possède la langue des
marins.

A. — Sa course a été longue?

B. — Je l'ai tracée sur ce globe. Voyez-vous cette
ligne de points rouges?

A. — Qui part de Nantes?

B. — Et court jusqu'au détroit de Magellan, entre
dans la mer Pacifique, serpente entre ces îles qui forment

l'archipel immense qui s'étend des Philippines à la Nouvelle-Hollande, rase Madagascar, le cap de Bonne-Espérance, se prolonge dans l'Atlantique, suit les côtes d'Afrique, et rejoint l'une de ses extrémités à celle d'où le Navigateur s'est embarqué.

A. — Il a beaucoup souffert?

B. — Tout navigateur s'expose, et consent de s'exposer aux périls de l'air, du feu, de la terre et de l'eau : mais qu'après avoir erré des mois entiers entre la mer et le ciel; entre la mort et la vie; après avoir été battu des tempêtes, menacé de périr par naufrage, par maladie, par disette d'eau et de pain, un infortuné vienne, son bâtiment fracassé, tomber en expirant de fatigue et de misère, aux pieds d'un monstre d'airain qui lui refuse ou lui fait attendre impitoyablement les secours les plus urgents, c'est une dureté!...

A. — Un crime digne de châtiment.

B. — Une de ces calamités sur laquelle le voyageur n'a pas compté.

A. — Et n'a pas dû compter. Je croyais que les puissances européennes n'envoyaient, pour commandants dans leurs possessions d'outre-mer, que des âmes honnêtes, des hommes bienfaisants, des sujets remplis d'humanité, et capables de compatir...

B. — C'est bien là ce qui les soucie!

A. — Il y a des choses singulières dans ce voyage de Bougainville.

B. — Beaucoup.

A. — N'assure-t-il pas que les animaux sauvages s'approchent de l'homme, et que les oiseaux viennent se poser sur lui, lorsqu'ils ignorent le péril de cette familiarité?

B. — D'autres l'avaient dit avant lui.

A. — Comment explique-t-il le séjour de certains animaux dans des îles séparées de tout continent par des intervalles de mer effrayants? Qu'est-ce qui a porté là le loup, le renard, le chien, le cerf, le serpent?

B. — Il n'explique rien; il atteste le fait.

A. — Et vous, comment l'expliquez-vous?

B. — Qui sait l'histoire primitive de notre globe? Et combien d'espaces de terre, maintenant isolés, étaient autrefois continents? Le seul phénomène sur lequel on pourrait former quelque conjecture, c'est la direction de la masse des eaux qui les a séparés.

A. — Comment cela?

B. — Par la forme générale des arrachements. Quelque jour nous nous amuserons de cette recherche, si cela nous convient. Pour ce moment, voyez-vous cette île qu'on appelle *des Lanciers?* A l'inspection du lieu qu'elle occupe sur le globe, il n'est personne qui ne se demande : qui est-ce qui a placé là des hommes? quelle communication les liait autrefois avec le reste de leur espèce? que deviennent-ils en se multipliant sur un espace qui n'a pas plus d'une lieue de diamètre?

A. — Ils s'exterminent et se mangent; et de là peut-être une première époque très ancienne et très naturelle de l'anthropophagie, insulaire d'origine.

B. — Ou la multiplication y est limitée par quelque loi superstitieuse; l'enfant y est écrasé dans le sein de sa mère foulée sous les pieds d'une prêtresse.

A. — Ou l'homme égorgé expire sous le couteau d'un prêtre; ou l'on a recours à la castration des mâles...

B. — A l'infibulation des femelles; et de là tant d'usages d'une cruauté nécessaire et bizarre, dont la cause s'est perdue dans la nuit des temps et met les philosophes à la torture. Une observation assez constante, c'est que les institutions surnaturelles et divines se fortifient et s'éternisent, en se transformant, à la longue, en lois civiles et nationales; et que les institutions civiles et nationales se consacrent, et dégénèrent en préceptes surnaturels et divins.

A. — C'est une des palingénésies les plus funestes.

B. — Un brin de plus qu'on ajoute au lien dont on nous serre.

A. — N'était-il pas au Paraguay au moment même de l'expulsion des jésuites?

B. — Oui.

A. — Qu'en dit-il?

B. — Moins qu'il n'en pourrait dire; mais assez pour nous apprendre que ces cruels Spartiates en jaquette noire en usaient avec leurs esclaves Indiens, comme les Lacédémoniens avec les Ilotes; les avaient condamnés à un travail assidu; s'abreuvaient de leurs sueurs, ne leur avaient laissé aucun droit de propriété; les tenaient sous l'abrutissement de la superstition; en exigeaient une vénération profonde; marchaient au milieu d'eux, un fouet à la main, et en frappaient indistinctement tout âge et tout sexe. Un siècle de plus, et leur expulsion devenait impossible, ou le motif d'une longue guerre entre ces moines et le souverain, dont ils avaient secoué peu à peu l'autorité.

A. — Et ces Patagons, dont le docteur Maty et l'académicien La Condamine ont fait tant de bruit?

B. — Ce sont de bonnes gens qui viennent à vous, et qui vous embrassent en criant *Chaoua;* forts, vigoureux, toutefois n'excédant pas la hauteur de cinq pieds cinq à six pouces; n'ayant d'énorme que leur corpulence, la grosseur de leur tête, et l'épaisseur de leurs membres.

A. — Né avec le goût du merveilleux, qui exagère tout autour de lui, comment l'homme laisserait-il une juste proportion aux objets, lorsqu'il a, pour ainsi dire, à justifier le chemin qu'il a fait, et la peine qu'il s'est donnée pour les aller voir au loin? Et des sauvages, qu'en pense-t-il?

B. — C'est, à ce qu'il paraît, de la défense journalière contre les bêtes féroces, qu'il tient le caractère cruel qu'on lui remarque quelquefois. Il est innocent et doux, partout où rien ne trouble son repos et sa sécurité. Toute guerre naît d'une prétention commune à la même propriété. L'homme civilisé a une prétention commune, avec l'homme civilisé, à la possession d'un champ dont ils occupent les deux extrémités; et ce champ devient un sujet de dispute entre eux.

A. — Et le tigre a une prétention commune, avec l'homme sauvage, à la possession d'une forêt; et c'est la première des prétentions, et la cause de la plus ancienne des guerres... Avez-vous vu le Taïtien que Bougainville avait pris sur son bord et transporté dans ce pays-ci?

B. — Je l'ai vu; il s'appelait Aotourou. A la première
terre qu'il aperçut, il la prit pour la partie du voyageur; soit qu'on lui en eût imposé sur la longueur du
voyage; soit que, trompé naturellement par le peu de
distance apparente des bords de la mer qu'il habitait,
à l'endroit où le ciel semble confiner avec l'horizon,
il ignorât la véritable étendue de la terre. L'usage
commun des femmes était si bien établi dans son esprit,
qu'il se jeta sur la première Européenne qui vint à sa
rencontre, et qu'il se disposait très sérieusement à lui
faire la politesse de Taïti. Il s'ennuyait parmi nous.
L'alphabet taïtien n'ayant ni *c,* ni *d,* ni *f,* ni *g,* ni *q,*
ni *x,* ni *y,* ni *z,* il ne put jamais apprendre à parler notre
langue, qui offrait à ses organes inflexibles trop d'articulations étrangères et de sons nouveaux. Il ne cessait
de soupirer après son pays, et je n'en suis pas étonné. Le
Voyage de Bougainville est le seul qui m'ait donné du
goût pour une autre contrée que la mienne; jusqu'à
cette lecture, j'avais pensé qu'on n'était nulle part aussi
bien que chez soi; résultat que je croyais le même pour
chaque habitant de la terre; effet naturel de l'attrait du
sol, attrait qui tient aux commodités dont on jouit, et
qu'on n'a pas la même certitude de retrouver ailleurs.

A. — Quoi! vous ne croyez pas l'habitant de Paris
aussi convaincu qu'il croisse des épis dans la campagne
de Rome que dans les champs de la Beauce?

B. — Ma foi, non. Bougainville a renvoyé Aotourou,
après avoir pourvu aux frais et à la sûreté de son
retour.

A. — Ô Aotourou! que tu seras content de revoir ton

père, ta mère, tes frères, tes sœurs, tes compatriotes!
Que leur diras-tu de nous?

B. — Peu de choses, et qu'ils ne croiront pas.

A. — Pourquoi peu de choses?

B. — Parce qu'il en a peu comprises, et qu'il ne trouvera dans sa langue aucun terme correspondant à celles
dont il a quelques idées.

A. — Et pourquoi ne le croiront-ils pas?

B. — Parce qu'en comparant leurs mœurs aux nôtres,
ils aimeront mieux prendre Aotourou pour un menteur,
que de nous croire si fous.

A. — En vérité?

B. — Je n'en doute pas : la vie sauvage est si simple, et
nos sociétés sont des machines si compliquées! Le Taïtien
touche à l'origine du monde, et l'Européen touche à sa
vieillesse. L'intervalle qui le sépare de nous est plus
grand que la distance de l'enfant qui naît à l'homme
décrépit. Il n'entend rien à nos usages, à nos lois, ou il
n'y voit que des entraves déguisées sous cent formes
diverses, entraves qui ne peuvent qu'exciter l'indignation
et le mépris d'un être en qui le sentiment de la liberté
est le plus profond des sentiments.

A. — Est-ce que vous donneriez dans la fable de
Taïti?

B. — Ce n'est point une fable; et vous n'auriez aucun
doute sur la sincérité de Bougainville, si vous connaissiez
le Supplément de son voyage.

A. — Et où trouve-t-on ce supplément?

B. — Là, sur cette table.

A. — Est-ce que vous ne me le confieriez pas?

B. — Non; mais nous pourrons le parcourir ensemble, si vous voulez.

A. — Assurément, je le veux. Voilà le brouillard qui retombe, et l'azur du ciel qui commence à paraître. Il semble que mon lot soit d'avoir tort avec vous jusque dans les moindres choses; il faut que je sois bien bon pour vous pardonner une supériorité aussi continue!

B. — Tenez, tenez, lisez : passez ce préambule qui ne signifie rien, et allez droit aux adieux que fit un des chefs de l'île à nos voyageurs. Cela vous donnera quelque notion de l'éloquence de ces gens-là.

A. — Comment Bougainville a-t-il compris ces adieux prononcés dans une langue qu'il ignorait?

B. — Vous le saurez.

II

LES ADIEUX DU VIEILLARD

C'est un vieillard qui parle. Il était père d'une famille nombreuse. A l'arrivée des Européens, il laissa tomber des regards de dédain sur eux, sans marquer ni étonnement, ni frayeur, ni curiosité. Ils l'abordèrent; il leur tourna le dos, se retira dans sa cabane. Son silence et son souci ne décelaient que trop sa pensée : il gémissait en lui-même sur les beaux jours de son pays éclipsés. Au départ de Bougainville, lorsque les habitants accou-

raient en foule sur le rivage, s'attachaient à ses vêtements, serraient ses camarades entre leurs bras, et pleu-
raient, ce vieillard s'avança d'un air sévère, et dit :

« Pleurez, malheureux Taïtiens ! pleurez; mais que ce
soit de l'arrivée, et non du départ de ces hommes ambitieux et méchants : un jour, vous les connaîtrez mieux.
Un jour, ils reviendront, le morceau de bois que vous
voyez attaché à la ceinture de celui-ci dans une main, et
le fer qui pend au côté de celui-là dans l'autre, vous
enchaîner, vous égorger, ou vous assujettir à leurs extravagances et à leurs vices; un jour vous servirez sous eux,
aussi corrompus, aussi vils, aussi malheureux qu'eux.
Mais je me console; je touche à la fin de ma carrière; et
la calamité que je vous annonce, je ne la verrai point. Ô
Taïtiens ! ô mes amis! vous auriez un moyen d'échapper
à un funeste avenir; mais j'aimerais mieux mourir que
de vous en donner le conseil. Qu'ils s'éloignent, et qu'ils
vivent. »

Puis s'adressant à Bougainville, il ajouta : « Et toi,
chef des brigands qui t'obéissent, écarte promptement
ton vaisseau de notre rive : nous sommes innocents,
nous sommes heureux; et tu ne peux que nuire à notre
bonheur. Nous suivons le pur instinct de la nature;
et tu as tenté d'effacer de nos âmes son caractère. Ici
tout est à tous, et tu nous as prêché je ne sais quelle
distinction du *tien* et du *mien*. Nos filles et nos femmes
nous sont communes; tu as partagé ce privilège avec
nous; et tu es venu allumer en elles des fureurs inconnues. Elles sont devenues folles dans tes bras; tu es
devenu féroce entre les leurs. Elles ont commencé à se

haïr; vous vous êtes égorgés pour elles; et elles nous sont
revenues teintes de votre sang. Nous sommes libres; et
voilà que tu as enfoui dans notre terre le titre de notre
futur esclavage. Tu n'es ni un dieu, ni un démon : qui
es-tu donc, pour faire des esclaves? Orou! toi qui entends
la langue de ces hommes-là, dis-nous à tous, comme tu
me l'as dit à moi, ce qu'ils ont écrit sur cette lame de
métal : *Ce pays est à nous.* Ce pays est à toi! et pourquoi?
parce que tu y as mis le pied? Si un Taïtien débarquait
un jour sur vos côtes, et qu'il gravât sur une de vos
pierres ou sur l'écorce d'un de vos arbres : *Ce pays appartient aux habitants de Taïti,* qu'en penserais-tu? Tu es le
plus fort! Et qu'est-ce que cela fait? Lorsqu'on t'a enlevé
une des méprisables bagatelles dont ton bâtiment est
rempli, tu t'es récrié, tu t'es vengé; et dans le même instant tu as projeté au fond de ton cœur le vol de toute
une contrée! Tu n'es pas esclave : tu souffrirais plutôt la
mort que de l'être, et tu veux nous asservir! Tu crois
donc que le Taïtien ne sait pas défendre sa liberté et
mourir? Celui dont tu veux t'emparer comme de la
brute, le Taïtien est ton frère. Vous êtes deux enfants
de la nature; quel droit as-tu sur lui qu'il n'ait pas
sur toi? Tu es venu; nous sommes-nous jetés sur ta personne? avons-nous pillé ton vaisseau? t'avons-nous saisi
et exposé aux flèches de nos ennemis? t'avons-nous associé dans nos champs au travail de nos animaux? Nous
avons respecté notre image en toi. Laisse-nous nos
mœurs; elles sont plus sages et plus honnêtes que les
tiennes; nous ne voulons point troquer ce que tu appelles
notre ignorance contre tes inutiles lumières. Tout ce qui

nous est nécessaire et bon, nous le possédons. Sommes-nous dignes de mépris, parce que nous n'avons pas su nous faire des besoins superflus? Lorsque nous avons faim, nous avons de quoi manger; lorsque nous avons froid, nous avons de quoi nous vêtir. Tu es entré dans nos cabanes, qu'y manque-t-il, à ton avis? Poursuis jusqu'où tu voudras ce que tu appelles commodités de la vie; mais permets à des êtres sensés de s'arrêter, lorsqu'ils n'auraient à obtenir, de la continuité de leurs pénibles efforts, que des biens imaginaires. Si tu nous persuades de franchir l'étroite limite du besoin, quand finirons-nous de travailler? Quand jouirons-nous? Nous avons rendu la somme de nos fatigues annuelles et journalières la moindre qu'il était possible, parce que rien ne nous paraît préférable au repos. Va dans ta contrée t'agiter, te tourmenter tant que tu voudras; laisse-nous reposer : ne nous entête ni de tes besoins factices, ni de tes vertus chimériques. Regarde ces hommes; vois comme ils sont droits, sains et robustes. Regarde ces femmes; vois comme elles sont droites, saines, fraîches et belles. Prends cet arc, c'est le mien; appelle à ton aide un, deux, trois, quatre de tes camarades, et tâchez de le tendre. Je le tends moi seul. Je laboure la terre; je grimpe la montagne; je perce la forêt; je parcours une lieue de la plaine en moins d'une heure. Tes jeunes compagnons ont peine à me suivre; et j'ai quatre-vingt-dix ans passés. Malheur à cette île! malheur aux Taïtiens présents, et à tous les Taïtiens à venir, du jour où tu nous as visités! Nous ne connaissions qu'une maladie; celle à laquelle l'homme, l'animal et la plante ont été condamnés, la vieillesse; et tu nous en as apporté une autre : tu as infecté notre sang. Il nous faudra peut-être exterminer de nos propres mains nos filles, nos femmes, nos enfants; ceux qui ont approché tes femmes; celles qui ont approché tes hommes. Nos champs seront trempés du sang impur qui a passé de tes veines dans les nôtres; ou nos enfants, condamnés à nourrir et à perpétuer le mal que tu as donné aux pères et aux mères, et qu'ils transmettront à jamais à leurs descendants. Malheureux! tu seras coupable, ou des ravages qui suivront les funestes caresses des tiens, ou des meurtres que nous commettrons pour en arrêter le poison. Tu parles de crimes! as-tu l'idée d'un plus grand crime que le tien? Quel est chez toi le châtiment de celui qui tue son voisin? la mort par le fer; quel est chez toi le châtiment du lâche qui l'empoisonne? la mort par le feu. Compare ton forfait à ce dernier; et dis-nous, empoisonneur de nations, le supplice que tu mérites? Il n'y a qu'un moment, la jeune Taïtienne s'abandonnait avec transport aux embrassements du jeune Taïtien; elle attendait avec impatience que sa mère autorisée par l'âge nubile relevât son voile, et mît sa gorge à nu. Elle était fière d'exciter les désirs, et d'irriter les regards amoureux de l'inconnu, de ses parents, de son frère; elle acceptait sans frayeur et sans honte, en notre présence, au milieu d'un cercle d'innocents Taïtiens, au son des flûtes, entre les danses, les caresses de celui que son jeune cœur et la voix secrète de ses sens lui désignaient. L'idée de crime et le péril de la maladie sont entrés avec toi parmi nous. Nos jouissances, autrefois si douces, sont accompagnées de

remords et d'effroi. Cet homme noir, qui est près de toi,
qui m'écoute, a parlé à nos garçons; je ne sais ce qu'il a
dit à nos filles; mais nos garçons hésitent; mais nos
filles rougissent. Enfonce-toi, si tu veux, dans la forêt
obscure avec la compagne perverse de tes plaisirs; mais
accorde aux bons et simples Taïtiens de se reproduire
sans honte, à la face du ciel et au grand jour. Quel sentiment plus honnête et plus grand pourrais-tu mettre à la
place de celui que nous leur avons inspiré, et qui les
anime? Ils pensent que le moment d'enrichir la nation et
la famille d'un nouveau citoyen est venu, et ils s'en glori-
fient. Ils mangent pour vivre et pour croître : ils croissent
pour multiplier, et ils n'y trouvent ni vice, ni honte.
Écoute la suite de tes forfaits. A peine t'es-tu montré
parmi eux, qu'ils sont devenus voleurs. A peine es-tu
descendu dans notre terre, qu'elle a fumé de sang. Ce
Taïtien qui courut à ta rencontre, qui t'accueillit, qui te
reçut en criant : *Taïo! ami, ami :* vous l'avez tué. Et pourquoi l'avez-vous tué? parce qu'il avait été séduit par
l'éclat de tes petits œufs de serpent. Il te donnait ses
fruits; il t'offrait sa femme et sa fille; il te cédait sa
cabane : et tu l'as tué pour une poignée de ces grains,
qu'il avait pris sans te les demander. Au bruit de ton
arme   meurtrière,   la   terreur   s'est   emparée   de
lui, et il s'est enfui dans la montagne. Mais crois qu'il
n'aurait pas tardé d'en descendre; crois qu'en un instant,
sans moi, vous périssiez tous. Eh! pourquoi les ai-je
apaisés? pourquoi les ai-je contenus? pourquoi les
contiens-je encore dans ce moment? Je l'ignore; car tu
ne mérites aucun sentiment de pitié; car tu as une

âme féroce qui ne l'éprouva jamais. Tu t'es promené, toi et les tiens, dans notre île; tu as été respecté; tu as joui de tout; tu n'as trouvé sur ton chemin ni barrière, ni refus : on t'invitait; tu t'asseyais; on étalait devant toi l'abondance du pays. As-tu voulu des jeunes filles? excepté celles qui n'ont pas encore le privilège de montrer leur visage et leur gorge, les mères t'ont présenté les autres toutes nues; te voilà possesseur de la tendre victime du devoir hospitalier; on a jonché pour elle et pour toi, la terre de feuilles et de fleurs; les musiciens ont accordé leurs instruments; rien n'a troublé la douceur, ni gêné la liberté de tes caresses et des siennes. On a chanté l'hymne, l'hymne qui t'exhortait à être homme, qui exhortait notre enfant à être femme, et femme complaisante et voluptueuse. On a dansé autour de votre couche; et c'est au sortir des bras de cette femme, après avoir éprouvé sur son sein la plus douce ivresse, que tu as tué son frère, son ami, son père peut-être. Tu as fait pis encore; regarde de ce côté; vois cette enceinte hérissée de flèches; ces armes qui n'avaient menacé que nos ennemis, vois-les tournées contre nos propres enfants : vois les malheureuses compagnes de vos plaisirs; vois leur tristesse; vois la douleur de leurs pères; vois le désespoir de leurs mères : c'est là qu'elles sont condamnées à périr par nos mains, ou par le mal que tu leur as donné. Éloigne-toi, à moins que tes yeux cruels ne se plaisent à des spectacles de mort : éloigne-toi; va, et puissent les mers coupables qui t'ont épargné dans ton voyage, s'absoudre, et nous venger en t'engloutissant avant ton retour! Et vous, Taïtiens, rentrez dans vos cabanes, ren-

trez tous; et que ces indignes étrangers n'entendent à
leur départ que le flot qui mugit, et ne voient que
l'écume dont sa fureur blanchit une rive déserte! »

A peine eut-il achevé, que la foule des habitants
disparut : un vaste silence régna dans toute l'étendue
de l'île; et l'on n'entendit que le sifflement aigu des
vents et le bruit sourd des eaux sur toute la longueur
de la côte : on eût dit que l'air et la mer, sensibles à la
voix du vieillard, se disposaient à lui obéir.

B. — Eh bien! qu'en pensez-vous?

A. — Ce discours me paraît véhément; mais à travers je
ne sais quoi d'abrupt et de sauvage, il me semble y
retrouver des idées et des tournures européennes.

B. — Pensez donc que c'est une traduction du taïtien
en espagnol, et de l'espagnol en français. Le vieillard
s'était rendu, la nuit, chez cet Orou qu'il a interpellé,
et dans la case duquel l'usage de la langue espagnole
s'était conservé de temps immémorial. Orou avait écrit
en espagnol la harangue du vieillard; et Bougainville
en avait une copie à la main, tandis que le Taïtien la
prononçait.

A. — Je ne vois que trop à présent pourquoi Bougainville a supprimé ce fragment; mais ce n'est pas là
tout; et ma curiosité pour le reste n'est pas légère.

B. — Ce qui suit, peut-être, vous intéressera moins.

A. — N'importe.

B. — C'est un entretien de l'aumônier de l'équipage
avec un habitant de l'île.

A. — Orou?

B. — Lui-même. Lorsque le vaisseau de Bougainville

approcha de Taïti, un nombre infini d'arbres creusés
furent lancés sur les eaux; en un instant son bâtiment
en fut environné; de quelque côté qu'il tournât ses
regards, il voyait des démonstrations de surprise et de
bienveillance. On lui jetait des provisions; on lui tendait les bras; on s'attachait à des cordes; on gravissait
contre les planches; on avait rempli sa chaloupe; on
criait vers le rivage, d'où les cris étaient répondus; les
habitants de l'île accouraient; les voilà tous à terre :
on s'empare des hommes de l'équipage; on se les partage; chacun conduit le sien dans sa cabane : les hommes
les tenaient embrassés par le milieu du corps; les femmes
leur flattaient les joues de leurs mains. Placez-vous là;
soyez témoin, par pensée, de ce spectacle d'hospitalité;
et dites-moi comment trouvez-vous l'espèce humaine.

A. — Très belle.

B. — Mais j'oublierai peut-être de vous parler d'un
événement assez singulier. Cette scène de bienveillance
et d'humanité fut troublée tout à coup par les cris d'un
homme qui appelait à son secours; c'était le domestique
d'un des officiers de Bougainville. De jeunes Taïtiens
s'étaient jetés sur lui, l'avaient étendu par terre, le désha-
billaient et se disposaient à lui faire la civilité.

A. — Quoi! ces peuples si simples, ces sauvages si
bons, si honnêtes?...

B. — Vous vous trompez; ce domestique était une
femme déguisée en homme. Ignorée de l'équipage entier,
pendant tout le temps d'une longue traversée, les Taïtiens devinèrent son sexe au premier coup d'œil. Elle
était née en Bourgogne; elle s'appelait Barré; ni laide, ni

jolie, âgée de vingt-six ans. Elle n'était jamais sortie de son hameau; et sa première pensée de voyager fut de faire le tour du globe. Elle montra toujours de la sagesse et du courage.

A. — Ces frêles machines-là renferment quelquefois des âmes bien fortes.

III

L'ENTRETIEN DE L'AUMÔNIER ET D'OROU

B. — Dans la division que les Taïtiens se firent de l'équipage de Bougainville, l'aumônier devint le partage d'Orou. L'aumônier et le Taïtien étaient à peu près du même âge, trente-cinq à trente-six ans. Orou n'avait alors que sa femme et trois filles appelées Asto, Palli et Thia. Elles le déshabillèrent, lui lavèrent le visage, les mains et les pieds, et lui servirent un repas sain et frugal. Lorsqu'il fut sur le point de se coucher, Orou, qui s'était absenté avec sa famille, reparut, lui présenta sa femme et ses trois filles nues, et lui dit :

— Tu as soupé, tu es jeune, tu te portes bien; si tu dors seul, tu dormiras mal; l'homme a besoin la nuit d'une compagne à son côté. Voilà ma femme, voilà mes filles : choisis celle qui te convient; mais si tu veux m'obliger, tu donneras la préférence à la plus jeune de mes filles qui n'a point encore eu d'enfants.

La mère ajouta : — Hélas! je n'ai point à m'en plain-dre, la pauvre Thia! ce n'est pas sa faute.

L'aumônier répondit que sa religion, son état, les bonnes mœurs et l'honnêteté ne lui permettaient pas d'accepter ces offres.

Orou répliqua :

— Je ne sais ce que c'est que la chose que tu appelles religion; mais je ne puis qu'en penser mal, puisqu'elle t'empêche de goûter un plaisir innocent, auquel nature, la souveraine maîtresse, nous invite tous; de donner l'existence à un de tes semblables; de rendre un service que le père, la mère et les enfants te demandent; de t'acquitter envers un hôte qui t'a fait un bon accueil, et d'enrichir une nation, en l'accroissant d'un sujet de plus. Je ne sais ce que c'est que la chose que tu appelles état; mais ton premier devoir est d'être homme et d'être reconnaissant. Je ne te propose pas de porter dans ton pays les mœurs d'Orou; mais Orou, ton hôte et ton ami, te supplie de te prêter aux mœurs de Taïti. Les mœurs de Taïti sont-elles meilleures ou plus mauvaises que les vôtres? c'est une question facile à décider. La terre où tu es né a-t-elle plus d'hommes qu'elle n'en peut nourrir? en ce cas tes mœurs ne sont ni pires, ni meilleures que les nôtres. En peut-elle nourrir plus qu'elle n'en a? nos mœurs sont meilleures que les tiennes. Quant à l'honnêteté que tu m'objectes, je te comprends; j'avoue que j'ai tort; et je t'en demande pardon. Je n'exige pas que tu nuises à ta santé; si tu es fatigué, il faut que tu te reposes; mais j'espère que tu ne conti-nueras pas à nous contrister. Vois le souci que tu as répandu sur tous ces visages : elles craignent que tu n'aies remarqué en elles quelques défauts qui leur attirent ton dédain. Mais quand cela serait, le plaisir d'honorer une de mes filles, entre ses compagnes et ses sœurs, et de faire une bonne action, ne te suffirait-il pas? Sois généreux!

L'AUMÔNIER. — Ce n'est pas cela : elles sont toutes quatre également belles; mais ma religion! mais mon état!

OROU. — Elles m'appartiennent et je te les offre : elles sont à elles, et elles se donnent à toi. Quelle que soit la pureté de conscience que la chose *religion* et la chose *état* te prescrivent, tu peux les accepter sans scrupule. Je n'abuse point de mon autorité; et sois sûr que je connais et que je respecte les droits des personnes.

Ici, le véridique aumônier convient que jamais la Providence ne l'avait exposé à une aussi pressante tentation. Il était jeune; il s'agitait, il se tourmentait; il détournait ses regards des aimables suppliantes; et les ramenait sur elles; il levait ses yeux et ses mains au ciel. Thia, la plus jeune, embrassait ses genoux et lui disait : — Étranger, n'afflige pas mon père, n'afflige pas ma mère, ne m'afflige pas! Honore-moi dans la cabane et parmi les miens; élève-moi au rang de mes sœurs qui se moquent de moi. Asto l'aînée a déjà trois enfants; Palli, la seconde, en a deux, et Thia n'en a point! Étranger, honnête étranger, ne me rebute pas! rends-moi mère; fais-moi un enfant que je puisse un jour promener par la main à côté de moi, dans Taïti; qu'on voie dans neuf mois attaché à mon sein; dont je sois fière, et qui fasse une partie de ma dot, lorsque je passerai de la cabane de mon père dans une autre. Je serai peut-être plus chanceuse avec toi qu'avec mes jeunes Taïtiens. Si tu m'accordes cette faveur, je ne t'oublierai plus; je te bénirai toute ma vie; j'écrirai ton nom sur mon bras et sur celui de ton fils; nous le prononcerons sans cesse avec joie; et, lorsque tu quitteras ce rivage, mes souhaits t'accompagneront sur les mers jusqu'à ce que tu sois arrivé dans ton pays.

Le naïf aumônier dit qu'elle lui serrait les mains, qu'elle attachait sur ses yeux des regards si expressifs et si touchants; qu'elle pleurait; que son père, sa mère et ses sœurs s'éloignèrent; qu'il resta seul avec elle, et qu'en disant : Mais ma religion, mais mon état, il se trouva le lendemain couché à côté de cette jeune fille qui l'accablait de caresses, et qui invitait son père, sa mère et ses sœurs, lorsqu'ils s'approchèrent de leur lit le matin, à joindre leur reconnaissance à la sienne. Asto et Palli, qui s'étaient éloignées, rentrèrent avec les mets du pays, des boissons et des fruits : elles embrassaient leur sœur et faisaient des vœux sur elle. Ils déjeunèrent tous ensemble; ensuite Orou, demeuré seul avec l'aumônier, lui dit.

— Je vois que ma fille est contente de toi; et je te remercie. Mais pourrais-tu m'apprendre ce que c'est que le mot religion, que tu as prononcé tant de fois, et avec tant de douleur?

— Qui est-ce qui a fait ta cabane et les ustensiles qui la meublent?

OROU. — C'est moi.

L'AUMÔNIER. — Eh bien! nous croyons que ce monde et ce qu'il renferme est l'ouvrage d'un ouvrier.

OROU. — Il a donc des pieds, des mains, une tête?

L'AUMÔNIER. — Non!

OROU. — Où fait-il sa demeure?

L'AUMÔNIER. — Partout.

OROU. — Ici même!

L'AUMÔNIER. — Ici.

OROU. — Nous ne l'avons jamais vu.

L'AUMÔNIER. — On ne le voit pas.

OROU. — Voilà un père bien indifférent! Il doit être vieux; car il a au moins l'âge de son ouvrage.

L'AUMÔNIER. — Il ne vieillit point : il a parlé à nos ancêtres; il leur a donné des lois; il leur a prescrit la manière dont il voulait être honoré; il leur a ordonné certaines actions, comme bonnes; il leur en a défendu d'autres, comme mauvaises.

OROU. — J'entends; et une de ces actions qu'il leur a défendues comme mauvaises, c'est de coucher avec une femme ou une fille? Pourquoi donc a-t-il fait deux sexes?

L'AUMÔNIER. — Pour s'unir; mais à certaines conditions requises, après certaines cérémonies préalables, en conséquence desquelles un homme appartient à une femme, et n'appartient qu'à elle; une femme appartient à un homme, et n'appartient qu'à lui.

OROU. — Pour toute leur vie?

L'AUMÔNIER. — Pour toute leur vie.

OROU. — En sorte que, s'il arrivait à une femme de coucher avec un autre que son mari, ou à un mari de

coucher avec une autre que sa femme... mais cela n'arrive
point, car, puisqu'il est là, et que cela lui déplaît, il sait
les en empêcher.

L'AUMÔNIER. — Non; il les laisse faire, et ils pèchent
contre la loi de Dieu car c'est ainsi que nous appelons
le grand ouvrier, contre la loi du pays; et nous commettons un crime.

OROU. — Je serais fâché de t'offenser par mes discours;
mais si tu me permettais, je te dirais mon avis.

L'AUMÔNIER. — Parle.

OROU. — Ces préceptes singuliers, je les trouve opposés
à la nature, contraires à la raison; faits pour multiplier les crimes, et fâcher à tout moment le vieil ouvrier,
qui a tout fait sans tête, sans mains et sans outils;
qui est partout, et qu'on ne voit nulle part; qui dure
aujourd'hui et demain, et qui n'a pas un jour de plus;
qui commande et qui n'est pas obéi; qui peut empêcher,
et qui n'empêche pas. Contraires à la nature, parce
qu'ils supposent qu'un être sentant, pensant et libre,
peut être la propriété d'un être semblable à lui. Sur
quoi ce droit serait-il fondé? Ne vois-tu pas qu'on a
confondu dans ton pays, la chose qui n'a ni sensibilité,
ni pensée, ni désir, ni volonté, qu'on quitte, qu'on
prend, qu'on garde, qu'on échange sans qu'elle souffre
et sans qu'elle se plaigne, avec la chose qui ne s'échange
point, qui ne s'acquiert point; qui a liberté, volonté, désir;
qui peut se donner ou se refuser pour un moment;
se donner ou se refuser pour toujours; qui se plaint
et qui souffre; et qui ne saurait devenir un effet de
commerce, sans qu'on oublie son caractère, et qu'on

fasse violence à la nature? Contraires à la loi générale des êtres. Rien, en effet, te paraît-il plus insensé
qu'un précepte qui proscrit le changement qui est en
nous; qui commande une constance qui n'y peut être,
et qui viole la nature et la liberté du mâle et de la
femelle, en les enchaînant pour jamais l'un à l'autre;
qu'une fidélité qui borne la plus capricieuse des jouissances à un même individu; qu'un serment d'immutabilité de deux êtres de chair, à la face d'un ciel qui
n'est pas un instant le même, sous des antres qui me-
nacent ruine; au bas d'une roche qui tombe en poudre;
au pied d'un arbre qui se gerce; sur une pierre qui
s'ébranle? Crois-moi, vous avez rendu la condition de
l'homme pire que celle de l'animal. Je ne sais ce que
c'est que ton grand ouvrier : mais je me réjouis qu'il
n'ait point parlé à nos enfants, car il pourrait par hasard
leur dire les mêmes sottises, et ils feraient peut-être celle
de les croire. Hier, en soupant, tu nous as entretenus
de magistrats et de prêtres; je ne sais quels sont ces
personnages que tu appelles *magistrats,* et *prêtres,* dont
l'autorité règle votre conduite; mais, dis-moi, sont-ils
maître du bien et du mal? Peuvent-ils faire que ce qui
est juste soit injuste, et que ce qui est injuste soit juste?
dépend-il d'eux d'attacher le bien à des actions nuisibles,
et le mal à des actions innocentes ou utiles? Tu ne
saurais le penser, car à ce compte, il n'y aurait ni vrai
ni faux, ni bon ni mauvais, ni beau ni laid; du moins,
que ce qu'il plairait à ton grand ouvrier, à tes magistrats,
à tes prêtres, de prononcer tel; et, d'un moment à l'autre, tu serais obligé de changer d'idées et de conduite.

Un jour on te dirait, de la part de l'un de tes trois maîtres : *tue,* et tu serais obligé, en conscience, de tuer; un autre jour : *vole,* et tu serais tenu de voler; ou : *ne mange pas de ce fruit,* et tu n'oserais en manger; *je te défends ce légume ou cet animal,* et tu te garderais d'y toucher. Il n'y a point de bonté qu'on ne pût t'interdire; point de méchanceté qu'on ne pût t'ordonner. Et où en serais-tu réduit, si tes trois maîtres, peu d'accord entre eux, s'avisaient de te permettre, de t'enjoindre et de te défendre la même chose, comme je pense qu'il arrive souvent? Alors, pour plaire au prêtre, il faudra que tu te brouilles avec le magistrat; pour satisfaire le magistrat, il faudra que tu mécontentes le grand ouvrier, il faudra que tu renonces à la nature. Et sais-tu ce qui en arrivera? c'est que tu les mépriseras tous les trois, et que tu ne seras ni homme, ni citoyen, ni pieux; que tu ne seras rien; que tu seras mal avec toutes les sortes d'autorité; mal avec toi-même; méchant, tourmenté par ton cœur, persécuté par tes maîtres insensés; et malheureux, comme je te vis hier au soir, lorsque je te présentai mes filles et ma femme et que tu t'écriais : Mais ma religion! mais mon état! Veux-tu savoir, en tout temps et en tout lieu, ce qui est bon et mauvais? Attache-toi à la nature des choses et des actions; à tes rapports avec ton semblable; à l'influence de ta conduite sur ton utilité particulière et le bien général. Tu es en délire, si tu crois qu'il y ait rien, soit en haut, soit en bas, dans l'univers, qui puisse ajouter ou retrancher aux lois de la nature. Sa volonté éternelle est que le bien soit préféré au mal, et le bien général au bien particulier. Tu ordonneras le contraire; mais tu ne seras pas obéi. Tu multiplieras les malfaiteurs et les malheureux par la crainte, par le châtiment et par les remords; tu dépraveras les consciences; tu corrompras les esprits; ils ne sauront plus ce qu'ils ont à faire ou à éviter. Troublés dans l'état d'innocence, tranquilles dans le forfait, ils auront perdu de vue l'étoile polaire dans leur chemin. Réponds-moi sincèrement; en dépit des ordres exprès de tes trois législateurs, un jeune homme, dans ton pays, ne couche-t-il jamais, sans leur permission, avec une jeune fille?

L'AUMÔNIER. — Je mentirais si je te l'assurais.

OROU. — La femme qui a juré de n'appartenir qu'à son mari, ne se donne-t-elle point à un autre?

L'AUMÔNIER. — Rien n'est plus commun.

OROU. — Tes législateurs sévissent ou ne sévissent pas : s'ils sévissent, ce sont des bêtes féroces qui battent la nature; s'ils ne sévissent pas, ce sont des imbéciles qui ont exposé au mépris leur autorité par une défense inutile.

L'AUMÔNIER. — Les coupables, qui échappent à la sévérité des lois, sont châtiés par le blâme général.

OROU. — C'est-à-dire que la justice s'exerce par le défaut de sens commun de toute la nation; et que c'est la folie de l'opinion qui supplée aux lois.

L'AUMÔNIER. — La fille déshonorée ne trouve plus de mari.

OROU. — Déshonorée! et pourquoi?

L'AUMÔNIER. — La femme infidèle est plus ou moins méprisée.

orou. — Méprisée! et pourquoi?

l'aumônier. — Le jeune homme s'appelle un lâche séducteur.

orou. — Un lâche! un séducteur! et pourquoi?

l'aumônier. — Le père, la mère et l'enfant sont désolés. L'époux volage est un libertin; l'époux trahi partage la honte de sa femme.

orou. — Quel monstrueux tissu d'extravagances tu m'exposes là! et encore tu ne me dis pas tout : car aussitôt qu'on s'est permis de disposer à son gré des idées de justice et de propriété; d'ôter ou de donner un caractère arbitraire aux choses; d'unir aux actions ou d'en séparer le bien et le mal, sans consulter que le caprice, on se blâme, on s'accuse, on se suspecte, on se tyrannise, on est envieux, on est jaloux, on se trompe, on s'afflige, on se cache, on dissimule, on s'épie, on se surprend, on se querelle, on ment; les filles en imposent à leurs parents; les femmes à leurs maris; des filles, oui, je n'en doute pas, des filles étoufferont leurs enfants; des pères soupçonneux mépriseront et négligeront les leurs; des mères s'en sépareront et les abandonneront à la merci du sort; et le crime et la débauche se montreront sous toutes sortes de formes. Je sais tout cela, comme si j'avais vécu parmi vous. Cela est, parce que cela doit être; et ta société, dont votre chef vous vante le bel ordre, ne sera qu'un ramas ou d'hypocrites, qui foulent secrètement aux pieds les lois; ou d'infortunés, qui sont eux-mêmes les instruments de leur supplice, en s'y soumettant; ou d'imbéciles, en qui le préjugé a tout à fait étouffé la voix de la nature; ou d'êtres mal organisés, en qui la nature ne réclame pas ses droits.

L'aumônier. — Cela ressemble. Mais vous ne vous mariez donc point?

orou. — Nous nous marions.

L'aumônier. — Qu'est-ce que votre mariage?

orou. — Le consentement d'habiter une même cabane et de coucher dans un même lit, tant que nous nous y trouvons bien.

L'aumônier. — Et lorsque vous vous y trouvez mal?

orou. — Nous nous séparons.

L'aumônier. — Que deviennent vos enfants?

orou. — O étranger! ta dernière question achève de me déceler la profonde misère de ton pays. Sache, mon ami, qu'ici la naissance d'un enfant est toujours un bonheur, et sa mort un sujet de regrets et de larmes. Un enfant est un bien précieux, parce qu'il doit devenir un homme; aussi, en avons-nous un tout autre soin que de nos plantes et de nos animaux. Un enfant qui naît occasionne la joie domestique et publique : c'est un accroissement de fortune pour la cabane et de force pour la nation; ce sont des bras et des mains de plus dans Taïti; nous voyons en lui un agriculteur, un pêcheur, un chasseur, un soldat, un époux, un père. En repassant de la cabane de son mari dans celle de ses parents, une femme emmène avec elle ses enfants qu'elle avait apportés en dot : on partage ceux qui sont nés pendant la cohabitation commune; et l'on compense, autant qu'il est possible, les mâles par les femelles, en sorte qu'il reste à chacun à peu près un nombre égal de filles et de garçons.

L'AUMÔNIER. — Mais des enfants sont longtemps à charge avant que de rendre service.

OROU. — Nous destinons à leur entretien et à la subsistance des vieillards une sixième partie de tous les fruits du pays; ce tribut les suit partout. Ainsi tu vois que plus la famille du Taïtien est nombreuse, plus elle est riche.

L'AUMÔNIER. — Une sixième partie!

OROU. — Oui, c'est un moyen sûr d'encourager la population et d'intéresser au respect de la vieillesse et à la conservation des enfants.

L'AUMÔNIER. — Vos époux se reprennent-ils quelquefois?

OROU. — Très souvent; cependant la durée la plus courte d'un mariage est d'une lune à l'autre.

L'AUMÔNIER. — A moins que la femme ne soit grosse; alors la cohabitation est au moins de neuf mois?

OROU. — Tu te trompes; la paternité, comme le tribut, suit son enfant partout.

L'AUMÔNIER. — Tu m'as parlé d'enfants qu'une femme apporte en dot à son mari.

OROU. — Assurément. Voilà ma fille aînée qui a trois enfants; ils marchent; ils sont sains; ils sont beaux; ils promettent d'être forts : lorsqu'il lui prendra fantaisie de se marier, elle les emmènera; ils sont siens : son mari les recevra avec joie, et sa femme ne lui en serait que plus agréable, si elle était enceinte d'un quatrième.

L'AUMÔNIER. — De lui?

OROU. — De lui, ou d'un autre. Plus nos filles ont d'enfants, plus elles sont recherchées; plus nos garçons

sont vigoureux et beaux, plus ils sont riches : aussi, autant
nous sommes attentifs à préserver les unes des approches
de l'homme, les autres du commerce de la femme, avant
l'âge de fécondité, autant nous les exhortons à produire,
lorsque les garçons sont pubères et les filles nubiles.
Tu ne saurais croire l'importance du service que tu
auras rendu à ma fille Thia, si tu lui as fait un enfant.
Sa mère ne lui dira plus à chaque lune : « Mais Thia, à
quoi penses-tu donc? Tu ne deviens point grosse; tu as
dix-neuf ans; tu devrais avoir déjà deux enfants, et tu
n'en as point. Quel est celui qui se chargera de toi? Si
tu perds ainsi tes jeunes ans, que feras-tu dans ta vieillesse? Thia, il faut que tu aies quelques défauts qui
éloignent de toi les hommes. Corrige-toi, mon enfant :
à ton âge, j'avais été trois fois mère. »

L'AUMÔNIER. — Quelles précautions prenez-vous pour
garder vos filles et vos garçons adolescents?

OROU. — C'est l'objet principal de l'éducation domestique et le point le plus important des mœurs publiques.
Nos garçons, jusqu'à l'âge de vingt-deux ans, deux ou
trois ans au-delà de la puberté, restent couverts d'une
longue tunique, et les reins ceints d'une petite chaîne.
Avant que d'être nubiles, nos filles n'oseraient sortir
sans un voile blanc. Oter sa chaîne, relever son voile
est une faute qui se commet rarement, parce que nous
leur apprenons de bonne heure les fâcheuses conséquences. Mais au moment où le mâle a pris toute sa
force, où les symptômes virils ont de la continuité
et où l'effusion fréquente et la qualité de la liqueur
séminale nous rassurent; au moment où la jeune fille

se fane, s'ennuie, est d'une maturité propre à concevoir des désirs, à en inspirer et à les satisfaire avec utilité, le père détache la chaîne à son fils et lui coupe l'ongle du doigt du milieu de la main droite. La mère relève le voile de sa fille. L'un peut solliciter une femme, et en être sollicité; l'autre, se promener publiquement le visage découvert et la gorge nue, accepter ou refuser les caresses d'un homme. On indique seulement d'avance, au garçon les filles, à la fille les garçons, qu'ils doivent préférer. C'est une grande fête que celle de l'émancipation d'une fille ou d'un garçon. Si c'est une fille, la veille, les jeunes garçons se rassemblent autour de la cabane, et l'air retentit pendant toute la nuit du chant des voix et du son des instruments. Le jour, elle est conduite par son père et par sa mère dans une enceinte où l'on danse et où l'on fait l'exercice du saut, de la lutte et de la course. On déploie l'homme nu devant elle, sous toutes les faces et dans toutes les attitudes. Si c'est un garçon, ce sont les jeunes filles qui font en sa présence les frais et les honneurs de la fête et exposent à ses regards la femme nue, sans réserve et sans secret. Le reste de la cérémonie s'achève sur un lit de feuilles, comme tu l'as vu à ta descente parmi nous. A la chute du jour, la fille rentre dans la cabane de ses parents, ou passe dans la cabane de celui dont elle a fait choix et elle y reste tant qu'elle s'y plaît.

L'AUMÔNIER. — Ainsi cette fête est ou n'est point un jour de mariage?

OROU. — Tu l'as dit...

A. — Qu'est-ce que je vois là en marge?

B. — C'est une note, où le bon aumônier dit que les préceptes des parents sur le choix des garçons et des filles étaient pleins de bon sens et d'observations très fines et très utiles; mais qu'il a supprimé ce catéchisme, qui aurait paru à des gens aussi corrompus et aussi superficiels que nous, d'une licence impardonnable; ajoutant toutefois que ce n'était pas sans regret qu'il avait retranché des détails où l'on aurait vu, première-ment, jusqu'où une nation, qui s'occupe sans cesse d'un objet important, peut être conduite dans ses recherches, sans les secours de la physique et de l'ana-tomie; secondement, la différence des idées de la beauté dans une contrée où l'on rapporte les formes au plaisir d'un moment, et chez un peuple où elles sont appréciées d'après une utilité plus constante. Là, pour être belle, on exige un teint éclatant, un grand front, de grands yeux, des traits fins et délicats, une taille légère, une petite bouche, de petites mains, un petit pied. Ici, presque aucun de ces éléments n'entre en calcul. La femme sur laquelle les regards s'attachent et que le désir poursuit est celle qui promet beaucoup d'enfants, la femme du cardinal d'Ossat, et qui les promet actifs, intelligents, courageux, sains et robustes. Il n'y a presque rien de commun entre la Vénus d'Athènes et celle de Taïti; l'une est Vénus galante, l'autre est Vénus féconde. Une Taïtienne disait un jour avec mépris à une femme du pays : « Tu es belle, mais tu fais de laids enfants; je suis laide, mais je fais de beaux enfants, et c'est moi que les hommes préfèrent. »

Après cette note de l'aumônier, Orou continue :

A. — Avant que de reprendre son discours, j'ai une prière à vous faire, c'est de me rappeler une aventure arrivée dans la Nouvelle-Angleterre.

B. — La voici. Une fille, Miss Polly Baker, devenue grosse pour la cinquième fois, fut traduite devant le tribunal de justice de Connecticut, près de Boston. La loi condamne toutes les personnes du sexe qui ne doivent le titre de mère qu'au libertinage à une amende, ou à une punition corporelle lorsqu'elles ne peuvent payer l'amende. Miss Polly, en entrant dans la salle où les juges étaient assemblés, leur tint ce discours : « Permettez-moi, messieurs, de vous adresser quelques mots. Je suis une fille malheureuse et pauvre, je n'ai pas le moyen de payer des avocats pour prendre ma défense, et je ne vous retiendrai pas longtemps. Je ne me flatte pas que dans la sentence que vous allez pro-noncer vous vous écartiez de la loi; ce que j'ose espérer, c'est que vous daignerez implorer pour moi les bontés du gouvernement et obtenir qu'il me dispense de l'amende. Voici la cinquième fois, Messieurs, que je parais devant vous pour le même sujet; deux fois j'ai payé des amendes onéreuses, deux fois j'ai subi une punition publique et honteuse parce que je n'ai pas été en état de payer. Cela peut être conforme à la loi, je ne le conteste point; mais il y a quelquefois des lois injustes, et on les abroge; il y en a aussi de trop sévères, et la puissance législatrice peut dispenser de leur exécution. J'ose dire que celle qui me condamne est à la fois injuste en elle-même et trop sévère envers moi. Je n'ai jamais offensé personne dans le lieu où je vis, et je défie mes ennemis, si j'en ai quelques-uns, de pouvoir prouver que j'ai fait le moindre tort à un homme, à une femme, à un enfant. Permettez-moi d'oublier un moment que la loi existe, alors je ne conçois pas quel peut être mon crime; j'ai mis cinq beaux enfants au monde, au péril de ma vie, je les ai nourris de mon lait, je les ai soutenus par mon travail; et j'aurais fait davantage pour eux, si je n'avais pas payé des amendes qui m'en ont ôté les moyens. Est-ce un crime d'augmenter les sujets de Sa Majesté dans une nouvelle contrée qui manque d'habitants? Je n'ai enlevé aucun mari à sa femme, ni débauché aucun jeune homme; jamais on ne m'a accusée de ces procédés coupables, et si quelqu'un se plaint de moi, ce ne peut être que le ministre à qui je n'ai point payé de droits de mariage. Mais est-ce ma faute? J'en appelle à vous, Messieurs; vous me supposez sûrement assez de bon sens pour être persuadés que je préférerais l'honorable état de femme à la condition honteuse dans laquelle j'ai vécu jusqu'à présent. J'ai toujours désiré et je désire encore de me marier, et je ne crains point de dire que j'aurais la bonne conduite, l'industrie et l'économie convenables à une femme, comme j'en ai la fécondité. Je défie qui que ce soit de dire que j'aie refusé de m'engager dans cet état. Je consentis à la première et seule proposition qui m'en ait été faite; j'étais vierge encore; j'eus la simplicité de confier mon honneur à un homme qui n'en avait point; il me fit mon premier enfant et m'abandonna. Cet homme, vous le connaissez tous : il est actuellement

magistrat comme vous et s'assied à vos côtés; j'avais
espéré qu'il paraîtrait aujourd'hui au tribunal et qu'il
aurait intéressé votre pitié en ma faveur, en faveur
d'une malheureuse qui ne l'est que par lui; alors j'aurais été incapable de l'exposer à rougir en rappelant
ce qui s'est passé entre nous. Ai-je tort de me plaindre
aujourd'hui de l'injustice des lois? La première cause
de mes égarements, mon séducteur, est élevé au pouvoir
et aux honneurs par ce même gouvernement qui punit
mes malheurs par le fouet et par l'infamie. On me
répondra que j'ai transgressé les préceptes de la religion; si mon offense est contre Dieu, laissez-lui le soin
de m'en punir; vous m'avez déjà exclue de la communion de l'Église, cela ne suffit-il pas? Pourquoi au supplice de l'enfer, que vous croyez m'attendre dans l'autre
monde, ajoutez-vous dans celui-ci les amendes et le
fouet? Pardonnez, Messieurs, ces réflexions; je ne suis
point un théologien, mais j'ai peine à croire que ce
me soit un grand crime d'avoir donné le jour à de
beaux enfants que Dieu a doués d'âmes immortelles et
qui l'adorent. Si vous faites des lois qui changent la
nature des actions et en font des crimes, faites-en contre
les célibataires dont le nombre augmente tous les jours,
qui portent la séduction et l'opprobre dans les familles,
qui trompent les jeunes filles comme je l'ai été, et qui
les forcent à vivre dans l'état honteux dans lequel je
vis au milieu d'une société qui les repousse et les
méprise. Ce sont eux qui troublent la tranquillité
publique; voilà des crimes qui méritent plus que le
mien l'animadversion des lois. »

Ce discours singulier produisit l'effet qu'en attendait Miss Baker; ses juges lui remirent l'amende et la peine qui en tient lieu. Son séducteur, instruit de ce qui s'était passé, sentit le remords de sa première conduite : il voulut la réparer; deux jours après il épousa Miss Baker, et fit une honnête femme de celle dont cinq ans auparavant il avait fait une fille publique.

A. — Et ce n'est pas là un conte de votre invention?

B. — Non.

A. — J'en suis bien aise.

B. — Je ne sais si l'abbé Raynal ne rapporte pas le fait et le discours dans son *Histoire du Commerce des deux Indes*.

A. — Ouvrage excellent et d'un ton si différent des précédents qu'on a soupçonné l'abbé d'y avoir employé des mains étrangères.

B. — C'est une injustice.

A. — Ou une méchanceté. On dépèce le laurier qui ceint la tête d'un grand homme et on le dépèce si bien qu'il ne lui en reste plus qu'une feuille.

B. — Mais le temps rassemble les feuilles éparses et refait la couronne.

A. — Mais l'homme est mort; il a souffert de l'injure qu'il a reçue de ses contemporains, et il est insensible à la réparation qu'il obtient de la postérité.

IV

OROU. — L'heureux moment pour une jeune fille et pour ses parents, que celui où sa grossesse est constatée! Elle se lève; elle accourt; elle jette ses bras autour du cou de sa mère et de son père; c'est avec des transports d'une joie mutuelle, qu'elle leur annonce et qu'ils apprennent cet événement. « Maman! mon papa! embrassez-moi; je suis grosse! — Est-il bien vrai? — Très vrai. — Et de qui l'êtes-vous? — Je le suis d'un tel... »

L'AUMÔNIER. — Comment peut-elle nommer le père de son enfant?

OROU. — Pourquoi veux-tu qu'elle l'ignore? Il en est de la durée de nos amours comme de celle de nos mariages; elle est au moins d'une lune à la lune suivante.

L'AUMÔNIER. — Et cette règle est bien scrupuleusement observée?

OROU. — Tu vas en juger. D'abord, l'intervalle de deux lunes n'est pas long; mais lorsque deux pères ont une prétention bien fondée à la formation d'un enfant, il n'appartient plus à sa mère.

L'AUMÔNIER. — A qui appartient-il donc?

OROU. — A celui des deux à qui il lui plaît de le donner; voilà tout son privilège : et un enfant étant par lui-même un objet d'intérêt et de richesse, tu conçois que, parmi nous, les libertines sont rares, et que les jeunes garçons s'en éloignent.

L'AUMÔNIER. — Vous avez donc aussi vos libertines? J'en suis bien aise.

OROU. — Nous en avons même de plus d'une sorte : mais tu m'écartes de mon sujet. Lorsqu'une de nos filles est grosse, si le père de l'enfant est un jeune homme beau, bien fait, brave, intelligent et laborieux, l'espérance que l'enfant héritera des vertus de son père renouvelle l'allégresse. Notre enfant n'a honte que d'un mauvais choix. Tu dois concevoir quel prix nous attachons à la santé, à la beauté, à la force, à l'industrie, au courage; tu dois concevoir comment, sans que nous nous en mêlions, les prérogatives du sang doivent s'éterniser parmi nous. Toi qui as parcouru différentes contrées, dis-moi si tu as remarqué dans aucune autant de beaux hommes et autant de belles femmes que dans Taïti! Regarde-moi : comment me trouves-tu? Eh bien! il y a dix mille hommes ici plus grands, aussi robustes; mais pas un plus brave que moi; aussi les mères me désignent-elles souvent à leurs filles.

L'AUMÔNIER. — Mais de tous ces enfants que tu peux avoir faits hors de ta cabane, que t'en revient-il?

OROU. — Le quatrième, mâle ou femelle. Il s'est établi parmi nous une circulation d'hommes, de femmes et d'enfants, ou de bras de tout âge et de toute fonction qui est bien d'une autre importance que celle de vos denrées qui n'en sont que le produit.

L'AUMÔNIER. — Je le conçois. Qu'est-ce que c'est que ces voiles noirs que j'ai rencontrés quelquefois?

OROU. — Le signe de la stérilité, vice de naissance, ou suite de l'âge avancé. Celle qui quitte ce voile et se mêle avec les hommes est une libertine, celui qui relève ce voile et s'approche de la femme stérile est un libertin.

L'AUMÔNIER. — Et ces voiles gris?

OROU. — Le signe de la maladie périodique. Celle qui quitte ce voile et se mêle avec les hommes est une libertine; celui qui le relève et s'approche de la femme est un libertin.

L'AUMÔNIER. — Avez-vous des châtiments pour ce libertinage?

OROU. — Point d'autres que le blâme.

L'AUMÔNIER. — Un père peut-il coucher avec sa fille, une mère avec son fils, un frère avec sa sœur, un mari avec la femme d'un autre?

OROU. — Pourquoi non?

L'AUMÔNIER. — Passe pour la fornication; mais l'inceste, mais l'adultère!

OROU. — Qu'est-ce que tu veux dire avec tes mots, *fornication, inceste, adultère?*

L'AUMÔNIER. — Des crimes, des crimes énormes, pour l'un desquels l'on brûle dans mon pays.

OROU. — Qu'on brûle ou qu'on ne brûle pas dans ton pays, peu m'importe. Mais tu n'accuseras pas les mœurs d'Europe par celles de Taïti, ni par conséquent les mœurs de Taïti par celles de ton pays : il nous faut une règle plus sûre; et quelle sera cette règle? En connais-tu une autre que le bien général et l'utilité particulière? A présent, dis-moi ce que ton crime *inceste* a de contraire à ces deux fins de nos actions? Tu te trompes, mon ami, si tu crois qu'une loi une fois publiée, un mot ignominieux inventé, un supplice décerné, tout est dit. Réponds-moi donc, qu'entends-tu par *inceste?*

L'AUMÔNIER. — Mais un *inceste*...

OROU. — Un *inceste*... Y a-t-il longtemps que ton grand ouvrier sans tête, sans mains et sans outils, a fait le monde?

L'AUMÔNIER. — Non.

OROU. — Fit-il toute l'espèce humaine à la fois?

L'AUMÔNIER. — Il créa seulement une femme et un homme.

OROU. — Eurent-ils des enfants?

L'AUMÔNIER. — Assurément.

OROU. — Suppose que ces deux premiers parents n'aient eu que des filles, et que leur mère soit morte la première; ou qu'ils n'aient eu que des garçons, et que la femme ait perdu son mari.

L'AUMÔNIER. — Tu m'embarrasses; mais tu as beau dire, l'*inceste* est un crime abominable, et parlons d'autre chose.

OROU. — Cela te plaît à dire; je me tais, moi, tant que tu ne m'auras pas dit ce que c'est que le crime abominable d'*inceste*.

L'AUMÔNIER. — Eh bien! je t'accorde que peut-être l'*inceste* ne blesse en rien la nature; mais ne suffit-il pas qu'il menace la constitution politique? Que deviendraient la sûreté d'un chef et la tranquillité d'un État, si toute une nation composée de plusieurs millions d'hommes se trouvait rassemblée autour d'une cinquantaine de pères de famille.

OROU. — Le pis aller, c'est qu'où il n'y a qu'une grande société, il y en aurait cinquante petites, plus de bonheur et un crime de moins.

L'AUMÔNIER. — Je crois cependant que, même ici, un fils couche rarement avec sa mère.

OROU. — A moins qu'il n'ait beaucoup de respect pour elle, et une tendresse qui lui fasse oublier la disparité d'âge, et préférer une femme de quarante ans à une fille de dix-neuf.

L'AUMÔNIER. — Et le commerce des pères avec leurs filles?

OROU. — Guère plus fréquent, à moins que la fille ne soit laide et peu recherchée. Si son père l'aime, il s'occupe à lui préparer sa dot en enfants.

L'AUMÔNIER. — Cela me fait imaginer que le sort des femmes que la nature a disgraciées ne doit pas être heureux dans Taïti.

OROU. — Cela me prouve que tu n'as pas une haute opinion de la générosité de nos jeunes gens.

L'AUMÔNIER. — Pour les unions de frères et de sœurs, je ne doute pas qu'elles ne soient très communes.

OROU. — Et très approuvées.

L'AUMÔNIER. — A t'entendre, cette passion, qui produit tant de crimes et de maux dans nos contrées, serait ici tout à fait innocente.

OROU. — Étranger! tu manques de jugement et de mémoire : de jugement, car, partout où il y a défense, il faut qu'on soit tenté de faire la chose défendue et qu'on la fasse : de mémoire, puisque tu ne te souviens plus de ce que je t'ai dit. Nous avons de vieilles dissolues, qui sortent la nuit sans leur voile noir, et reçoivent des hommes, lorsqu'il ne peut rien résulter de leur approche; si elles sont reconnues ou surprises, l'exil au

nord de l'île, ou l'esclavage, est leur châtiment; des
filles précoces, qui relèvent leur voile blanc à l'insu de
leurs parents, et nous avons pour elles un lieu fermé
dans la cabane; des jeunes hommes, qui déposent leur
chaîne avant le temps prescrit par la nature et par la
loi et nous en réprimandons leurs parents; des femmes
à qui le temps de la grossesse paraît long; des femmes
et des filles peu scrupuleuses à garder leur voile gris;
mais dans le fait, nous n'attachons pas une grande importance à toutes ces fautes; et tu ne saurais croire
combien l'idée de richesse particulière ou publique,
unie dans nos têtes à l'idée de population, épure nos
mœurs sur ce point.

L'AUMÔNIER. — La passion de deux hommes pour
une même femme, ou le goût de deux femmes ou de
deux filles pour un même homme, n'occasionnent-ils
point de désordres?

OROU. — Je n'en ai pas vu quatre exemples : le choix
de la femme ou celui de l'homme finit tout. La violence
d'un homme serait une faute grave; mais il faut une
plainte publique, et il est presque inouï qu'une fille ou
qu'une femme se soit plainte. La seule chose que j'ai
remarquée, c'est que nos femmes ont moins de pitié des
hommes laids, que nos jeunes gens des femmes disgraciées; et nous n'en sommes pas fâchés.

L'AUMÔNIER. — Vous ne connaissez guère la jalousie,
à ce que je vois; mais la tendresse maritale, l'amour
maternel, ces deux sentiments si puissants et si doux,
s'ils ne sont pas étrangers ici, y doivent être assez
faibles.

OROU. — Nous y avons suppléé par un autre, qui est tout autrement général, énergique et durable, l'intérêt. Mets la main sur ta conscience; laisse là cette fanfaronnade de vertu, qui est sans cesse sur les lèvres de tes camarades, et qui ne réside pas au fond de leur cœur. Dis-moi si, dans quelque contrée que ce soit, il y a un père qui, sans la honte qui le retient, n'aimât mieux perdre son enfant, un mari qui n'aimât mieux perdre sa femme, que sa fortune et l'aisance de toute sa vie. Sois sûr que partout où l'homme sera attaché à la conservation de son semblable comme à son lit, à sa santé, à son repos, à sa cabane, à ses fruits, à ses champs, il fera pour lui tout ce qu'il est possible de faire. C'est ici que les pleurs trempent la couche d'un enfant qui souffre; c'est ici que les mères sont soignées dans la maladie; c'est ici qu'on prise une femme féconde, une fille nubile, un garçon adolescent; c'est ici qu'on s'occupe de leur institution, parce que leur conservation est toujours un accroissement et leur perte toujours une diminution de fortune.

L'AUMÔNIER. — Je crains bien que ce sauvage n'ait raison. Le paysan misérable de nos contrées, qui excède sa femme pour soulager son cheval, laisse périr son enfant sans secours, et appelle le médecin pour son bœuf...

OROU. — Je n'entends pas trop ce que tu viens de dire; mais, à ton retour dans ta patrie si policée, tâche d'y introduire ce ressort; et c'est alors qu'on y sentira le prix de l'enfant qui naît, et l'importance de la population. Veux-tu que je te révèle un secret? mais prends garde qu'il ne t'échappe. Vous arrivez : nous vous abandonnons nos femmes et nos filles; vous vous en étonnez; vous nous en témoignez une gratitude qui nous fait rire; vous nous remerciez, lorsque nous asseyons sur toi et sur tes compagnons la plus forte de toutes les impositions. Nous ne t'avons point demandé d'argent; nous ne nous sommes point jetés sur tes marchandises; nous avons méprisé tes denrées : mais nos femmes et nos filles sont venues exprimer le sang de tes veines. Quand tu t'éloigneras, tu nous auras laissé des enfants : ce tribut levé sur ta personne, sur ta propre substance, à ton avis, n'en vaut-il pas un autre? Et si tu veux en apprécier la valeur, imagine que tu aies deux cents lieues de côtes à courir, et qu'à chaque vingt milles on te mette à pareille contribution. Nous avons des terres immenses en friche; nous manquons de bras; et nous t'en avons demandé. Nous avons des calamités épidémiques à réparer; et nous t'avons employé à réparer le vide qu'elles laisseront. Nous avons des ennemis voisins à combattre, un besoin de soldats; et nous t'avons prié de nous en faire : le nombre de nos femmes et de nos filles est trop grand pour celui des hommes; et nous t'avons associé à notre tâche. Parmi ces femmes et ces filles, il y en a dont nous n'avons jamais pu obtenir d'enfants; et ce sont celles que nous avons exposées à vos premiers embrassements. Nous avons à payer une redevance en hommes à un voisin oppresseur; c'est toi et tes camarades qui nous défrayeront; et dans cinq à six ans, nous lui enverrons vos fils, s'ils valent moins que les nôtres. Plus robustes, plus sains que vous, nous nous sommes aperçus au premier coup d'œil que vous nous surpassiez en intelligence et, sur-le-champ, nous avons destiné quelques-unes de nos femmes et de nos filles les plus belles à recueillir la semence d'une race meilleure que la nôtre. C'est un essai que nous avons tenté, et qui pourra nous réussir. Nous avons tiré de toi et des tiens le seul parti que nous en pouvions tirer : et crois que, tout sauvages que nous sommes, nous savons aussi calculer. Va où tu voudras; et tu trouveras presque toujours l'homme aussi fin que toi. Il ne te donnera jamais que ce qui ne lui est bon à rien, et te demandera toujours ce qui lui est utile. S'il te présente un morceau d'or pour un morceau de fer, c'est qu'il ne fait aucun cas de l'or, et qu'il prise le fer. Mais dis-moi donc pourquoi tu n'es pas vêtu comme les autres? Que signifie cette casaque longue qui t'enveloppe de la tête aux pieds, et ce sac pointu que tu laisses tomber sur tes épaules, ou que tu ramènes sur tes oreilles?

L'AUMÔNIER. — C'est que, tel que tu me vois, je me suis engagé dans une société d'hommes qu'on appelle, dans mon pays, des moines. Le plus sacré de leurs vœux est de n'approcher d'aucune femme, et de ne point faire d'enfants.

OROU. — Que faites-vous donc?

L'AUMÔNIER. — Rien.

OROU. — Et ton magistrat souffre cette espèce de paresseux, la pire de toutes?

L'AUMÔNIER. — Il fait plus; il la respecte et la fait respecter.

orou. — Ma première pensée était que la nature, quelque accident, ou un art cruel vous avait privés de la faculté de produire votre semblable; et que, par pitié, on aimait mieux vous laisser vivre que de vous tuer. Mais, moine, ma fille m'a dit que tu étais un homme, et un homme aussi robuste qu'un Taïtien, et qu'elle espérait que tes caresses réitérées ne seraient pas infructueuses. A présent que j'ai compris pourquoi tu t'es écrié hier au soir : *Mais ma religion! mais mon état!* pourrais-tu m'apprendre le motif de la faveur et du respect que les magistrats vous accordent?

l'aumônier. — Je l'ignore.

orou. — Tu sais au moins par quelle raison, étant homme, tu t'es librement condamné à ne le pas être?

l'aumônier. — Cela serait trop long et trop difficile à t'expliquer.

orou. — Et ce vœu de stérilité, le moine y est-il bien fidèle?

l'aumônier. — Non.

orou. — J'en étais sûr. Avez-vous aussi des moines femelles?

l'aumônier. — Oui.

orou. — Aussi sages que les moines mâles?

l'aumônier. — Plus renfermées, elles sèchent de douleur, périssent d'ennui.

orou. — Et l'injure faite à la nature est vengée. Oh! le vilain pays! Si tout y est ordonné comme ce que tu m'en dis, vous êtes plus barbares que nous.

Le bon aumônier raconte qu'il passa le reste de la journée à parcourir l'île, à visiter les cabanes, et que le

soir, après avoir soupé, le père et la mère l'ayant sup-
plié de coucher avec la seconde de leurs filles, Palli
s'était présentée dans le même déshabillé que Thia, et
qu'il s'était écrié plusieurs fois pendant la nuit : *Mais
ma religion! mais mon état!* que la troisième nuit il avait
été agité des mêmes remords avec Asto l'aînée, et que
la quatrième nuit il l'avait accordée par honnêteté à
la femme de son hôte.

A. — J'estime cet aumônier poli.

B. — Et moi, beaucoup davantage les mœurs des
Taïtiens, et le discours d'Orou.

v

SUITE DU DIALOGUE ENTRE A ET B

A. — Quoiqu'un peu modelé à l'européenne.

B. — Je n'en doute pas.

Ici le bon aumônier se plaint de la brièveté de
son séjour dans Taïti, et de la difficulté de mieux
connaître les usages d'un peuple assez sage pour s'être
arrêté de lui-même à la médiocrité, ou assez heureux
pour habiter un climat dont la fertilité lui assurait un
long engourdissement, assez actif pour s'être mis à
l'abri des besoins absolus de la vie, et assez indolent
pour que son innocence, son repos et sa félicité n'eussent
rien à redouter d'un progrès trop rapide de ses lumières.

Rien n'y était mal par l'opinion ou par la loi, que ce qui était mal de sa nature. Les travaux et les récoltes s'y faisaient en commun. L'acception du mot *propriété* y était très étroite; la passion de l'amour, réduite à un simple appétit physique, n'y produisait aucun de nos désordres. L'île entière offrait l'image d'une seule famille nombreuse, dont chaque cabane représentait les divers appartements d'une de nos grandes maisons. Il finit par protester que ces Taïtiens seront toujours présents à sa mémoire, qu'il avait été tenté de jeter ses vêtements dans le vaisseau et de passer le reste de ses jours parmi eux, et qu'il craint bien de se repentir plus d'une fois de ne l'avoir pas fait.

A. — Malgré cet éloge, quelles conséquences utiles à tirer des mœurs et des usages bizarres d'un peuple non civilisé?

B. — Je vois qu'aussitôt que quelques causes physiques, telles, par exemple, que la nécessité de vaincre l'ingratitude du sol, ont mis en jeu la sagacité de l'homme, cet élan le conduit bien au-delà du but, et que, le terme du besoin passé, on est porté dans l'océan sans bornes des fantaisies, d'où l'on ne se tire plus. Puisse l'heureux Taïtien s'arrêter où il en est! Je vois qu'excepté dans ce recoin écarté de notre globe, il n'y a point eu de mœurs, et qu'il n'y en aura peut-être jamais nulle part.

A. — Qu'entendez-vous donc par des mœurs?

B. — J'entends une soumission générale et une conduite conséquente à des lois bonnes ou mauvaises. Si les lois sont bonnes, les mœurs sont bonnes; si les lois

sont mauvaises, les mœurs sont mauvaises; si les lois,
bonnes ou mauvaises, ne sont point observées, la pire
condition d'une société, il n'y a point de mœurs. Or,
comment voulez-vous que des lois s'observent quand
elles se contredisent? Parcourez l'histoire des siècles
et des nations tant anciennes que modernes, et vous
trouverez les hommes assujettis à trois codes, le code
de la nature, le code civil, et le code religieux, et
contraints d'enfreindre alternativement ces trois codes
qui n'ont jamais été d'accord; d'où il est arrivé qu'il
n'y a eu dans aucune contrée, comme Orou le devine
de la nôtre, ni homme, ni citoyen, ni religieux.

A. — D'où vous concluez, sans doute, qu'en fon-
dant la morale sur les rapports éternels, qui subsistent
entre les hommes, la loi religieuse devient peut-être
superflue; et que la loi civile ne doit être que l'énon-
ciation de la loi de nature.

B. — Et cela, sous peine de multiplier les méchants,
au lieu de faire de bons.

A. — Ou que, si l'on juge nécessaire de les conserver
toutes trois, il faut que les deux dernières ne soient que
des calques rigoureux de la première, que nous apportons gravée au fond de nos cœurs, et qui sera toujours
la plus forte.

B. — Cela n'est pas exact. Nous n'apportons en
naissant qu'une similitude d'organisation avec d'autres
êtres, les mêmes besoins, de l'attrait vers les mêmes
plaisirs, une aversion commune pour les mêmes peines,
ce qui constitue l'homme ce qu'il est, et doit fonder
la morale qui lui convient.

A. — Cela n'est pas aisé.

B. — Cela n'est pas si difficile, que je croirais volontiers le peuple le plus sauvage de la terre, le Taïtien qui s'en est tenu scrupuleusement à la loi de nature, plus voisin d'une bonne législation qu'aucun peuple civilisé.

A. — Parce qu'il lui est plus facile de se défaire de son trop de rusticité, qu'à nous de revenir sur nos pas et de réformer nos abus.

B. — Surtout ceux qui tiennent à l'union de l'homme avec la femme.

A. — Cela se peut. Mais commençons par le commencement. Interrogeons bonnement la nature, et voyons sans partialité ce qu'elle nous répondra sur ce point.

B. — J'y consens.

A. — Le mariage est-il dans la nature?

B. — Si vous entendez par le mariage la préférence qu'une femelle accorde à un mâle sur tous les autres mâles, ou celle qu'un mâle donne à une femelle sur toutes les autres femelles; préférence mutuelle, en conséquence de laquelle il se forme une union plus ou moins durable, qui perpétue l'espèce par la reproduction des individus, le mariage est dans la nature.

A. — Je le pense comme vous; car cette préférence se remarque non seulement dans l'espèce humaine, mais encore dans les autres espèces d'animaux : témoin ce nombreux cortège de mâles qui poursuivent une même femelle au printemps dans nos campagnes, et dont un seul obtient le titre de mari. Et la galanterie?

B. — Si vous entendez par galanterie cette variété de moyens énergiques ou délicats que la passion inspire, soit au mâle, soit à la femelle, pour obtenir cette préférence qui conduit à la plus douce, la plus importante et la plus générale des jouissances, la galanterie est dans la nature.

A. — Je le pense comme vous. Témoin toute cette diversité de gentillesses pratiquées par le mâle pour plaire à la femelle; et par la femelle pour irriter la passion et fixer le goût du mâle. Et la coquetterie?

B. — C'est un mensonge qui consiste à simuler une passion qu'on ne sent pas, et à promettre une préférence qu'on n'accordera point. Le mâle coquet se joue de la femelle; la femelle coquette se joue du mâle : jeu perfide qui amène quelquefois les catastrophes les plus funestes; manège ridicule, dont le trompeur et le trompé sont également châtiés par la perte des instants les plus précieux de leur vie.

A. — Ainsi la coquetterie, selon vous, n'est pas dans la nature?

B. — Je ne dis pas cela.

A. — Et la constance?

B. — Je ne vous en dirai rien de mieux que ce qu'en a dit Orou à l'aumônier. Pauvre vanité de deux enfants qui s'ignorent eux-mêmes, et que l'ivresse d'un instant aveugle sur l'instabilité de tout ce qui les entoure!

A. — Et la fidélité, ce rare phénomène?

B. — Presque toujours l'entêtement et le supplice de l'honnête homme et de l'honnête femme dans nos contrées; chimères à Taïti.

A. — La jalousie?

B. — Passion d'un animal indigent et avare qui craint de manquer; sentiment injuste de l'homme; conséquence de nos fausses mœurs, et d'un droit de propriété étendu sur un objet sentant, pensant, voulant, et libre.

A. — Ainsi la jalousie, selon vous, n'est pas dans la nature?

B. — Je ne dis pas cela. Vices et vertus, tout est également dans la nature.

A. — Le jaloux est sombre.

B. — Comme le tyran, parce qu'il en a la conscience.

A. — La pudeur?

B. — Mais vous m'engagez là dans un cours de morale galante. L'homme ne veut être ni troublé ni distrait dans ses jouissances. Celles de l'amour sont suivies d'une faiblesse qui l'abandonnerait à la merci de son ennemi. Voilà tout ce qu'il pourrait y avoir de naturel dans la pudeur : le reste est d'institution. L'aumônier remarque, dans un troisième morceau, que je ne vous ai point lu, que le Taïtien ne rougit pas des mouvements involontaires qui s'excitent en lui à côté de sa femme, au milieu de ses filles; et que celles-ci en sont spectatrices, quelquefois émues, jamais embarrassées. Aussitôt que la femme devint la propriété de l'homme, et que la jouissance furtive fut regardée comme un vol, on vit naître les termes *pudeur, retenue, bienséance;* des vertus et des vices imaginaires; en un mot, entre les deux sexes des barrières qui empêchassent de s'inviter réciproquement à la violation des lois qu'on leur avait imposées, et qui produisirent souvent un effet contraire, en échauffant l'imagination et en irritant les désirs. Lorsque je vois des arbres plantés autour de nos palais, et un vêtement de cou qui cache et montre une partie de la gorge d'une femme, il me semble reconnaître un retour secret vers la forêt, et un appel à la liberté première de notre ancienne demeure. Le Taïtien nous dirait : Pourquoi te caches-tu? de quoi es-tu honteuse? fais-tu le mal, quand tu cèdes à l'impulsion la plus auguste de la nature? Homme, présente-toi franchement si tu plais. Femme, si cet homme te convient, reçois-le avec la même franchise.

A. — Ne vous fâchez pas. Si nous débutons comme des hommes civilisés, il est rare que nous ne finissions pas comme le Taïtien.

B. — Oui, mais ces préliminaires de convention consument la moitié de la vie d'un homme de génie.

A. — J'en conviens; mais qu'importe, si cet élan pernicieux de l'esprit humain, contre lequel vous vous êtes récrié tout à l'heure, en est d'autant ralenti? Un philosophe de nos jours, interrogé pourquoi les hommes faisaient la cour aux femmes, et non les femmes aux hommes, répondit qu'il était naturel de demander à celui qui pouvait toujours accorder.

B. — Cette raison m'a paru de tout temps plus ingénieuse que solide. La nature indécente, si vous voulez, presse indistinctement un sexe vers l'autre : et dans un état de l'homme triste et sauvage qui se conçoit, mais qui peut-être n'existe nulle part...

A. — Pas même à Taïti?

B. — Non... l'intervalle qui séparerait un homme
d'une femme serait franchi par le plus amoureux. S'ils
s'attendent, s'ils se fuient, s'ils se poursuivent, s'ils
s'évitent, s'ils s'attaquent, s'ils se défendent, c'est que la
passion, inégale dans ses progrès, ne s'explique pas en
eux de la même force. D'où il arrive que la volupté se
répand, se consomme et s'éteint d'un côté, lorsqu'elle
commence à peine à s'élever de l'autre, et qu'ils en
restent tristes tous deux. Voilà l'image fidèle de ce qui
se passerait entre deux êtres libres, jeunes et parfaitement innocents. Mais lorsque la femme a connu, par
l'expérience ou l'éducation, les suites plus ou moins
cruelles d'un moment doux, son cœur frissonne à l'approche de l'homme. Le cœur de l'homme ne frissonne
point; ses sens commandent, et il obéit. Les sens de la
femme s'expliquent, et elle craint de les écouter. C'est
l'affaire de l'homme que de la distraire de sa crainte,
de l'enivrer et de la séduire. L'homme conserve toute
son impulsion naturelle vers la femme; l'impulsion
naturelle de la femme vers l'homme, dirait un géomètre,
est en raison composée de la directe de la passion et
de l'inverse de la crainte; raison qui se complique
d'une multitude d'éléments divers dans nos sociétés;
éléments qui concourent presque tous à accroître la
pusillanimité d'un sexe et la durée de la poursuite de
l'autre. C'est une espèce de tactique où les ressources
de la défense et les moyens de l'attaque ont marché
sur la même ligne. On a consacré la résistance de
la femme; on a attaché l'ignominie à la violence
de l'homme; violence qui ne serait qu'une injure

légère dans Taïti, et qui devient un crime dans nos cités.

A. — Mais comment est-il arrivé qu'un acte dont le but est si solennel, et auquel la nature nous invite par l'attrait le plus puissant; que le plus grand, le plus doux, le plus innocent des plaisirs soit devenu la source la plus féconde de notre dépravation et de nos maux?

B. — Orou l'a fait entendre dix fois à l'aumônier : écoutez-le donc encore, et tâchez de le retenir.

C'est par la tyrannie de l'homme, qui a converti la possession de la femme en une propriété.

Par les mœurs et les usages, qui ont surchargé de conditions l'union conjugale.

Par les lois civiles, qui ont assujetti le mariage à une infinité de formalités.

Par la nature de notre société, où la diversité des fortunes et des rangs a institué des convenances et des disconvenances.

Par une contradiction bizarre et commune à toutes les sociétés subsistantes, où la naissance d'un enfant, toujours regardée comme un accroissement de richesse pour la nation, est plus souvent et plus sûrement encore un accroissement d'indigence dans la famille.

Par les vues politiques des souverains, qui ont tout rapporté à leur intérêt et à leur sécurité.

Par les institutions religieuses, qui ont attaché les noms de vices et de vertus à des actions qui n'étaient susceptibles d'aucune moralité.

Combien nous sommes loin de la nature et du bonheur! L'empire de la nature ne peut être détruit : on
aura beau le contrarier par des obstacles, il durera.
Écrivez tant qu'il vous plaira sur des tables d'airain,
pour me servir de l'expression du sage Marc-Aurèle,
que le frottement voluptueux de deux intestins est un
crime, le cœur de l'homme sera froissé entre la menace
de votre inscription et la violence de ses penchants.
Mais ce cœur indocile ne cessera de réclamer; et cent
fois, dans le cours de la vie, vos caractères effrayants
disparaîtront à nos yeux. Gravez sur le marbre : Tu
ne mangeras ni de l'ixion, ni du griffon; tu ne connaî-
tras que ta femme; tu ne seras point le mari de ta
sœur : mais vous n'oublierez pas d'accroître les châtiments à proportion de la bizarrerie de vos défenses;
vous deviendrez féroces, et vous ne réussirez point à
me dénaturer.

A. — Que le code des nations serait court, si on le
conformait rigoureusement à celui de la nature! combien d'erreurs et de vices épargnés à l'homme!

B. — Voulez-vous savoir l'histoire abrégée de presque
toute notre misère? La voici. Il existait un homme naturel : on a introduit au-dedans de cet homme un homme
artificiel; et il s'est élevé dans la caverne une guerre
continuelle qui dure toute la vie. Tantôt l'homme
naturel est le plus fort; tantôt il est terrassé par
l'homme moral et artificiel; et, dans l'un et l'autre cas,
le triste monstre est tiraillé, tenaillé, tourmenté, étendu
sur la roue; sans cesse gémissant, sans cesse malheureux, soit qu'un faux enthousiasme de gloire le trans-

porte et l'enivre, ou qu'une fausse ignominie le
courbe et l'abatte. Cependant il est des circonstances
extrêmes qui ramènent l'homme à sa première simplicité.

A. — La misère et la maladie, deux grands exor-
cistes.

B. — Vous les avez nommés. En effet, que deviennent
alors toutes ces vertus conventionnelles? Dans la misère,
l'homme est sans remords; dans la maladie, la femme
est sans pudeur.

A. — Je l'ai remarqué.

B. — Mais un autre phénomène qui ne vous aura pas
échappé davantage, c'est que le retour de l'homme
artificiel et moral suit pas à pas les progrès de l'état de
maladie à l'état de convalescence et de l'état de convalescence à l'état de santé. Le moment où l'infirmité
cesse est celui où la guerre intestine recommence, et
presque toujours avec désavantage pour l'intrus.

A. — Il est vrai. J'ai moi-même éprouvé que l'homme
naturel avait dans la convalescence une vigueur funeste
pour l'homme artificiel et moral. Mais enfin, dites-moi,
faut-il civiliser l'homme, ou l'abandonner à son instinct?

B. — Faut-il vous répondre net?

A. — Sans doute.

B. — Si vous vous proposez d'en être le tyran, civili-
sez-le; empoisonnez-le de votre mieux d'une maladie
contraire à la nature; faites-lui des entraves de toute
espèce; embarrassez ses mouvements de mille obstacles;
attachez-lui des fantômes qui l'effraient; éternisez la
guerre dans la caverne, et que l'homme naturel y soit

toujours enchaîné sous les pieds de l'homme moral. Le voulez-vous heureux et libre? ne vous mêlez pas de ses affaires : assez d'incidents imprévus le conduiront à la lumière et à la dépravation; et demeurez à jamais convaincu que ce n'est pas pour vous, mais pour eux, que ces sages législateurs vous ont pétri et maniéré comme vous l'êtes. J'en appelle à toutes les institutions politiques, civiles et religieuses : examinez-les profondément; et je me trompe fort, ou vous y verrez l'espèce humaine pliée de siècle en siècle au joug qu'une poignée de fripons se promettait de lui imposer. Méfiez-vous de celui qui vient mettre de l'ordre. Ordonner, c'est toujours se rendre le maître des autres en les gênant : et les Calabrais sont presque les seuls à qui la flatterie des législateurs n'en ait point encore imposé.

A. — Et cette anarchie de la Calabre vous plaît?

B. — J'en appelle à l'expérience; et je gage que leur barbarie est moins vicieuse que notre urbanité. Combien de petites scélératesses compensent ici l'atrocité de quelques grands crimes dont on fait tant de bruit! Je considère les hommes non civilisés comme une multitude de ressorts épars et isolés. Sans doute, s'il arrivait à quelques-uns de ces ressorts de se choquer, l'un ou l'autre, ou tous les deux, se briseraient. Pour obvier à cet inconvénient, un individu d'une sagesse profonde et d'un génie sublime rassembla ces ressorts et en composa une machine, et dans cette machine appelée société, tous les ressorts furent rendus agissants, réagissant les uns contre les autres, sans cesse fatigués; et il

s'en rompit plus dans un jour, sous l'état de législation, qu'il ne s'en rompait en un an sous l'anarchie
de nature. Mais quel fracas! quel ravage! quelle énorme
destruction des petits ressorts, lorsque deux, trois,
quatre de ces énormes machines vinrent à se heurter
avec violence!

A. — Ainsi vous préféreriez l'état de nature brute et
sauvage?

B. — Ma foi, je n'oserais prononcer; mais je sais
qu'on a vu plusieurs fois l'homme des villes se dépouiller et rentrer dans la forêt, et qu'on n'a jamais vu
l'homme de la forêt se vêtir et s'établir dans la ville.

A. — Il m'est venu souvent dans la pensée que la
somme des biens et des maux était variable pour chaque
individu; mais que le bonheur ou le malheur d'une espèce animale quelconque avait sa limite qu'elle ne
pouvait franchir, et que peut-être nos efforts nous
rendaient en dernier résultat autant d'inconvénient que
d'avantage; en sorte que nous nous étions bien tour-
mentés pour accroître les deux membres d'une équa-
tion, entre lesquels il subsistait une éternelle et nécessaire
égalité. Cependant je ne doute pas que la vie moyenne
de l'homme civilisé ne soit plus longue que la vie
moyenne de l'homme sauvage.

B. — Et si la durée d'une machine n'est pas une juste
mesure de son plus ou moins de fatigue, qu'en
concluez-vous?

A. — Je vois qu'à tout prendre, vous inclineriez à
croire les hommes d'autant plus méchants et plus malheureux qu'ils sont plus civilisés?

B. — Je ne parcourrai pas toutes les contrées de l'univers; mais je vous avertis seulement que vous ne trouverez la condition de l'homme heureuse que dans Taïti, et supportable que dans un recoin de l'Europe. Là, des maîtres ombrageux et jaloux de leur sécurité se sont occupés à le tenir dans ce que vous appelez l'abrutissement.

A. — A Venise, peut-être?

B. — Pourquoi non? Vous ne nierez pas, du moins, qu'il n'y ait nulle part moins de lumières acquises, moins de morale artificielle, et moins de vices et de vertus chimériques.

A. — Je ne m'attendais pas à l'éloge de ce gouvernement.

B. — Aussi ne le fais-je pas. Je vous indique une espèce de dédommagement de la servitude, que tous les voyageurs ont senti et préconisé.

A. — Pauvre dédommagement!

B. — Peut-être. Les Grecs proscrivaient celui qui avait ajouté une corde à la lyre de Mercure.

A. — Et cette défense est une satire sanglante de leurs premiers législateurs. C'est la première qu'il fallait couper.

B. — Vous m'avez compris. Partout où il y a une lyre, il y a des cordes. Tant que les appétits naturels seront sophistiqués, comptez sur des femmes méchantes.

A. — Comme la Reymer.

B. — Sur des hommes atroces.

A. — Comme Gardeil.

B. — Et sur des infortunés à propos de rien.

A. — Comme Tanié, mademoiselle de la Chaux, le chevalier Desroches et madame de la Carlière. Il est certain qu'on chercherait inutilement dans Taïti des exemples de la dépravation des deux premiers, et du malheur des trois derniers. Que ferons-nous donc? reviendrons-nous à la nature? nous soumettrons-nous aux lois?

B. — Nous parlerons contre les lois insensées jusqu'à ce qu'on les réforme; et, en attendant, nous nous y soumettrons. Celui qui, de son autorité privée, enfreint une loi mauvaise autorise tout autre à enfreindre les bonnes. Il y a moins d'inconvénients à être fou avec des fous, qu'à être sage tout seul. Disons-nous à nous-mêmes, crions incessamment qu'on a attaché la honte, le châtiment et l'ignominie à des actions innocentes en elles-mêmes; mais ne les commettons pas, parce que la honte, le châtiment et l'ignominie sont les plus grands de tous les maux. Imitons le bon aumônier, moine en France, sauvage dans Taïti.

A. — Prendre le froc du pays où l'on va, et garder celui du pays où l'on est.

B. — Et surtout être honnête et sincère jusqu'au scrupule avec des êtres fragiles qui ne peuvent faire notre bonheur, sans renoncer aux avantages les plus précieux de nos sociétés. Et ce brouillard épais, qu'est-il devenu?

A. — Il est retombé.

B. — Et nous serons encore libres, cet après-dîner, de sortir ou de rester?

A. — Cela dépendra, je crois, un peu plus des femmes que de nous.

B. — Toujours les femmes! on ne saurait faire un pas sans les rencontrer à travers son chemin.

A. — Si nous leur lisions l'entretien de l'aumônier et d'Orou?

B. — A votre avis, qu'en diraient-elles?

A. — Je n'en sais rien.

B. — Et qu'en penseraient-elles?

A. — Peut-être le contraire de ce qu'elles en diraient.

POSTFACE

LE TEXTE

Le choix de textes contenu dans ce volume est parfaitement arbitraire.

Bien qu'ils offrent quelque similitude dans leur titre (*Satire première, Satire seconde*), les deux premiers sont de nature très différente : le statut de LUI et de MOI dans *Le Neveu,* par exemple, n'est pas celui des deux interlocuteurs entre qui se répartit le texte de la *Satire première.* Celle-ci tient plutôt de la « lettre » et elle s'apparenterait à la *Lettre sur les Aveugles,* si son destinataire n'était actif dans le dialogue, alors que celui des *Aveugles* n'a qu'une présence si l'on peut dire « rhétorique ». De ce point de vue, elle se rapprocherait davantage de *Ceci n'est pas un conte* et de la série qu'il inaugure : « Lorsqu'on fait un conte, c'est à quelqu'un qui l'écoute ; et pour peu que le conte dure, il est rare que le conteur ne soit interrompu quelquefois par son auditeur. »

Dans cette série même, les deux interlocuteurs de *Ceci*

n'est pas un conte et de *Mme de la Carlière* n'ont pas exactement les rapports d'un meneur de jeu et d'un compère.
En réalité, ils connaissent aussi bien l'un que l'autre les
faits qui font la trame du récit. Mais ils divergent dans
l'interprétation, l'un représentant le point de vue le
plus général (et le plus « inconséquent »), l'autre celui
du philosophe qui cherche à connaître la raison des
effets. Cette relation est encore modifiée dans le *Supplément,* qui paraît régresser vers l'abstraction des premiers
dialogues (celle de la *Promenade du Sceptique,* par exemple).
En fait cet effacement des interlocuteurs en *A* et *B* n'est
sensible que dans le premier et le dernier chapitres;
c'est surtout un artifice qui permet de donner par
contraste plus de relief et plus d'autonomie aux personnages importants du drame central : le vieillard du chapitre II, l'aumônier et Orou dans les chapitres III et IV.
Par là, le *Supplément* se distingue assez nettement des
deux récits auxquels il est associé, et s'apparente plutôt
au *Rêve de d'Alembert* et à la *Suite de l'Entretien,* qui sont
dans la forme de véritables petites comédies dialoguées,
sans interférence apparente d'un personnage jouant le
rôle de l' « auteur ». Ce personnage est présent en
revanche dans l'*Entretien entre d'Alembert et Diderot,* où il
aurait à peu près la fonction qu'avait MOI dans *Le Neveu
de Rameau,* s'il n'était tenu à plus grande distance par
l' « émetteur » du discours.

   Même hétérogénéité si l'on a égard au contenu manifeste de nos neuf textes. De ce point de vue, ils forment
trois ensembles bien différenciés. La *Satire première* et
la *Satire seconde* se rattachent l'une à l'autre dans la

mesure où il y est traité de l'*expression,* et elles se rattachent ensemble à la *Lettre sur les Sourds et Muets,* aussi bien qu'au *Paradoxe sur le Comédien.*

La *Lettre sur les Aveugles* tient d'une certaine manière au *Rêve;* elle anticipe même à vingt ans de distance sur lui, par la place prééminente qu'elle donne au problème des *écarts de la nature,* c'est-à-dire des monstres, et aux conséquences philosophiques de toute réflexion sérieuse concernant ces écarts.

Enfin *Ceci n'est pas un conte, Mme de la Carlière* et le *Supplément au voyage de Bougainville* sont solidaires dans leur contenu comme dans leur genèse : les trois récits traitent de la contradiction entre la *loi de nature* et celles de la société civile ou religieuse.

Hétérogènes dans leur contenu et dans leur forme, éloignés d'ailleurs par leurs dates, puisque leur production s'est échelonnée sur trente-cinq années, ces textes sont encore bien loin de rendre compte des ressources de la palette de l'auteur. Il y manque toute son œuvre dramatique, sa contribution à l'*Encyclopédie*, ses opuscules mathématiques, ses *Salons,* les articles et les comptes rendus critiques qu'il écrivit pour la *Correspondance littéraire* de Grimm, pour ne parler que des œuvres dont il était le plus fier ou qui l'ont occupé longtemps.

Tel quel, ce choix est pourtant représentatif. Et dans son arbitraire même — par les rapprochements thématiques, idéologiques, formels qu'il impose, ou les reflets purement accidentels que chaque texte y reçoit de ceux qui l'avoisinent — il permet de prendre en perspective cavalière une vue très satisfaisante de l'ensemble. Voici

dans un ordre également arbitraire quelques-uns des
« parcours » que le lecteur de bonne volonté peut faire
d'un texte à l'autre. Tous peuvent naturellement être
prolongés, au-delà de ce volume, dans le reste de
l'œuvre... Et on en trouvera d'autres, pourvu qu'on se
donne la peine de les chercher.

Soit par exemple le mot *individualité,* qui apparaît une
fois dans les premières pages du *Neveu de Rameau.* Il
reparaîtra au début du *Salon de 1767,* à propos de peinture : « Mais s'il y a un portrait du visage, il y a un
portrait de l'œil, il y a un portrait du cou, de la gorge,
du ventre, du pied, de la main, de l'orteil, de l'ongle,
car qu'est-ce qu'un portrait, sinon la représentation
d'un être quelconque individuel ? Et si vous ne recon-
naissez pas aussi promptement, aussi sûrement, à des
caractères aussi certains, l'ongle portrait que le visage
portrait, [...] c'est que ses caractères d'*individualité* sont
plus petits, plus légers et plus fugitifs ».

Dans *Le Neveu de Rameau,* le mot fait partie du même
champ que *nature* (« à chacun une portion de son individualité naturelle »). Dans le *Salon de 1767,* il est associé
à *représentation.* Ce simple rapprochement suggère déjà
que la problématique de l'individualité est double :
existe-t-il objectivement, « en nature », des individus ?
Et comment l'art peut-il reproduire des individualités
— ou en créer ?

Le Neveu de Rameau pose la première question en
termes ontologiques (« Le point important est que vous
et moi nous soyons, et que nous soyons vous et moi »)
et en développe surtout les implications psychologiques

et morales : le « Moi » du Neveu est-il un ou multiple
(« Rien ne dissemble plus de lui que lui-même... »;
« N'est-il pas vrai que je suis toujours le même? »); s'il
est multiple, dans l'instant ou dans la durée, ses varia-
tions obéissent-elles à une loi (qu'est-ce que « l'ordre
général »? « l'ordre qui est »?); quel rapport y a-t-il
entre le concept d'individualité et celui d'*idiotisme moral,*
et ainsi de suite. Mais l'œuvre même est construite de
telle sorte que LUI et MOI semblent à tout moment
échanger leurs « personnalités ». Ils se réfractent en
tant de façons dans le texte qu'on peut même se demander parfois si le « je » qui parle n'est pas réellement un
autre! Mais ce doute, né de la structure de l'énoncé,
ébranle en retour ce qui paraissait tantôt une évidence
ontologique : est-il si certain que « vous [lui] et moi
nous soyons, et que nous soyons vous [lui] et moi »?

L'autre question (comment l'art crée-t-il au moins
l'illusion de l'*individualité*) est posée de biais par toute
la partie du *Neveu de Rameau* qui traite de l'expression
et, de droit fil, par le « sujet » de l'œuvre elle-même,
considérée comme le *portrait* d'un original — c'est-à-dire
d'une individualité hors du commun.

Mais, si l'on y prend garde, le problème de l'*individualité* n'était-il pas déjà posé dans la *Lettre sur les
Aveugles?* L'existence d'aveugles nés est un scandale pour
l'esprit : elle nie l'ordre général dont il était question
tantôt. « L'ordre n'est pas si parfait, [dit] Saunderson,
qu'il ne paraisse encore de temps en temps des productions monstrueuses ». S'il est vrai, comme il est avancé
dans les *Pensées sur l'interprétation de la nature,* que l'his-

toire dite naturelle semble être celle des « métamorphoses successives de l'enveloppe » d'un seul et même
prototype, il est vrai aussi que la nature fait perpétuellement des *écarts.* A la limite, on pourrait dire qu'il n'y a
d'originaux, c'est-à-dire d'individualités vraies, que ces
écarts. En un sens le Neveu, à qui une « fibre » a manqué, peut être comparé à l'homme privé de la vue; il
est un écart, un monstre, c'est pourquoi il est dit *original.*

La question ainsi posée en termes d'histoire naturelle
dès 1749, sera reprise dans les mêmes termes dans *Le
Rêve de d'Alembert,* mais à une autre échelle et avec plus
de rigueur. S'il est vrai que l'univers matériel est le
seul concevable (en tout cas le seul observable) et qu'il
est dans une vicissitude perpétuelle, si « le tout change
sans cesse » et si « toute chose est plus ou moins une
chose quelconque [...], plus ou moins d'un règne ou
d'un autre », d'Alembert est conséquent lorsqu'il affirme :
« Que voulez-vous donc dire avec vos *individus?*... Il n'y
en a point. Non, il n'y en a point... Il n'y a qu'un seul
grand individu; c'est le tout. Dans ce tout, comme dans
une machine, dans un animal quelconque, il y a une
partie que vous appellerez telle ou telle; mais quand
vous donnerez le nom d'individu à cette partie du tout,
c'est par un concept aussi faux que si, dans un oiseau,
vous donniez le nom d'individu à l'aile, à une plume de
l'aile... »

La notion d'*écart* ne fonde donc pas « en nature » celle
d'individualité, comme on aurait pu le penser. Au
contraire : la multiplicité et l'infinie diversité des écarts

tend perpétuellement à combler les lacunes provisoirement perçues dans la chaîne des êtres. L'individu n'a donc
pas d'existence objective; ce n'est qu'un « point de vue ».

Le Rêve va même plus loin, et « démontre » ce que
Le Neveu de Rameau suggérait sourdement : la subjectivité
individuelle est elle-même problématique. Sans la mémoire qu'il a de ses actions, en effet, l'être sentant
« n'aurait point de lui, puisque ne sentant son existence
que dans le moment de l'impression, il n'aurait aucune
histoire de sa vie. « Sa vie serait une suite ininterrompue
de sensations que rien ne lierait ». De la même façon,
nul « commerce » ne serait possible entre les autres et lui
sans la capacité qu'ont ses fibres de vibrer à l'unisson
des « instruments » montés comme lui. Lorsque ce
commerce est interrompu, la conscience que l'individu
a de soi est affectée au point qu'il n'y a plus pour elle
« ni lieu, ni mouvement, ni corps, ni distance, ni espace ».
L'un se sent nul; l'autre se croit gigantesque. Tel autre
se dédouble, comme le trépané de La Peyronie, le
monstre bicéphale de Rabastens ou le jeune homme
de Winterthur. « Il faut un événement bien moindre
qu'une décrépitude, pour ôter à l'homme la conscience
de soi ». L'expérience du rêve — telle que d'Alembert
la vit lui-même dans le texte — et même celle de la
vie quotidienne, prouve que l'individu est « agi » plus
qu'il n'agit et que sa vie consciente n'est que la partie
émergée d'un ensemble infiniment complexe, à la fois
un et multiple (« la dernière de nos actions est l'effet
nécessaire d'une cause une, nous, très compliquée, mais
une »).

Mais plus d'individu, plus de morale théorique, fût-elle rationnelle : Bordeu l'affirme dans le *Rêve* comme Diderot l'affirmait dans la *Lettre à Landois,* et comme il le répétera pour la centième fois dans le *Supplément au voyage de Bougainville...*

Soit encore un mot, ou plutôt un « couple » de mots, traité dans *Le Neveu de Rameau* de façon paradoxale. « Quand je dis *vicieux,* dit Rameau, c'est pour parler votre langue; car si nous venions à nous expliquer, il pourrait arriver que vous appellassiez *vice* ce que j'appelle *vertu,* et *vertu* ce que j'appelle *vice.* » Chacun des deux mots revient plus de vingt fois dans le texte, directement sous la forme du substantif, indirectement sous la forme de l'adjectif *(vicieux/vertueux),* tantôt dans la bouche de MOI, tantôt — mais deux fois plus souvent — dans celle de LUI. Le champ sémantique de la *vertu* et du *vice* est d'ailleurs aussi restreint dans le discours de MOI. *Vertu* est associée à *science, pudeur, décence;* elle procède de l'*instruction;* elle a des *charmes;* elle donne *réputation, honneur;* on doit l'*aimer,* elle est le fait de l'*homme de bien;* elle s'oppose évidemment et globalement au *vice,* qui est objet de *blâme,* qui entraîne *honte* et *ridicule.* Dans le discours de LUI, au contraire, la *vertu,* comme la *philosophie,* est une *bizarrerie;* elle n'est pas faite pour tout le monde; c'est un fantasme de *visionnaire,* voire une *fanfaronnade,* un *simulacre.* Elle *gêne;* on la *loue* mais on la *hait;* on la *fuit;* on l'*admire* mais elle *n'amuse pas.* Elle *ne conduit pas à la fortune;* elle *gèle de froid;* elle *ronge sa croûte* avec les *gueux.* Le *vice* est *délicieux,* il ne blesse que par intervalles. On se félicite des vices (des travers) qu'on a, parce qu'ils sont *naturels* (on naît vicieux), *s'acquièrent sans travail, se conservent sans effort, cadrent avec les mœurs.* Il faut garder ceux qui sont *utiles,* les *mettre à profit,* et notamment *servir ceux des grands.* Mais il faut savoir aussi en éviter les *caractères apparents,* le *ridicule.*

Ce vocabulaire est celui de la satire. Mais dans le filigrane du texte, au-delà de la satire des mœurs, se discerne nettement une problématique de la relativité du couple *vice-vertu,* dans son double rapport avec *nature* et *société.* La *Lettre sur les Aveugles* mettait déjà en cause la hiérarchie des valeurs morales reçues (respect de la propriété, pudeur, commisération) et montrait par l'exemple à quel point « nos vertus dépendent de notre manière de sentir, et du degré auquel les choses extérieures nous affectent ». Il était imprudent sans doute (ou simplement plaisant?) d'avancer « qu'un être qui aurait un sens de plus trouverait notre morale imparfaite »; mais l'essentiel était dit. Au terme de sa trajectoire, dans *Le Rêve de d'Alembert,* cette « fusée » deviendra : « Mais, Docteur, et le vice et la vertu? La vertu — ce mot si saint dans toutes les langues —, cette idée si sacrée chez toutes les nations! — Il faut le transformer en celui de bienfaisance, et son opposé en celui de malfaisance. On est heureusement ou malheureusement né. On est irrésistiblement entraîné par le torrent général qui conduit l'un à la gloire, l'autre à l'ignominie ». Et dans la *Suite :* « Tout ce qui est ne peut être ni contre nature ni hors nature. Je n'en excepte même pas la chasteté et la continence volontaires qui seraient les premiers des crimes contre nature, si l'on pouvait pécher contre nature... »

Tenant pour résolu, par la négative, le problème des fondements naturels de l'éthique, l'auteur des *Contes* et du *Supplément* peut poser hardiment celui des rapports entre morale et société que la *Lettre sur les Aveugles* et *Le Rêve* avaient laissé provisoirement en suspens (Bordeu parlait pourtant des « lois sociales d'un pays où l'on pèserait les actions dans une autre balance que celle du fanatisme et du préjugé »).

La tragédie de Tanié et de la Reymer, de Mlle de la Chaux et de Gardeil, est celle de la passion amoureuse, du *désir* pur confronté au *besoin,* à la nécessité de subsister seul ou par couples dans une société fondée sur l'inégalité des *fortunes.* La Reymer n'est pas « naturellement » *vicieuse. L'avarice, l'ambition* la rendent despotique, cruelle, artificieuse. Mais Tanié est aussi *déraisonnable, extravagant,* d'ignorer le train du monde. Gardeil paraît être un *monstre* d'*ingratitude* et d'*ambition,* mais il n'est pas dans la *nature* que l'homme soit « le maître ni d'arrêter une passion qui s'allume, ni d'en prolonger une qui s'éteint ». Et Mlle de la Chaux aurait sans doute moins souffert d'être abandonnée d'un seul homme si elle n'avait été persécutée par ses parents et par les prêtres, à cause de cet *attachement* même.

Mme de la Carlière n'est pas davantage « la belle, la grande, la *vertueuse* Madame de la Carlière » qu'elle n'est une « inflexible et hautaine bégueule ». Desroches est un « infortuné poursuivi par le sort et accablé de malheurs », une victime du *hasard*. Les actions qu'un vain peuple reproche aux uns et aux autres sont moins des « *vices* de l'homme » que des « conséquences de nos législations absurdes, sources de mœurs aussi absurdes qu'elles et d'une dépravation [qu'on appellerait] volontiers artificielle ». Ce que le *Supplément au voyage de Bougainville* a précisément pour fonction de démontrer, avec l'éclat et le bonheur qu'on sait...

Soit encore, dans *Le Neveu de Rameau,* le mot *expression,* et le champ sémantique qui l'entoure : *génie, vérité; mélodie, chant, déclamation; art; mouvement, force, passion.* Il y a un rapport étroit entre la capacité qu'a l'être humain de *s'exprimer* et sa sensibilité, au sens physique du terme. La comparaison récurrente entre l'homme et l'instrument de musique (ils se confondent parfois en la personne de Rameau) est fondée sur l'analogie des *fibres* de l'un avec les *cordes* de l'autre : l'instrument (l'homme) est *sensible* lorsqu'il a toutes ses cordes (fibres) et qu'elles résonnent au moindre souffle harmonique. L'*expression* est *vraie* lorsque la vibration est transmise sans interférence, et ainsi de suite.

Il y a donc une science des *écarts* de l'expression comme il y en a une des écarts de la nature. C'est pourquoi les pages de la *Lettre sur les Aveugles* qui traitent de l'*expression* et de la *métaphore* ne sont pas une digression, mais tiennent profondément au sujet.

L'*Entretien, Le Rêve* et la *Suite* traitent aussi naturellement de l'*expression*. On peut y trouver les éléments d'un traité poétique de l'*analogie,* dans deux tirades de l'*En-*

tretien qu'il faut rapprocher pour les lire à la suite l'une de l'autre (« Je le pense; ce qui m'a fait quelquefois comparer les fibres de nos organes..., », et plus loin : « L'analogie dans les cas les plus composés n'est qu'une règle de trois... »). Et le passage du *Rêve,* déjà cité, où d'Alembert rêvant conteste le concept d'*individu,* peut être lu indifféremment du point de vue de la linguistique ou de l'histoire de la nature : il pourrait même très bien fonder une théorie de l'*arbitraire du signe,* au sens saussurien du mot.

Les *Contes* et le *Supplément* font apparemment moins de part à une réflexion sur l'*expression.* Elle s'y trouve cependant. Dans les *Contes,* elle est constamment sous-jacente aux discours et surtout, comme dans *Le Neveu de Rameau,* à la *pantomime* des personnages : ce n'est pas un hasard si la sensible Mlle de la Chaux y est nommée comme auteur des « objections très fines » faites vingt ans plus tôt à la *Lettre sur les Sourds et Muets,* le traité théorique le plus ample que Diderot ait écrit à propos de l'*expression.*

Le *Supplément* ne contient pas une théorie aussi manifeste, mais il en suppose une, dont les éléments épars dans le texte mériteraient d'être réunis, et ordonnés les uns par rapport aux autres.

L'*écriture,* pour les Tahitiens, est la forme ordinaire d'expression de la *loi,* de l'*ordre.* Elle est foncièrement « répressive » : les codes des nations sont gravés sur des « tables d'airain » ou sur le « marbre », et le premier acte tyrannique des envahisseurs étrangers est d'écrire sur une « lame de métal » : « Ce pays est à nous ».

La *parole* elle-même n'a pas la même fonction, selon qu'elle est plus ou moins *articulée*. La langue des Tahitiens n'a « ni *b,* ni *c,* ni *d,* ni *f,* ni *g,* ni *q,* ni *x,* ni *y,* ni *z* ». Elle a moins d'articulations que nos langues d'Occident, mais elle est aussi, et sans doute d'autant plus expressive, comme le chapitre II tend à le démontrer, malgré l'écran d'une double traduction. Le discours du vieillard paraît encore « véhément », et garde « je ne sais quoi d'abrupt et de sauvage ». Au fond, l'auteur du *Supplément* rejoint celui de l'*Essai sur l'origine des langues :* pour lui comme pour Rousseau, le langage de la passion (du désir) s'oppose à celui du besoin comme *nature* s'oppose à société, c'est-à-dire à *culture*. S'ils se confondent, chez les Tahitiens, c'est que chez eux le besoin et le désir sont une seule et même chose. L'*expression* par excellence, pour eux, c'est l'*hymne de jouissance* qui accompagne et encourage l'union des couples. On l'entend deux fois retentir dans le texte, lointain écho des hautbois et des musettes de récit de Cyclophile, au chapitre XVIII des *Bijoux indiscrets.*

Mais que faire lorsque les voix désaccordées de la culture tendent à étouffer celle de la nature? « Les Grecs, dit l'un des interlocuteurs du *Supplément,* proscrivirent celui qui avait ajouté une corde à la lyre de Mercure ». Stupidité, dit l'autre : « C'est la première corde qu'il fallait couper ». L'écrivain doit-il donc tenter de « conserver », voire de reconstituer le discours primitif, ou plus radicalement encore se condamner au silence? Le *Supplément* illustre l'une et l'autre possibilité : dans les adieux du vieillard (et même jusqu'à un certain point dans le « discours singulier » de Polly Baker), dans le « vaste silence » qui règne sur toute l'étendue de l'île lorsque le vieillard a fini de parler. Mais il en prône en fait une troisième, dont il est par sa texture même, autant que par sa destination (une diffusion auprès des abonnés princiers de la *Correspondance littéraire*!) l'illustration suffisante ; la « conclusion » de B en donne la formulation idéologique la plus claire : « Nous *parlerons* contre les lois insensées jusqu'à ce qu'on les réforme ; *et en attendant, nous nous y soumettrons* ». Fit-on jamais satire plus « sanglante » du discours *utopique*? Il faudrait savoir si Diderot la fit consciemment ou non, ce qui ne sera sans doute possible qu'au terme d'une analyse non idéologique de son texte.

J. PROUST.

LA VOIX DE L'AUTEUR DANS LE TEXTE

« Il y a un temps où j'aimais le spectacle et surtout
l'opéra. J'étais un jour à l'Opéra entre l'abbé de Canaye
que vous connaissez, et un certain Monbron [...]. Je
venais d'entendre un morceau pathétique, dont les
paroles et la musique m'avaient transporté. Alors nous
ne connaissions pas Pergolèse, et Lulli était un homme
sublime pour nous. Dans le transport de mon ivresse
je saisis mon voisin Monbron par le bras, et lui dis :
Convenez, monsieur, que cela est beau. L'homme au
teint jaune, aux sourcils noirs et touffus, à l'œil féroce
et couvert, me répond : Je ne sens pas cela. — Vous ne
sentez pas cela ? — Non, j'ai le cœur velu... — Je frissonne, je m'éloigne du tigre à deux pieds... » (*Satire
première.*)

« Qu'il fasse beau, qu'il fasse laid, c'est mon habitude
d'aller sur les cinq heures du soir me promener au
Palais-Royal. C'est moi qu'on voit, toujours seul, rêvant
sur le banc d'Argenson. Je m'entretiens avec moi-même

de politique, d'amour, de goût ou de philosophie.
J'abandonne mon esprit à tout son libertinage. Je le
laisse maître de suivre la première idée sage ou folle
qui se présente, comme on voit dans l'allée de Foy nos
jeunes dissolus marcher sur les pas d'une courtisane à
l'air éventé, au visage riant, à l'œil vif, au nez retroussé,
quitter celle-ci pour une autre, les attaquant toutes et
ne s'attachant à aucune. Mes pensées, ce sont mes
catins » (*Le Neveu de Rameau.*)

« LUI. — [...] Là, monsieur le philosophe : la main
sur la conscience, parlez net. Il y eut un temps où
vous n'étiez pas cossu comme aujourd'hui.

MOI. — Je ne le suis pas encore trop.

LUI. — Mais vous n'iriez plus au Luxembourg en été,
vous vous en souvenez...

MOI. — Laissons cela; oui, je m'en souviens.

LUI. — En redingote de peluche grise.

MOI. — Oui, oui.

LUI. — Éreintée par un des côtés; avec les manchettes
déchirées, et les bas de laine, noirs et recousus par derrière avec du fil blanc.

MOI. — Et oui, oui, tout ce qu'il vous plaira.

LUI. — Que faisiez-vous alors dans l'allée des Soupirs?

MOI. — Une assez triste figure. » (*Le Neveu de Rameau.*)

« Je ne méprise pas les plaisirs des sens. J'ai un
palais aussi, et il est flatté d'un mets délicat, ou d'un
vin délicieux. J'ai un cœur et des yeux; et j'aime à voir
une jolie femme. J'aime sentir sous ma main la fermeté

et la rondeur de sa gorge; à presser ses lèvres des miennes; à puiser la volupté dans ses regards, et à en expirer entre ses bras [...]. Mais je ne vous dissimulerai pas, il m'est infiniment plus doux encore d'avoir secouru le malheureux, d'avoir terminé une affaire épineuse, donné un conseil salutaire, fait une lecture agréable; une promenade avec un homme ou une femme chère à mon cœur; passé quelques heures instructives avec mes enfants, écrit une bonne page, rempli les devoirs de mon état; dit à celle que j'aime quelques choses tendres et douces qui amènent ses bras autour de mon col. » (*Le Neveu de Rameau.*)

« Mais si vous aviez une fille à marier, la donneriez-vous à Desroches? — Sans délibérer; parce que le hasard l'avait engagé dans un de ces pas glissants dont ni vous, ni moi, ni personne ne peut se promettre de se tirer; parce que l'amitié, l'honnêteté, la bienfaisance, toutes les circonstances possibles avaient préparé sa faute et son excuse; parce que la conduite qu'il a tenue depuis sa séparation volontaire d'avec sa femme a été irrépréhensible, et que, sans approuver les maris infidèles, je ne prise pas autrement les femmes qui mettent tant d'importance à cette rare qualité. Et puis j'ai mes idées, peut-être justes, à coup sûr bizarres, sur certaines actions que je regarde moins comme des vices de l'homme que comme des conséquences de nos législations absurdes, sources de mœurs aussi absurdes qu'elles et d'une dépravation que j'appellerais volontiers artificielle. » (*Madame de la Carlière.*)

HARMONIQUES

Hasard et nécessité

« Vous voulez bien convenir avec moi [...] que la matière existe de toute éternité, et que le mouvement lui est essentiel. Pour répondre à cette faveur, je vais supposer avec vous que le monde n'a point de bornes; que la multitude des atomes était infinie, et que cet ordre qui vous étonne ne se dément nulle part : or, de ces aveux réciproques, il ne s'ensuit autre chose, sinon que la possibilité d'engendrer fortuitement l'univers est très petite, mais que la quantité des jets est infinie, c'est-à-dire que la difficulté de l'événement est plus que suffisamment compensée par la multitude des jets. » (*Pensées philosophiques, XXI.*)

« Si j'avais là un boisseau de dés, que je remuasse ce boisseau, et qu'ils se tournassent tous sur le même point, ce phénomène vous étonnerait-il beaucoup? — Beaucoup. — Et si tous ces dés étaient pipés le phénomène vous étonnerait-il encore? — Non. — L'abbé, à l'application. Ce monde n'est qu'un amas de molécules pipées en une infinité de manières diverses. Il y a une loi de nécessité qui s'exécute sans dessein, sans effort, sans intelligence, sans progrès, sans résistance dans toutes les œuvres de Nature. » (*Salon de 1767.*)

VIE ÉTERNELLE ET SENSIBILITÉ UNIVERSELLE

« Si la foi ne nous apprenait que les animaux sont sortis des mains du Créateur tels que nous les voyons; et s'il était permis d'avoir la moindre incertitude sur leur commencement et sur leur fin, le philosophe abandonné à ses conjectures ne pourrait-il pas soupçonner que l'animalité avait de toute éternité ses éléments particuliers, épars et confondus dans la masse de la matière; qu'il est arrivé à ces éléments de se réunir parce qu'il était possible que cela se fît; que l'embryon formé de ces éléments a passé par une infinité d'organisations et de développements; qu'il a eu, par succession, du mouvement, de la sensation, des idées, de la pensée, de la réflexion, de la conscience, des sentiments, des passions, des signes, des gestes, des sons, des sons articulés, une langue, des lois, des sciences, et des arts; qu'il s'est écoulé des millions d'années entre chacun de ces développements; qu'il a peut-être d'autres développements à subir et d'autres accroissements à prendre, qui nous sont inconnus. » (*Pensées sur l'interprétation de la nature,* LVIII.)

« Le sentiment et la vie sont éternels. Ce qui vit a toujours vécu et vivra sans fin. La seule différence que je connaisse entre la mort et la vie, c'est qu'à présent vous vivez en masse et que, dissous, épars en molécules, dans vingt ans d'ici vous vivrez en détail. » (*Lettre* du 15 octobre 1759.)

« La sensibilité est une propriété universelle de la matière, propriété inerte dans les corps bruts, comme le mouvement dans les corps pesants arrêtés par un obstacle, propriété rendue active dans les mêmes corps par leur assimilation avec une substance animale vivante [...]. L'animal est le laboratoire où la sensibilité, d'inerte qu'elle était, devient active. » (*Lettre* du 10 octobre 1765.)

MORALE ET DÉTERMINISME

« S'il n'y a point de liberté, il n'y a point d'action qui mérite la louange ou le blâme. Il n'y a ni vice ni vertu, rien dont il faille récompenser ou châtier.

« Qu'est-ce qui distingue donc les hommes? La bienfaisance et la malfaisance. Le malfaisant est un homme qu'il faut détruire et non punir; la bienfaisance est une bonne fortune, et non une vertu. » (*Lettre à Landois*.)

« La nature ne nous a pas faits méchants; c'est la mauvaise éducation, le mauvais exemple, la mauvaise législation qui nous corrompent. » (*Lettre* du 6 novembre 1760.)

LES PASSIONS ET LE DÉSIR

« Nous ressemblons à de vrais instruments dont les passions sont les cordes. Dans le fou, elles sont trop hautes; l'instrument crie : elles sont trop basses dans le stupide; l'instrument est sourd. Un homme sans pas-

sions est donc un instrument dont on a coupé les
cordes, ou qui n'en eut jamais. » (*Essai sur le mérite et
la vertu.*)

« Les passions nous inspirent toujours bien, puisqu'elles ne nous inspirent que le désir du bonheur; c'est
l'esprit qui nous conduit mal, et qui nous fait prendre
de fausses routes pour y parvenir. Ainsi nous ne sommes
criminels que parce que nous jugeons mal; et c'est la raison et non la nature qui nous trompe. » (*Le Prosélyte
répondant par lui-même.*)

« Il n'y a qu'une passion, celle d'être heureux. Elle
prend différents noms, selon les objets; elle est vice et
vertu, selon sa violence, ses moyens et ses effets. » (*Éléments de physiologie.*)

L'ÉTAT SOCIAL IDÉAL

« Voulez-vous que je vous dise un beau paradoxe?
C'est que je suis convaincu qu'il ne peut y avoir de vrai
bonheur pour l'espèce humaine que dans un état social
où il n'y aurait ni roi, ni magistrat, ni prêtre, ni lois,
ni tien, ni mien, ni propriété mobilière, ni propriété
foncière, ni vices ni vertus; et cet état social est diablement idéal. » (*Le Temple du bonheur*)

« L'enfant de la nature abhorre l'esclavage;
« Implacable ennemi de toute autorité,
« Il s'indigne du joug; la contrainte l'outrage;
« Liberté, c'est son vœu; son cri, c'est Liberté.

« Au mépris des liens de la société,
« Il réclame en secret son antique apanage.
« Des mœurs ou grimaces d'usage
« Ont beau servir de voile à sa férocité;
« Une hypocrite urbanité,
« Les souplesses d'un tigre enchaîné dans sa cage,
« Ne trompent point l'œil du sage;
« Et, dans les murs de la cité,
« Il reconnaît l'homme sauvage
« S'agitant sous les fers dont il est garrotté »
                                   (*Les Éleuthéromanes.*)

« Aucun homme n'a reçu de la nature le droit de commander aux autres. La liberté est un présent du ciel, et chaque individu de la même espèce a le droit d'en jouir aussitôt qu'il jouit de la raison. » (Article AUTORITÉ POLITIQUE de l'*Encyclopédie*.)

CHRONOLOGIE

1713 — *5 octobre*. Naissance à Langres, dans une famille de maître-coutelier.

1723-1732 — Études au collège des jésuites de Langres, puis à Paris.

1733-1740 — Période obscure, mais féconde, pendant laquelle Diderot vit au jour le jour de travaux problématiques, étudie les mathématiques, lit les Anciens, et fréquente les théâtres.

1741 — Rencontre d'Antoinette Champion, lingère en chambre.

1742 — Traduction de l'*Histoire de Grèce*, de l'Anglais Stanyan.

Août. Rencontre de J.-J. Rousseau.

Décembre. Diderot se rend à Langres pour demander l'autorisation de se marier.

1743 — Le père fait interner le fils dans un monastère. Diderot s'évade, revient à Paris, épouse secrètement Antoinette.

1745 — Adaptation et publication annotée de l'*Essai sur le mérite et la vertu*, de l'Anglais Shaftesbury.

1746 — Diderot publie anonymement les *Pensées philoso-phiques,* aussitôt condamnées au feu par le Parlement de Paris (juillet).

1747 — Diderot écrit la *Promenade du sceptique,* qui restera en manuscrit. Il est surveillé par la police. *Octobre.* D'Alembert et lui signent un contrat avec les Libraires associés pour l'édition de l'*Encyclopédie.*

1748 — Diderot publie anonymement *Les Bijoux indiscrets* puis, sous son nom, des *Mémoires de mathématiques.* Vers la même époque, sa sœur Angélique, religieuse ursuline, meurt folle dans un couvent, à l'âge de vingt-huit ans.

1749 — *Juin.* Publication de la *Lettre sur les Aveugles.* *24 juillet.* Diderot est arrêté et enfermé par lettre de cachet au donjon de Vincennes. Il lit Buffon et traduit Platon. Il est libéré le 3 novembre.

1750 — Prospectus de lancement de l'*Encyclopédie.*

1751 — *Février.* Publication de la *Lettre sur les Sourds et Muets.* *Juin.* Sortie du premier volume de l'*Encyclopédie.*

1752 — *Janvier.* Condamnation par la Sorbonne de la thèse de l'abbé de Prades, collaborateur notoire de l'*Encyclopédie,* dont le tome II sort des presses. *Février.* Suppression des deux premiers volumes du dictionnaire par arrêt du Conseil du roi. Diderot fait imprimer sans permission une apologie de l'abbé de Prades.

1753 — Participation à la querelle des Bouffons italiens. *2 septembre.* Naissance de Marie-Angélique, le seul enfant de Diderot qui ne mourra pas en bas âge. *Novembre.* Tome III de l'*Encyclopédie.*

Décembre. De l'Interprétation de la nature, première édition (la seconde et la troisième en 1754).

1754-1756 — Tomes IV à VI de l'*Encyclopédie.*

1757 — *Février.* Publication du *Fils naturel* et des *Entretiens* sur la pièce.

Décembre. Dernière crise dans les rapports entre Diderot et Rousseau.

1758 — *Novembre.* Publication du *Père de famille* et du *Discours sur la poésie dramatique.*

1759 — L'*Encyclopédie* est frappée successivement d'interdiction par le Parlement, par le Conseil du roi et par le pape. Les éditeurs et Diderot n'en préparent pas moins la publication des planches et de la suite des volumes de textes.

10 mai. Première lettre connue à Louise-Henriette Volland, dite « Sophie », avec qui Diderot s'est lié quelques années plus tôt.

Juin. Mort du père.

Septembre-novembre. Rédaction du *Salon de 1759* pour la *Correspondance littéraire,* qui accueillera tous les *Salons* subséquents.

1760 — Rédaction de *La Religieuse.*

2 mai. Diderot est vivement touché par la représentation des *Philosophes,* où il est dénigré avec tout le parti encyclopédique.

1761 — *Février.* Représentation du *Père de famille* au Français.

Septembre. Rédaction du second *Salon.*

1762 — Publication de l'*Éloge de Richardson.* Première ébauche du *Neveu de Rameau.*

1763 — *Septembre*. Troisième *Salon*.

Octobre-décembre. *Lettre sur le commerce de la librairie,* ou *Mémoire sur la liberté de la presse,* texte non publié.

1764 — Diderot découvre que le principal éditeur de l'*Encyclopédie* a mutilé son texte par crainte de la censure.

1765 — *Mars*. Catherine de Russie achète la bibliothèque de Diderot.

Septembre. Quatrième *Salon,* suivi des *Essais sur la peinture*.

1766 — *Janvier*. Sortie des dix derniers volumes de textes de l'*Encyclopédie*. Les volumes de planches s'échelonneront jusqu'en 1772.

1767-1768 — Cinquième *Salon* et *Mystification, ou Histoire des Portraits* (non publiée).

1769 — Liaison avec Mme de Meaux. Rédaction du *Rêve de d'Alembert* et du sixième *Salon*.

1770 — *Mars*. Fiançailles d'Angélique Diderot avec Caroillon de Vandeul, maître de forges (ils se marieront en 1772).

Été. Voyage à Langres et à Bourbonne, rédaction des *Deux amis de Bourbonne* et de l'*Entretien d'un père avec ses enfants*.

1771 — Diderot rédige son septième *Salon*. Il lit à Meister la première version de *Jacques le fataliste* (septembre).

1772 — Les *Eleuthéromanes; Ceci n'est pas un conte; Mme de la Carlière;* première version du *Supplément au voyage de Bougainville;* collaboration (qui s'élargira jusqu'en 1780) à l'*Histoire des deux Indes* de l'abbé

Raynal. Les deux premières éditions des *Œuvres* de Diderot paraissent à Amsterdam (la meilleure est l'in-12).

1773 — *11 juin.* Départ pour La Haye et la Russie. En Hollande, Diderot rédige ses notes de voyage et commence la réfutation de l'*Homme* d'Helvétius. *8 octobre.* Arrivée à Pétersbourg, début de la rédaction des *Mémoires pour Catherine II,* projet d'une réédition russe de l'*Encyclopédie.*

1774 — *5 mars.* Départ de Pétersbourg.
Avril-septembre. Second séjour à La Haye, rédaction de plusieurs ouvrages, dont l'*Entretien avec la Maréchale.*
Octobre. Retour à Paris.

1775 — *Plan d'une université pour la Russie.*
Septembre. Rédaction du huitième *Salon.*

1777 — Préparation d'une édition d'*Œuvres complètes* pour Marc-Michel Rey; premier état de *Est-il bon? est-il méchant?* (la pièce et le prologue).

1778 — *Novembre.* Début de la publication de *Jacques le fataliste* dans la *Correspondance littéraire.*
Décembre. Première édition de l'*Essai sur les règnes de Claude et de Néron (Vie de Sénèque).*

1780 — *Octobre.* Début de la publication de *La Religieuse* dans la *Correspondance littéraire.*

1781 — *Lettre apologétique de l'abbé Raynal;* neuvième *Salon.*

1782 — Seconde édition de l'*Essai sur les règnes de Claude et de Néron.*

1784 — *Février.* Mort de Sophie.
31 juillet. Mort de Diderot.

TABLE

POSTFACE

IMPRIMÉ EN FRANCE PAR BRODARD ET TAUPIN
6, place d'Alleray - Paris.
Usine de La Flèche, le 23-02-1972.
6643-5 - Dépôt légal n° 1417, 1er trimestre 1972.
LE LIVRE DE POCHE - 22, avenue Pierre 1er de Serbie - Paris.
30 - 33 - 1653 - 01

✛30 / 1653 / 2